Les Chevaliers d'Émeraude

TOME IX
L'héritage de Danalieth

Déjà parus

- *Les Chevaliers d'Émeraude*
    tome I : Le feu dans le ciel
    tome II : Les dragons de l'Empereur Noir
    tome III : Piège au Royaume des Ombres
    tome IV : La princesse rebelle
    tome V : L'île des Lézards
    tome VI : Le journal d'Onyx
    tome VII : L'enlèvement
    tome VIII : Les dieux déchus

À paraître bientôt

- *Les Chevaliers d'Émeraude*
    tome X : Représailles

Anne Robillard

Les Chevaliers d'Émeraude

TOME IX
L'héritage de Danalieth

Éditions de Mortagne

Données de catalogage avant publication (Canada)

Robillard, Anne

  Les Chevaliers d'Émeraude

  Sommaire : t. 9. L'héritage de Danalieth.

    ISBN 2-89074-686-0 (v. 9)

  I. Titre. II. Titre: L'héritage de Danalieth.

PS8585.O325C43 2002   C843'.6   C2002-941612-4
PS9585.O325C43 2002

Édition
Les Éditions de Mortagne
Case postale 116
Boucherville (Québec)
J4B 5E6

Distribution
Tél. : (450) 641-2387
Téléc. : (450) 655-6092
Courriel : edm@editionsdemortagne.qc.ca

Dépôt légal
Bibliothèque nationale du Canada
Bibliothèque nationale du Québec
Bibliothèque Nationale de France
3ᵉ trimestre 2006

ISBN : 978-2-89074-686-2

1 2 3 4 5 – 06 – 10 09 08 07 06

Imprimé au Canada

Nous reconnaissons l'aide financière du gouvernement du Canada par l'entremise du Programme d'aide au développement de l'industrie de l'édition (PADIÉ) et celle du gouvernement du Québec par l'entremise de la Société de développement des entreprises culturelles (SODEC) pour nos activités d'édition. Gouvernement du Québec – Programme de crédit d'impôt pour l'édition de livres – Gestion SODEC.

REMERCIEMENTS

Merci à tous ceux qui ont pris le temps de remplir un coupon dans les magasins Archambault parce qu'ils aimaient les Chevaliers d'Émeraude. C'est à vous que je dois le grand prix littéraire Archambault.

Merci à mon équipe magique, surtout à Claudia, qui surveille l'ordre des événements dans chaque tome, et à Élise, mon bras droit, grâce à qui je peux me rendre là où je suis censée aller ! Merci à Shushe, Patrick, Raymond et Vivianne qui veillent sur mes intérêts. Merci à Catherine qui a su donner un visage à plusieurs de mes personnages. Merci à Jean-Pierre qui a créé le nouveau site Internet (y avez-vous trouvé la visite virtuelle du Château d'Émeraude ?) et la couverture de ce tome. Ton talent n'arrête pas de m'impressionner ! Merci aux Chevaliers qui ont animé mes banquets. Je vous aime. Merci aussi à Faëria pour le CD. Merci à Marie-Soleil et au forum.

Papa, maman, merci pour la fierté qui brille dans vos yeux. Merci aussi à Daniel, Hélène et les enfants qui ne manquent plus un lancement. Merci à Vie pour son optimisme à toute épreuve.

Merci encore une fois à Prologue. Je vous dois beaucoup. Merci à Max, Caroline, Alexandra des Éditions de Mortagne et à Marie-Claire qui comprennent mes inquiétudes.

À tous : Courage, Honneur et Justice !

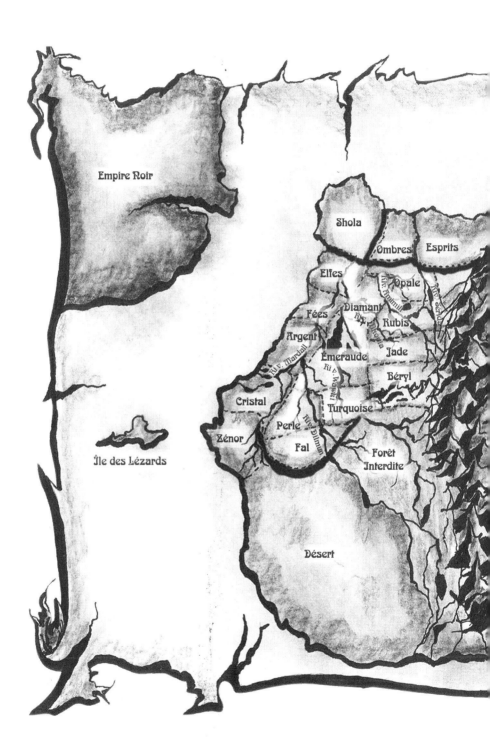

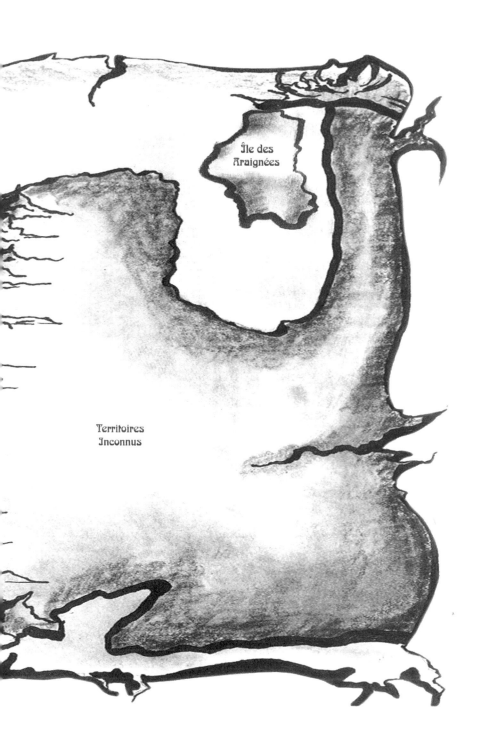

L'ORDRE
PREMIÈRE GÉNÉRATION
DES CHEVALIERS D'ÉMERAUDE

CHEVALIER BERGEAU
ÉCUYER LIANAN

✧

CHEVALIER CHLOÉ
ÉCUYER CORALIE

✧

CHEVALIER DEMPSEY
ÉCUYER INDYA

✧

CHEVALIER FALCON
ÉCUYER ALEX

CHEVALIER JASSON
ÉCUYER NIKELAI

✧

CHEVALIER SANTO
ÉCUYER SHANGWI

✧

CHEVALIER WELLAN
ÉCUYER LASSA

✧

L'ORDRE
DEUXIÈME GÉNÉRATION
DES CHEVALIERS D'ÉMERAUDE

CHEVALIER BRIDGESS
ÉCUYER ATHALÉE

✧

CHEVALIER KERNS
ÉCUYER CÉLAN

✧

CHEVALIER KEVIN
ÉCUYER LIAM

CHEVALIER NOGAIT
ÉCUYER DIANJIN

✧

CHEVALIER WANDA
ÉCUYER AMBRE

✧

CHEVALIER WIMME
ÉCUYER FILIP

L'ORDRE
TROISIÈME GÉNÉRATION
DES CHEVALIERS D'ÉMERAUDE

CHEVALIER ARIANE
ÉCUYER ODÉLIE

✧

CHEVALIER BRENNAN
ÉCUYER CHARIFF

✧

CHEVALIER COLVILLE
ÉCUYER MERCASS

✧

CHEVALIER CORBIN
ÉCUYER NORIKOFF

✧

CHEVALIER CURTIS
ÉCUYER XION

✧

CHEVALIER DEREK
ÉCUYER GILLIANG

✧

CHEVALIER HETTRICK
ÉCUYER JINANN

✧

CHEVALIER KAGAN
ÉCUYER AKARINA

CHEVALIER KIRA
ÉCUYER KEIKO

✧

CHEVALIER MILOS
ÉCUYER BATHIDE

✧

CHEVALIER MORGAN
ÉCUYER SAHILL

✧

CHEVALIER MURRAY
ÉCUYER ROMY

✧

CHEVALIER PENCER
ÉCUYER MAXENSE

✧

CHEVALIER SAGE
ÉCUYER CASSILDEY

✧

CHEVALIER SWAN
ÉCUYER JENIFAEL

✧

L'ORDRE
QUATRIÈME GÉNÉRATION
DES CHEVALIERS D'ÉMERAUDE

chevalier akers
écuyer kilimiris

✧

chevalier alisen
écuyer vassilios

✧

chevalier amax
écuyer shuhei

✧

chevalier arca
écuyer tazyel

✧

chevalier atall
écuyer ivanko

✧

chevalier bailey
écuyer cidia

✧

chevalier bianchi
écuyer uwhan

✧

chevalier botti
écuyer zoran

✧

chevalier brannock
écuyer nova

✧

chevalier callaan
écuyer allado

✧

chevalier carlo
écuyer aldian

✧

chevalier chesley
écuyer zane

✧

chevalier daiklan
écuyer bélonn

✧

chevalier davis
écuyer donatey

✧

chevalier dienelt
écuyer brit

✧

chevalier dillawn
écuyer sora

✧

chevalier drewry
écuyer parise

✧

chevalier dyksta
écuyer myung

✧

chevalier fabrice
écuyer edessa

✧

chevalier fossell
écuyer ryun

✧

chevalier gabrelle
écuyer tara
✧

chevalier heilder
écuyer bansal
✧

chevalier herrior
écuyer deleska
✧

chevalier hiall
écuyer goran
✧

chevalier izzly
écuyer orlando
✧

chevalier jana
écuyer andaraniel
✧

chevalier joslove
écuyer rayanelle
✧

chevalier kisilin
écuyer théa
✧

chevalier kowal
écuyer haspel
✧

chevalier kruse
écuyer xéli
✧

chevalier kumitz
écuyer waxim
✧

chevalier lornan
écuyer shizuo
✧

chevalier madier
écuyer jakobe
✧

chevalier maïwen
écuyer noémie
✧

chevalier offman
écuyer jaromir
✧

chevalier prorok
écuyer tivador
✧

chevalier randan
chevalier malède
✧

chevalier reiser
écuyer viyay
✧

chevalier robyn
écuyer vélaria
✧

chevalier romald
écuyer shandini
✧

chevalier salmo
écuyer aurelle
✧

chevalier sheeby
écuyer brianna
✧

chevalier sherman
écuyer christer
✧

chevalier silvess
écuyer onill
✧

chevalier ursa
écuyer marika

✧

chevalier volpel
écuyer cyril

✧

chevalier winks
écuyer ali

✧

chevalier yamina
écuyer émélianne

✧

chevalier yann
écuyer michal

✧

chevalier zane
écuyer horacio

✧

chevalier zerrouk
écuyer anton

✧

~

L'ordre
cinquième génération
des chevaliers d'émeraude

chevalier ada
écuyer loreli

✧

chevalier aidan
écuyer cilian

✧

chevalier alwin
écuyer falide

✧

chevalier bankston
écuyer daviel

✧

chevalier benson
écuyer maryne

✧

chevalier camilla
écuyer analia

✧

chevalier dansen
écuyer mérine

✧

chevalier dean
écuyer osan

✧

chevalier drew
écuyer saphora

✧

chevalier dunkel
écuyer néda

✧

chevalier ellie
écuyer cristelle

✧

chevalier fayden
écuyer édul

✧

chevalier francis
écuyer domenec

✧

chevalier franklin
écuyer madul

✧

chevalier gibbs
écuyer symilde

✧

chevalier harrison
écuyer syrian

✧

chevalier honsu
écuyer tidian

✧

chevalier ivy
écuyer julia

✧

chevalier jonas
écuyer héliante

✧

chevalier kelly
écuyer esko

✧

chevalier koshof
écuyer philin

✧

chevalier lavann
écuyer kaled

✧

chevalier linney
écuyer sladek

✧

chevalier mann
écuyer dalvi

✧

chevalier mara
écuyer fanelle

✧

chevalier moher
écuyer valici

✧

chevalier nelson
écuyer noah

✧

chevalier nurik
écuyer léode

✧

chevalier phelan
écuyer jaake

✧

chevalier pierce
écuyer tédéenne

chevalier polass
écuyer jolain

✧

chevalier quill
écuyer périn

✧

chevalier radama
écuyer dollyn

✧

chevalier rainbow
écuyer thalie

✧

chevalier rupert
écuyer fideka

✧

chevalier sagwee
écuyer otylo

✧

chevalier stone
écuyer armil

✧

chevalier terri
écuyer sédanie

✧

chevalier yancy
écuyer tomaso

✧

~

ARMÈNE

PROLOGUE

Dans le premier tome, *Le feu dans le ciel*, le roi Émeraude Ier ressuscite un ancien ordre de chevalerie afin de protéger le continent d'Enkidiev contre les nouvelles tentatives d'invasion d'Amecareth, empereur du continent d'Irianeth et seigneur des hommes-insectes. Dotés de pouvoirs magiques, les nouveaux Chevaliers d'Émeraude sont enfin prêts à combattre l'ennemi.

La Reine Fan de Shola se présente au château qui les abrite et confie à Émeraude Ier sa fille Kira, l'enfant mauve alors âgée de deux ans. Wellan, le chef des Chevaliers, tombe amoureux de Fan, mais le Royaume de Shola subit le premier les attaques féroces des dragons de l'Empereur Noir et tous les Sholiens, y compris la belle reine, sont massacrés.

Les Chevaliers parcourent alors Enkidiev afin de trouver des volontaires pour creuser les pièges qui stopperont l'assaut des monstres.

Le deuxième tome, *Les dragons de l'Empereur Noir*, commence sept années plus tard. Maintenant âgée de neuf ans, Kira désire plus que tout au monde devenir Écuyer. Mais pour l'empêcher de devenir une cible facile pour Amecareth, Wellan et le magicien Élund refusent sa candidature.

Décidant de prendre son destin en main, la princesse mauve conjure le défunt Roi Hadrian d'Argent, jadis chef des anciens Chevaliers d'Émeraude, afin qu'il lui apprenne le maniement des armes.

Pendant ce temps, les dragons d'Amecareth s'infiltrent sur le territoire d'Enkidiev sous forme d'œufs flottant jusqu'aux berges de ses nombreuses rivières, où ils éclosent. Au même moment, Asbeth, le sorcier recouvert de plumes de l'empereur, s'attaque aux Chevaliers.

Comprenant qu'il ne pourra pas le vaincre à l'aide de ses seuls pouvoirs, Wellan se rend au Royaume des Ombres pour y recevoir l'enseignement des maîtres magiciens. Il y découvre des hybrides conçus par Amecareth et protégés par l'Immortel Nomar, qui veut s'assurer que leur père insecte ne les retrouve jamais.

Pendant que Wellan apprend à maîtriser de nouvelles facultés magiques, ses frères et ses sœurs d'armes traquent Asbeth dans les forêts du continent. Le sorcier s'empare alors du corps d'un jeune Elfe et conduit les Chevaliers sur le bord de l'océan pour les y anéantir. Mais, de retour de son exil dans le monde souterrain, Wellan fait échouer les plans de l'homme-oiseau.

Dans le troisième tome, *Piège au Royaume des Ombres*, Kira a quinze ans et ressent les premiers frémissements de l'adolescence. Elle réalise son rêve le plus cher : elle devient enfin Écuyer d'Émeraude.

Ressentant le besoin de s'unir à une compagne, Jasson et Bergeau se marient, imitant ainsi leurs compagnons Dempsey, Chloé et Falcon.

Au moment où Wellan visite le Royaume d'Argent, une magnifique pluie d'étoiles filantes signale la naissance du porteur de lumière, personnage central de la prophétie qui prédit la fin du règne d'Amecareth. L'Immortel Abnar, chargé par les dieux de veiller sur les humains, ramène aussitôt le bébé à Émeraude afin de s'occuper de lui.

Sur la plage d'Argent, la Reine Fan apparaît à Wellan pour l'avertir que les troupes d'Amecareth convergent vers Zénor. Tous les Chevaliers s'y rassemblent en vitesse. C'est après avoir éliminé seule les dragons de l'ennemi que Kira découvre finalement ses origines. Mais elle n'a pas le temps de s'apitoyer sur son sort, car les Chevaliers doivent répondre à un appel de détresse en provenance du Royaume des Ombres.

Aux abords du cratère de ce vaste pays recouvert de glace, Wellan est victime d'un sortilège d'Asbeth, qui a survécu à leur dernier duel et qui entend se venger. Ayant incendié le sanctuaire des hybrides, le sorcier poursuit impitoyablement la princesse mauve dans les galeries. Au moment où elle s'échappe sur les plaines enneigées de Shola, Asbeth est finalement neutralisé par la puissante magie de Nomar.

Ayant accompli leur mission, les Chevaliers rentrent à Émeraude, sans se rendre compte que le jeune Sage qu'ils ramènent avec eux est possédé par l'esprit vengeur du Chevalier Onyx. Sous les traits du jeune paysan innocent, le renégat prononce le serment d'Émeraude dans le château où il a jadis failli perdre la vie et rassemble les objets qui lui redonnent ses pouvoirs d'antan.

Dans le quatrième tome, *La Princesse rebelle*, Kira, âgée de 19 ans, devient enfin Chevalier et épouse Sage d'Émeraude, ignorant qu'il est possédé par l'esprit du renégat

Onyx. Lorsque ce dernier se décide enfin à se venger d'Abnar, Wellan et les Chevaliers d'Émeraude doivent déployer toute leur force pour l'empêcher de détruire leur allié Immortel. Ils sont alors stupéfiés de constater la puissance qu'Abnar a jadis accordée aux anciens soldats de l'Ordre.

Une fois redevenu lui-même, Sage doit faire face à une vie dont il n'a aucun souvenir, mais Kira lui apprend patiemment tout ce qu'il doit savoir. Soumis à nouveau aux épreuves magiques d'Élund, le jeune guerrier démontre qu'il a toujours de grands pouvoirs, mais qu'il ne sait pas comment les utiliser. Il reviendra donc à Wellan de le guider.

Au milieu des célébrations organisées en l'honneur de Parandar, le chef des dieux, un homme agonisant se précipite dans la grande cour du Château d'Émeraude et annonce aux Chevaliers que des créatures inconnues déciment la côte. N'écoutant que leur cœur, les valeureux soldats se précipitent au secours des villages éprouvés. Ils découvrent que des hommes-lézards ont enlevé les femmes et les fillettes du Royaume de Cristal et qu'ils continuent de remonter la côte. Les Chevaliers leur tendent donc un piège au Royaume d'Argent et les repoussent vers la mer.

De retour au château, Wellan épouse enfin Bridgess. Après la grande fête donnée en leur honneur, ils s'échappent d'Émeraude pour aller passer quelques jours seuls sur le bord de l'océan.

Dans le cinquième tome, *L'île des Lézards*, guidés par leur courage et leur sens de la justice, les Chevaliers d'Émeraude se lancent au secours des femmes et des fillettes kidnappées au Royaume de Cristal par les lézards et emportées sur leur île lointaine.

Wellan n'emmène avec lui que quelques-uns de ses soldats, consternant les autres, qui devront rester de garde à Zénor. Les Chevaliers d'Émeraude s'embarquent donc pour cette périlleuse mission, accompagnés du Magicien de Cristal.

Pendant ce temps, dans les ruines du Château de Zénor, Dempsey prend en charge les jeunes Chevaliers et les Écuyers. Ils y affrontent un nouveau serviteur de l'Empereur Noir, encore plus cruel que le sorcier Asbeth. Wellan ayant défendu à ses soldats de communiquer avec lui tandis qu'il s'infiltre sur l'île des lézards, Dempsey et ses frères d'armes affrontent seuls cette nouvelle menace.

Dans le sixième tome, *Le Journal d'Onyx*, le Chevalier Wellan découvre grâce à Kira le journal du renégat Onyx, dans lequel il apprend le sort qui sera réservé à ses propres soldats si l'Empereur Noir décide d'adopter la même stratégie militaire que jadis. Effrayé, il tente d'acculer le Magicien de Cristal au pied du mur afin d'obtenir de plus grands pouvoirs magiques.

Pendant ce temps, lancées par le sorcier Asbeth, des abeilles géantes attaquent Enkidiev et les Chevaliers doivent une fois de plus se porter au secours des habitants de toute la côte. Durant l'opération de sauvetage, Wellan règle définitivement ses comptes avec le Roi des Elfes. C'est aussi dans cette belle forêt que les dieux offrent à Bridgess et Wellan l'enfant qu'ils ne pouvaient concevoir.

De retour de cette campagne militaire, c'est un conflit diplomatique qui attend le grand chef de l'Ordre au Château d'Émeraude, car le Chevalier Nogait est amoureux de la Princesse des Elfes.

Dans le septième tome, *L'Enlèvement*, la mort du magicien Élund chagrine tous les habitants du Château d'Émeraude. Conformément aux volontés de son ancien maître, Wellan remet les lettres qu'il a écrites à certains des Chevaliers et prononce son dernier discours. Il découvre aussi que le mage lui a légué un curieux bijou. Ce n'est qu'en démasquant une fois de plus Onyx dans le corps de Farrell que Wellan parvient à utiliser ce cadeau. Grâce au médaillon de Danalieth, le grand Chevalier apprend que son père se meurt aussi et il s'empresse de se rendre à son chevet avec toute sa famille.

Pendant que Fan presse Kira de terminer ses études magiques auprès des dieux, Asbeth prépare un autre plan diabolique, avec l'assentiment de l'Empereur Noir. Le sorcier déclenche une attaque sur la côte d'Enkidiev et réussit à s'emparer du Chevalier Kevin, qu'il surveillait depuis longtemps dans son chaudron ensorcelé.

C'est à ce moment que Wellan comprend que la puissante magie et les connaissances d'Onyx sont des atouts pour les Chevaliers dans cette guerre. Avec son aide, il réussit à arracher Kevin des griffes des hommes-insectes, mais il est trop tard : Kevin a déjà été empoisonné et il représente un grand danger pour les siens. C'est Onyx qui intervient cette fois encore pour le soigner. Mais les connaissances du renégat ont des limites et la transformation de Kevin devient inévitable.

Dans le huitième tome, *Les dieux déchus*, Wellan doit affecter les nouveaux Écuyers à des Chevaliers. Il s'aperçoit bien vite qu'il n'y a pas suffisamment de soldats pour tous ces jeunes, surtout que certains de ses hommes n'ont même pas terminé l'éducation militaire de leurs apprentis adolescents. Afin de venir en aide à son père, Jenifael recrute ses amis Liam et Lassa. Ensemble, ils utilisent un vieux sortilège pour faire vieillir ces Écuyers et augmenter le nombre de maîtres potentiels. Cependant, les trois enfants s'y prennent mal et leur magie perturbe le passage du temps à Émeraude.

Sous prétexte de revoir son village, Onyx reconduit la famille de Sutton au sud d'Émeraude. Il profite de ce séjour pour s'emparer de la griffe de toute-puissance façonnée par Danalieth mais cachée par la déesse Cinn pour empêcher les humains de se l'approprier.

Une fois les choses rentrées dans l'ordre à Émeraude, les Chevaliers procèdent à l'attribution des Écuyers dans la cour du château. Ils sont alors attaqués par des hordes de chouettes maléfiques créées par Akuretari. Heureusement, Onyx veille. Son courage et sa grande magie inciteront le peuple à le proclamer roi.

1

La plaine des elfes

Pendant plus de vingt ans, les Chevaliers d'Émeraude n'avaient combattu les troupes de l'Empereur Noir que sur les côtes d'Enkidiev. Après la destruction des pouponnières, Wellan croyait ne plus avoir à affronter les terribles guerriers noirs plus hauts qu'un homme. Pour se venger, le seigneur des insectes leur avait d'abord opposé des soldats plus ou moins bien entraînés provenant d'une trentaine de territoires conquis. La plupart avaient péri sous les lames des Chevaliers. Les autres avaient pris la fuite. Puis, Amecareth avait fait un geste insensé, à première vue : il avait fait débarquer sur le continent une curieuse race de scarabées brunâtres. Ces fantassins n'avaient aucune cohésion. Pire encore, ils savaient à peine se servir de leurs armes toutes neuves.

La veille du couronnement du nouveau Roi d'Émeraude, un important détachement de ces adversaires inexpérimentés s'était attaqué au pays qui abritait les valeureux défenseurs d'Enkidiev. Avant d'être finalement repoussés, ils avaient réussi à s'infiltrer dans la forteresse. Mais le combat était loin d'être terminé. Le Royaume d'Émeraude n'avait pas fini de fêter son nouveau souverain que de semblables troupiers foulaient le domaine des Elfes, au pied des hautes falaises de Shola. Ce furent les éclaireurs du Roi Hamil qui donnèrent l'alarme.

Dans le hall du roi, Wellan s'excusa auprès du nouveau monarque. Il se précipita dans sa chambre pour ramasser ses armes, puis fila vers l'écurie. Sur ses petites jambes, Lassa fit de son mieux pour le suivre. Les Écuyers avaient été écartés des combats jusqu'à présent. Il semblait toutefois qu'on les utiliserait dans les prochains affrontements. L'enfant grimpa en selle par lui-même et se posta aussi près que possible de son maître. Farrell avait répété des centaines de fois à ses élèves magiques que lorsqu'ils deviendraient apprentis, il leur faudrait deviner l'humeur des Chevaliers et ne jamais les perdre de vue, surtout sur le champ de bataille. Ces braves hommes, occupés à se défendre, n'auraient pas toujours le temps de les surveiller.

Lassa vit s'organiser les différents groupes dans la cour de la forteresse. Par suite de la soudaine croissance des anciens Écuyers et de l'affectation des nouveaux, Wellan avait complètement réorganisé ses troupes. Jasson commandait désormais les Chevaliers Alisen, Amax, Ariane, Botti, Brannock, Corbin, Dienelt, Fabrice, Fossell, Joslove, Kira, Koshoff, Madier, Nelson, Phelan, Sage, Yamina et Yancy, ainsi que leurs Écuyers Nikelai, Vassilios, Shuhei, Odélie, Zoran, Nova, Norikoff, Brit, Edessa, Ryun, Rayanelle, Keiko, Philin, Jakobe, Noah, Jaake, Cassildey, Émélianne et Tomaso, ainsi que le capitaine Kardey. Wellan avait choisi pour lui-même les Chevaliers Bailey, Bianchi, Bridgess, Callaan, Curtis, Dean, Dunkel, Francis, Hettrick, Jukos, Milos, Moher, Polass, Quill, Rainbow, Robyn, Volpel, Winks et Zerrouk, ainsi que leurs Écuyers Lassa, Cidia, Uwhan, Athalée, Allado, Xion, Osan, Néda, Domenec, Jinann, Mattie, Bathide, Valici, Jolain, Périn, Thalie, Vélaria, Cyril, Ali et Anto.

Il avait confié à Santo les Chevaliers Brennan, Camilla, Dansen, Franklin, Gabrelle, Harrison, Hiall, Honsu, Jana, Jonas, Kerns, Kumitz, Lavann, Mara, Pencer, Romald, Silvess,

Yann et Zane, ainsi que leurs Écuyers Shangwi, Chariff, Analia, Mérine, Madul, Tara, Syrian, Goran, Tidian, Andaraniel, Héliante, Célan, Waxim, Kaled, Fanelle, Maxense, Shandini, Onill, Michal et Horacio. Dempsey et Chloé dirigeaient les Chevaliers Aidan, Derek, Dillawn, Drew, Gibbs, Herrior, Kelly, Kisilin, Murray, Nogait, Offman, Pierce, Radama, Reiser, Sagwee, Stone, Swan et Ursa, ainsi que leurs Écuyers Indya, Coralie, Cilian, Qilliang, Sora, Saphora, Symilde, Deleska, Esko, Théa, Romy, Dianjin, Jaromir, Tédéenne, Dollyn, Viyay, Otylo, Armil, Jenifael et Marika.

Quant à Bergeau, il avait sous ses ordres les Chevaliers Akers, Arca, Atall, Colville, Daiklan, Drewry, Fayden, Heilder, Ivy, Izzly, Kagan, Kowal, Linney, Morgan, Randan, Sheehy, Sherman, Terri et Wimme, ainsi que leurs Écuyers Lianan, Kilimiris, Tazyel, Ivanko, Mercass, Bélonn, Parise, Edul, Bansal, Julia, Orlando, Akarina, Haspel, Sladek, Sahill, Malède, Brianna, Christer, Sédanie et Filip. Le groupe de Falcon comprenait les Chevaliers Ada, Alwin, Bankston, Benson, Carlo, Chesley, Davis, Dyksta, Ellie, Kevin, Kruse, Lornan, Maïwen, Mann, Nurik, Prorok, Rupert, Salmo et Wanda, ainsi que leurs Écuyers Alex, Loreli, Falide, Daviel, Maryne, Aldian, Zane, Donatey, Myung, Cristelle, Liam, Xéli, Shizuo, Noémie, Dalvi, Léode, Tivador, Fideka, Aurelle et Ambre.

Lorsque tout le monde fut à cheval, le porteur de lumière eut devant lui une véritable marée de tuniques et d'armures vertes. Personne ne remarqua que Kira ne portait pas sa cuirasse mauve et que Wanda et son Écuyer Ambre manquaient à l'appel. Rien n'aurait pu séparer la femme Chevalier de son petit garçon, grièvement blessé durant l'attaque sournoise au château.

– Tous au pied de la falaise de Shola, sur la rive ouest de la rivière Mardall ! ordonna le grand chef.

Il croisa ses bracelets et son unité s'enfonça sans perdre de temps dans le vortex. Quelques secondes plus tard, les tourbillons de lumière éclatante se reformaient le long du cours d'eau.

– L'ennemi n'ira pas bien loin, observa Bridgess. La rivière le contiendra sur cette plaine.

– À ce que nous ont raconté les soldats de Jasson, argua Bailey, nous pourrions avoir des surprises, s'il s'agit des mêmes bestioles.

Il faisait sombre, mais les Chevaliers n'avaient pas besoin de leur vision. Ils possédaient des sens beaucoup plus fiables pour repérer leurs adversaires. Des centaines de scarabées s'avançaient vers eux en masse compacte. *Les Écuyers restent ici*, ordonna Wellan. *Chevaliers, formez une ligne !* Ils s'exécutèrent prestement. Les destriers se mirent à piaffer, impatients de passer à l'action.

Avancez lentement, commanda le grand chef en levant le bras. Les soldats talonnèrent les montures qui se mirent à marcher en tirant sur leurs rênes. Obéissants, les Écuyers empêchèrent leurs chevaux de les suivre. Lassa vit les maîtres disparaître dans le noir. Il utilisa aussitôt ses sens magiques pour suivre leur progrès.

– Qu'allons-nous faire si des insectes s'échappent par ici ? demanda Athalée.

– Nous les repousserons, décida Cyril, l'Écuyer de Volpel.

– Nous ne savons même pas nous servir de nos épées ! protesta Lassa.

– Mais nous pouvons utiliser nos pouvoirs magiques, leur rappela Anton, l'apprenti de Zerrouk.

Lassa aurait aimé briser les rangs et se réfugier près de Jenifael ou de Liam, beaucoup plus aguerris que lui. Mais il était bien trop docile pour contrevenir à un ordre de Wellan. Le fils de Jasson, par contre, ne sembla pas partager ses craintes. Il arriva à côté de lui au trot.

– Tu n'as pas peur d'être puni ? s'étonna Lassa.

– Pourquoi le serais-je ? Sire Wellan nous a demandé de rester près de la rivière. Il n'a pas exigé que nous gardions nos positions.

– Ne devrais-tu pas être avec sire Kevin ? reprocha Ali, l'Écuyer de Winks.

– Il n'a pas besoin de moi dans le noir, répondit fièrement Liam. Pendant que les Chevaliers foncent sur l'ennemi, je crois que nous devrions nous tenir prêts à intercepter les fuyards. Je vais prévenir tout le monde.

Et le gamin, aussi sûr de lui qu'un adulte, poursuivit sa route le long de la longue ligne d'apprentis. Lassa reporta son attention sur la plaine.

Wellan progressait lentement de façon à ce qu'aucun guerrier impérial ne s'échappe en direction des enfants. Il savait que ces jeunes magiciens n'en feraient qu'une bouchée, mais il opta pour la prudence. De chaque côté de lui, Bridgess et Bailey étaient silencieux et attentifs. On n'entendait que les sabots des chevaux, les tintements des harnais et les criquets.

Droit devant, les avertit Chloé. Ils perçurent un mouvement semblable à celui d'une vague. *Ils sont très nombreux*, s'énerva Nogait. *Ils l'étaient aussi à Émeraude et nous les avons arrêtés*, leur rappela Jasson. Wellan apprécia ces paroles encourageantes. *Préparez-vous*, ordonna-t-il. Dans l'obscurité, des centaines de paumes s'illuminèrent. Les Chevaliers commençaient à entendre les horribles cliquetis des mandibules. *Abattez la première ligne !*

Les rayons incendiaires déchirèrent la nuit et trouvèrent leurs cibles. Les hommes-insectes, qui formaient l'avant-garde, furent projetés sur leurs congénères. Au lieu d'avancer sur les humains, ils se fragmentèrent en plusieurs groupes qui cherchèrent à contourner les cavaliers.

Ne les laissez pas passer ! lâcha Wellan. Les Chevaliers se séparèrent spontanément, pour affronter chacun un détachement. Ils utilisèrent d'abord leurs pouvoirs magiques. Jasson se servit même de la lévitation pour resserrer la troupe qui fuyait devant lui. Sage aurait bien aimé prendre ses flèches, mais il faisait trop sombre. Avant de brûler complètement ses mains avec des faisceaux ardents, il dégaina son épée. Fonçant sur la masse grouillante avec ses frères d'armes, il n'avait qu'à balancer sa lame pour frapper un adversaire, n'importe lequel. Il était impossible de les distinguer les uns des autres dans cette cohue. À quelques pas de lui, Kira ne pouvait pas se servir de son épée double sans risquer de blesser Hathir. Elle se contentait donc de ses armes usuelles. Son énorme étalon faisait à lui seul beaucoup de dommages, chargeant dans les lignes ennemies, piétinant ceux qui tombaient.

Les Chevaliers d'Émeraude pourchassèrent et détruisirent ainsi des hommes-insectes jusqu'à l'aube. Dès que le soleil se leva au-dessus des falaises, ils constatèrent, avec horreur, que des centaines de combattants impériaux arrivaient encore de la mer.

– Mais combien de ces bêtes l'empereur possède-t-il ? s'exclama Bergeau.

Un bourdonnement s'éleva de l'armée de carapaces brunâtres. Étaient-ils en train d'échanger de l'information tactique ? Inexplicablement, les hommes-insectes détalèrent dans toutes les directions, comme des lapins effrayés.

– Mais qu'est-ce qui leur prend ? s'emporta Harrison.

– Depuis quand savent-ils courir ? s'étonna Derek.

– On dirait qu'ils ont peur, remarqua Kardey.

– Nous sommes là depuis des heures ! s'indigna Nogait. Ne me dites pas qu'ils viennent juste de s'en apercevoir ?

Chargez ! commanda Wellan. Les bêtes fatiguées obéirent à leurs maîtres. Seul Kevin se retira du combat, car la lumière commençait à l'aveugler.

Les scarabées, qui tentaient de gagner la forêt, furent reçus par les archers Elfes. Les flèches sifflèrent et s'enfoncèrent non seulement à l'intérieur des coudes des guerriers impériaux, mais aussi dans leurs mandibules et dans leurs énormes yeux rouges. Voyant que le peuple sylvestre faisait de l'excellent travail de blocage, Wellan fondit sur ceux qui filaient vers la falaise.

Sur le bord de la rivière, les Écuyers immobiles commençaient à ressentir de la fatigue et de la douleur dans les jambes. Jamais ils n'avaient été aussi longtemps en selle. Ils suivaient tant bien que mal les combats, mais il y avait tant d'opposants ! Puis, ce qu'ils redoutaient tous se produisit. Un détachement d'hommes-insectes se faufila entre deux groupes de Chevaliers et fonça vers la rivière.

– Oh non !…, s'effraya Lassa.

Liam rejoignit Kevin dont les yeux étaient maintenant protégés par un bandeau.

– Maître, les insectes arrivent ! s'exclama-t-il.

– Dis à tes camarades de lâcher leurs guides et de lancer des flammes sur l'ennemi !

L'apprenti transmit cet ordre sur-le-champ. Les destriers baissèrent la tête, comme on les avait entraînés à le faire, et les enfants qui avaient étudié sous Farrell bombardèrent la vague de guerriers qui galopaient vers le cours d'eau. Les autres s'empressèrent de les imiter. Tremblant, Lassa tendit les bras, mais rien ne sortit de ses mains. « Je perds mes pouvoirs quand j'ai peur », se rappela-t-il.

Quelques minutes plus tard, une centaine de carcasses fumantes s'amoncelaient à quelques pas des vaillants Écuyers. Malheureusement, le porteur de lumière n'avait pas réussi à lancer un seul faisceau meurtrier. Des larmes se mirent à couler sur ses joues, tandis qu'il se traitait de tous les noms. Au bout de la ligne, Liam fit son rapport à Kevin.

– Ils ont tenu leurs positions comme de véritables Chevaliers, termina le gamin. Je suis très fier d'eux.

– Tu parles comme un petit commandant, le taquina son maître.

– C'est ce que je serai un jour, vous verrez.

Attention ! les avertit Maxense. *Ils franchissent la rivière plus loin par là ! Que doit-on faire ?* Liam transmit aussitôt le message à Kevin.

– C'est impossible…, murmura ce dernier.

34

– Le courant est fort à cet endroit, leur fit remarquer Loreli. Même un humain pourrait s'y noyer.

– Se jettent-ils tous à l'eau ? voulut savoir Kevin.

Son protégé transmit la question aux apprentis qui se tenaient près de Maxense. *Ils essaient de nager !* s'alarma Kaled.

– Liam, y a-t-il d'autres scarabées devant nous ? demanda le Chevalier invalide.

– Non, maître.

– Ordonne aux Écuyers de retourner leurs chevaux et de viser les insectes avant qu'ils atteignent l'autre rive.

Ils s'exécutèrent sans poser de questions. Lassa se contenta d'observer l'attaque, ses bras étant toujours paralysés. La plupart des jets lumineux s'enfonçaient dans les flots en créant des nuages de vapeur. Il était beaucoup plus difficile de toucher une cible qui ballotait de tous côtés.

Une ombre monstrueuse s'étendit alors sur le sol. Les enfants levèrent la tête, étonnés. Un énorme dragon volait en rase-mottes sur la plaine.

– Coralie, attention ! hurla Jenifael en voyant la bête sortir ses griffes.

Rapide comme l'éclair, Coralie tira sur une seule des rênes de son destrier, qui perdit l'équilibre et s'écrasa sur le sol. Juste à temps, d'ailleurs. Les immenses ailes frôlèrent les autres enfants, qui poussèrent des cris de terreur. *Papa !* ne put s'empêcher de l'appeler la petite déesse.

Wellan arrêta net son destrier et le fit pivoter. Il était difficile de ne pas voir la bête volante grosse comme une maison, tandis qu'elle effectuait un arc-de-cercle dans le ciel. Le grand chef avait déjà affronté un dragon mâle à Irianeth, sur la plage. Comment arrêtait-on ces machines à tuer en plein vol ? Il fit apparaître les serpents électrifiés entre ses paumes et attendit courageusement l'animal qui fonçait maintenant sur les Chevaliers.

2

au château

Wanda avait à peine senti les lèvres de son époux sur les siennes lorsqu'il était venu lui dire au revoir. Même si elle avait insisté pour suivre ses compagnons, Falcon s'y serait opposé. Sa place était avec leur fils blessé. Tous les soins prodigués par les meilleurs guérisseurs de l'Ordre avaient anesthésié l'enfant. Il reposait contre la poitrine de sa mère, les yeux clos. Ambre, quant à elle, dormait à poings fermés dans un petit lit près du sien. Wanda ne parvenait pas à arrêter le fleuve de larmes qui coulait sur ses joues tandis qu'elle fixait l'extrémité du membre amputé. Quelle vie aurait Nartrach avec une seule main ?

Elle se rappela le jour de sa naissance. Les sages-femmes n'arrivaient pas à le faire sortir de son ventre. Elle était en train de mourir au bout de son sang lorsque Kevin était entré dans sa chambre. Sans aucune expérience d'accouchement, il avait mis Nartrach au monde. Falcon se demandait souvent, surtout lorsqu'il taillait les nouvelles griffes de son fils, jusqu'à quel point le Chevalier empoisonné par Asbeth avait contaminé leur bébé.

Nartrach n'avait jamais été un enfant facile. Ses parents auraient dû s'en douter en lui donnant un nom pareil, car il signifiait *indomptable* dans la langue des anciens Enkievs.

Wanda l'avait choisi pour lui donner la force de vivre. Même tout petit, Nartrach avait toujours su ce qu'il voulait. On ne lui faisait pas manger ce qu'il n'aimait pas. Il avait aussi marché très jeune et les servantes avaient dû le poursuivre dans tout le palais plus d'une fois. Mais ce qui inquiétait encore plus sa mère et son père, c'était son agressivité. Il réagissait très mal aux refus et piquait de terribles colères lorsqu'on lui faisait des reproches. Malgré tous ses défauts, Wanda l'aimait de tout son cœur.

Santo avait été catégorique en examinant la nouvelle maman : elle ne pourrait plus jamais avoir d'enfant. Nartrach lui avait fait trop de dommages à sa naissance. Alors Wanda s'accrochait à lui comme son seul trésor, le seul fils à sortir de son ventre.

La chandelle était presque consumée. Wanda fermait doucement les yeux lorsqu'on frappa de petits coups à sa porte. Ce ne pouvait pas être Armène qui prenait soin des enfants du roi dans sa tour. Elle sonda tout de même le couloir.

– Sanya ? la reconnut-elle.

La paysanne entra, sa petite fille endormie dans ses bras. Jamais Wanda n'avait vu un être humain d'une telle pâleur.

– Je ne veux pas rester seule, chuchota Sanya.

La femme Chevalier lui fit signe de la rejoindre dans le grand lit. De sa main libre, Wanda plaça un gros oreiller de plumes contre le mur pour que son amie puisse y appuyer le dos.

– Ce sont nos maris qui sont en danger, pas nous, tenta de la rassurer Wanda.

— Je ne crains aucun ennemi ce soir, j'ai peur de mourir dans mon sommeil.

Wanda passa aussitôt une main lumineuse sur la jeune femme. Sa force vitale était basse, en effet, mais son cœur battait très fort.

— Pourtant, je ne ressens rien qui pourrait t'emporter, déclara-t-elle.

— C'est seulement un pressentiment.

— Après ce que nous avons vécu récemment, ce n'est pas étonnant. Reste au château avec nous, Sanya. Ton statut d'épouse d'un Chevalier te le permet.

— En ce moment, je n'ai pas le choix. Notre ferme a brûlé...

Elle éclata en sanglots.

— Nous vivons dans des temps dangereux, mais il n'en sera pas toujours ainsi, voulut la rassurer Wanda. Nous vaincrons l'empereur et nous pourrons élever nos enfants en paix.

Elle la laissa pleurer, car elle comprenait mieux que quiconque le rôle réparateur des larmes. La lumière commença à vaciller dans la pièce. La flamme de la chandelle se noyait tranquillement dans la cire liquide. Wanda offrit d'aller en chercher une autre. Son amie ne voulut pas qu'elle réveille le petit qui dormait contre elle.

— L'obscurité nous fera du bien, se calma finalement la paysanne.

À peine avait-elle prononcé le dernier mot que la pièce fut plongée dans le noir. Sanya lui raconta ce qui s'était passé chez elle. Puis ce fut au tour de Wanda de lui avouer ses craintes quant à l'avenir de son fils, même si elle savait qu'il avait une âme de survivant. Épuisées, elles finirent par s'endormir.

Au matin, quelle ne fut pas leur surprise de trouver leurs bras vides ! Affolées, elles se redressèrent pour s'élancer à la recherche des bambins et les aperçurent assis sur le plancher, à s'amuser avec les animaux de bois de Nartrach. Le petit manipulait ses statuettes préférées d'une seule main, sans se soucier de la perte de l'autre.

– Les enfants ont une remarquable faculté d'adaptation, concéda Sanya.

– Ce spectacle est fort rassurant, ajouta la femme Chevalier avec un large sourire.

Katil leva les yeux sur sa mère. Si Liam ressemblait beaucoup à Sanya, leur fillette, elle, était le portrait de Jasson avec ses cheveux blonds et ses yeux verts.

– Faim, implora-t-elle.

– Allons manger tous ensemble, suggéra Wanda. Tu viens, Nartrach ?

Il se contenta de hocher la tête. Elle voulut le prendre dans ses bras pour le transporter jusqu'au hall, mais il se débattit. Wanda le laissa donc marcher.

– Les choses sont revenues à la normale, constata-t-elle, découragée.

Onyx n'avait pas eu le temps d'emporter ses affaires dans les appartements royaux, au grand désespoir de ses nouveaux serviteurs. En fait, il avait ingurgité du vin une bonne partie de la nuit et s'était effondré sur son lit dans sa tour. Heureusement, Armène s'occupait de ses enfants depuis quelque temps. Le renégat avait attendu ce couronnement si longtemps qu'il l'avait fêté jusqu'à l'épuisement. Ce furent les communications télépathiques entre les Chevaliers sur la plaine des Elfes qui le ramenèrent à la réalité. Onyx avait réussi à s'emparer du trône, mais s'il voulait le conserver, il devait anéantir l'Empereur Noir une fois pour toutes.

Il s'assit dans son lit et commença par se débarrasser de l'affreux mal de tête qui l'empêchait de réfléchir. Une fois ses facultés rétablies, il utilisa son vortex pour se transporter dans les bains. Il ne passa que quelques minutes dans l'eau bienfaisante, puis entendit les mots « dragon » et « volant ». Les nouveaux Chevaliers d'Émeraude n'en avaient jamais affrontés. Les pertes seraient lourdes s'il n'intervenait pas rapidement.

Onyx réintégra sa tour, se sécha et enfila son uniforme de l'Ordre. Lorsqu'il arriva à l'écurie, il dut faire face aux courbettes de tous ses sujets, qui semblaient très étonnés de le voir là, en armure.

– Mon cheval, maintenant, ordonna-t-il.

Trois palefreniers s'élancèrent dans le bâtiment en se bousculant. « Ils vont faire mourir de peur le pauvre animal », pensa Onyx. Ses conseillers déboulèrent alors du palais comme une portée de chatons cherchant leur mère.

– Majesté ! Où allez-vous ainsi ? s'énerva l'un des dignitaires.

– Je vous donne trois chances de le deviner, répondit maussadement le nouveau roi en glissant son épée dans son fourreau.

– Il y a des choses urgentes à régler : les terres et les habitations brûlées, les familles sans abri, les récoltes perdues. Vous ne pouvez pas partir sans entendre vos sujets !

– Faites ce que vous pouvez. Ce qui presse, aujourd'hui, c'est d'empêcher les dragons d'Amecareth d'arracher le cœur des habitants d'Enkidiev.

– Vous n'allez pas combattre ces monstres vous-même, Altesse ! C'est de la pure folie ! protesta un autre conseiller.

– Vous voulez m'accompagner ?

– Non, ce n'est pas mon rôle ! C'est celui des Chevaliers !

– Alors, selon vous, quel est cet uniforme que je porte ?

– Ce n'est pas celui d'un roi !

Les garçons revinrent avec le destrier qu'ils avaient harnaché en vitesse. Onyx se hissa en selle malgré toutes les protestations de son entourage.

– Écoutez-moi bien, les coupa le monarque en levant brusquement la main pour les faire taire. Je ne suis pas un vieux souverain cloué à son fauteuil que vous pouvez manipuler à votre guise. Je suis un roi guerrier et j'ai l'intention de protéger mon peuple et ma famille.

Les serviteurs et les paysans, qui circulaient dans la cour, se mirent à l'acclamer. Onyx dut attendre avant de poursuivre.

– Il y a sûrement un tas de choses que vous pouvez faire vous-mêmes, continua-t-il, à l'intention des dignitaires. À partir de maintenant, ne me dérangez qu'en cas d'urgence, compris ?

– Oui, sire, bredouillèrent-ils en chœur.

Onyx se dématérialisa sous leurs yeux. Désemparés, les conseillers retournèrent au palais en se demandant combien de temps ils conserveraient leurs postes.

3

Le Lotakieth

Ayant pris soin de repérer les soldats, Onyx réapparut entre la ligne des Écuyers et les groupes de Chevaliers, qui avaient cessé de pourchasser les hommes-insectes pour observer les acrobaties aériennes de l'énorme bête ailée. Le dragon plongea comme un aigle. Wellan projeta ses serpents électrifiés. Ils éclatèrent sur le large poitrail de l'animal noir qui poussa un grondement en reprenant de l'altitude. Onyx galopa jusqu'au grand Chevalier.

– Un magnifique spécimen, n'est-ce pas ? lui fit observer le nouveau roi. Toutefois, il est jeune et il manque d'expérience.

– Qu'est-ce qui vous faire dire cela ? s'étonna Wellan.

– Sa taille et sa façon de voler aussi.

– Vous connaissez cette espèce de dragon ? le questionna Bridgess, très curieuse.

– C'est un Lotakieth mâle.

– Vous n'en avez jamais parlé dans votre journal.

– Vous l'avez lu aussi ? s'égaya-t-il.

– En même temps que Wellan, précisa-t-elle.

– Je n'ai pas tout dit dans ce testament à mes fils. Je n'en ai pas eu le temps.

Le monstre descendit en piqué et les Chevaliers éperonnèrent vivement leurs destriers pour éviter ses serres. Postés près des Écuyers, Chloé et Dempsey surveillaient attentivement les attaques du prédateur, afin de protéger les enfants. Leurs compagnons ne semblaient pas savoir comment terrasser le dragon.

– Savez-vous comment nous en débarrasser... Altesse ? grommela Jasson, qui en avait assez de jouer au chat et à la souris, tandis que des centaines d'hommes-insectes fuyaient dans toutes les directions.

– Pour que je puisse l'abattre, il faudrait qu'il soit au sol.

– Il fallait le dire ! s'exclama Nogait.

Avec l'aide de quelques-uns de ses compagnons, ils se mirent à bombarder les longues ailes translucides de la bête. Cette dernière évita habilement les tirs.

– Si j'étais vous, j'éviterais de le faire fâcher, recommanda calmement Onyx.

Wellan ordonna à ses soldats de mettre fin à cette attaque. Le Roi d'Émeraude mit pied à terre et confia les guides de son cheval au chef des Chevaliers. Swan craignit le pire lorsqu'elle le vit s'avancer seul au milieu de la plaine. Elle voulut galoper vers lui. Derek lui bloqua la route.

– Laisse-moi passer ! se fâcha la jeune femme.

– Il sait ce qu'il fait, protesta l'Elfe. Il connaît l'ennemi mieux que nous.

– Cette bête va le tuer !

– Derek a raison, Swan, l'appuya Nogait. Ton mari est habité par l'esprit du plus redoutable guerrier de tous les temps.

– Donnons-lui au moins la chance d'essayer, ajouta Murray.

– Nous interviendrons si nous voyons que les choses tournent mal, renchérit Kelly.

Swan dut céder. Onyx avait fort bien capté sa colère. Elle s'inquiétait donc encore de lui, malgré sa récente ascension au trône et la prépondérance du renégat dans son esprit. Il n'arriverait sans doute jamais à en faire une reine, mais elle resterait probablement auprès de lui comme épouse.

Le nouveau monarque se plaça au centre d'un grand espace dénudé. Les Lotakieths aimaient s'attaquer à des proies isolées au sol. D'ailleurs, le comportement de ce jeune animal intriguait Onyx. Il avait eu l'occasion d'observer ces chasseurs ailés lors de la première invasion. Jamais ils ne fonçaient sur des cavaliers, comme celui-là s'amusait à le faire.

En fait, ce jeune spécimen n'agissait pas de son propre gré. En raison de sa taille, les humains ne pouvaient pas encore distinguer la svelte créature assise à la base de son cou, juste avant la naissance de ses ailes. Miyaji avait appris son art auprès des Midjins, une sous-race des insectes qui régnaient sur Irianeth. Il existait très peu de dragons mâles sur le continent d'Amecareth. De nature agressive, ces animaux territoriaux se battaient jusqu'à la mort pour obtenir le droit de féconder les œufs des innombrables femelles qui parcouraient les rives pierreuses de l'océan. Des milliers d'années plus tôt, l'empereur de l'époque avait ordonné aux Midjins de recueillir les mâles fraîchement éclos et de les maîtriser. Très peu d'hybrides avaient le privilège de participer à cette grande œuvre. Miyaji n'en connaissait qu'un autre, à part elle-même : le sorcier-oiseau qui vivait dans la ruche de leur sombre maître.

Créature d'apparence humaine à la peau bleuâtre, Miyaji s'était prise d'une véritable passion pour ces magnifiques prédateurs. À l'état sauvage, ils n'étaient que des brutes sanguinaires, mais lorsqu'on se donnait la peine de les éduquer, ils devenaient de puissants alliés à la chasse ou à la guerre.

Avant de quitter Irianeth, son entraîneur Midjin lui avait expliqué qu'une race humanoïde belliqueuse résistait à toutes leurs tentatives de soumission. L'Empereur Noir avait donc décidé de leur inculquer le respect à l'aide d'un Lotakieth bien dressé. Miyaji avait contenu sa joie, car le peuple des insectes ne manifestait jamais ses émotions. Elle n'était pas certaine qu'ils en aient. Elle savait que Stellan, son protégé, serait choisi. Aucun autre dragon n'obéissait aussi bien que lui... enfin, jusqu'à présent.

Miyaji le dirigeait en parlant directement à son cerveau. Elle l'avait fait planer au-dessus des cavaliers verts pendant un bon moment pour mieux les observer. Puis, elle avait chargé, même en sachant que les mammifères qu'ils chevauchaient étaient suffisamment rapides pour s'esquiver. Sa mission était de distraire les soldats assez longtemps pour que toutes les troupes impériales débarquent sur Enkidiev. Elle savait bien qu'un seul Lotakieth ne pouvait à lui seul raser toute une armée.

Même lorsqu'ils étaient domestiqués, les dragons mâles conservaient une petite flamme de liberté au fond de leurs yeux rouges. On racontait que certains monstres avaient dévoré leur dresseur dans un accès de colère. Miyaji connaissait les risques de sa profession. De toute façon, elle n'avait pas le choix : les hybrides et les insectes qui déplaisaient au maître finissaient en sacrifices sur l'autel de Listmeth ou en nourriture pour les dragons femelles et leurs petits.

Miyaji avait facilement contenu les instincts naturels de Stellan, jusqu'à ce qu'il repère cet humain seul au milieu de la plaine. Aucun Lotakieth ne pouvait résister à ce genre de proie, si facile à cueillir. Un être à sang chaud ne s'immobilisait ainsi que lorsqu'il était faible, blessé ou malade. C'était le rôle des prédateurs de les éliminer.

Le jeune dragon se mit à perdre de l'altitude. Sa maîtresse lui ordonna de faire demi-tour. Il secoua violemment la tête. C'était sa première incartade depuis qu'elle s'occupait de lui.

— Stellan, obéis-moi ! commanda-t-elle.

Il continua de foncer sur l'homme dont la cape verte volait au vent. Miyaji utilisa ses extraordinaires facultés, qui lui permettaient d'évaluer l'humeur des autres créatures. « Cet humain n'a pas peur ! » constata-t-elle. Elle ne mit qu'un instant à comprendre pourquoi.

— Il a l'intention de te tuer, Stellan ! Allez, en haut, maintenant !

Onyx observait les manœuvres de la dangereuse bête. Trouverait-il un étrange petit insecte sur son dos une fois qu'il l'aurait terrassée ? Il se rappela le goût exquis de leur chair que les soldats de sa division avaient fait rôtir sur les feux, le premier soir...

Le roi guerrier dégaina lentement son épée et cessa de penser au spectacle qu'il offrait à sa compagne morte d'inquiétude au milieu de ses frères. Un seul faux mouvement et il servirait de repas au dragon.

Wellan avait appris à faire confiance à ce soldat d'antan. Il l'avait même vu tuer un monstre bien plus gros que celui-là lors du sauvetage de Kevin sur Irianeth. Toutefois, il se prépara à intervenir, juste au cas. Onyx était immobile tel un chat sur le point de tuer une souris. Tous les Chevaliers surveillaient ses gestes, persuadés que son règne serait le plus court de tous les souverains d'Enkidiev.

Malgré les exhortations de Miyaji, Stellan se posa en faisant trembler le sol. Contrairement aux dragons femelles, qui se déplaçaient sur quatre pattes, les mâles marchaient sur leurs membres postérieurs en ouvrant leurs ailes, ce qui leur conférait un aspect bien plus menaçant. Le monstre replia lentement son long cou.

— Il va l'attaquer ! paniqua Swan.

— Surtout, ne le déconcentre pas, l'avertit Nogait.

Onyx ne les entendait plus. Il étudiait les postures de l'animal, car il les connaissait mieux que quiconque. Le monstre poussa un cri rauque. Puis, tout se passa à une vitesse fulgurante, sidérant même Wellan. Le sifflement strident n'avait pas fini de quitter la gorge du prédateur que le renégat relevait vivement son épée. Les crocs étincelants foncèrent sur lui. Onyx ne fit qu'un pas en arrière en abattant sa lame. Mais quelque chose dérangea l'animal, qui pencha légèrement le cou. Le Chevalier ne parvint qu'à entailler la peau tendre derrière la collerette. La bête tituba. Onyx n'attendit pas qu'elle charge une deuxième fois. Il fonça. Il allait frapper le cou de toutes ses forces lorsque le dragon le balaya brutalement de l'aile, le faisant rouler plusieurs fois sur le sol. Étourdi, il releva la tête. Sa proie s'envolait en effectuant des vrilles et en hurlant de douleur.

Les Chevaliers n'eurent pas le temps de l'abattre. Des soldats insectes, repoussés par les Elfes, s'échappaient en grand nombre de la forêt et le Roi Onyx se trouvait sur leur route ! Swan planta ses talons dans les flancs de son cheval. Cette fois, ses frères ne tentèrent pas de l'arrêter. Au contraire, ils se portèrent avec elle au secours de leur souverain. Cependant, le renégat n'était pas un roi incapable comme ceux qu'il avait connus dans ses deux vies. Il sauta prestement sur ses pieds en voyant arriver l'ennemi et empoigna solidement son épée. Tous ses soldats chargèrent en même temps que lui.

Près de la ligne des Écuyers, un seul destrier avait refusé de bouger. Hathir s'était cabré lorsque Kira avait voulu prêter elle aussi main-forte à Onyx. Il s'était mis à émettre des sifflements stridents.

– Tu as senti quelque chose ? s'étonna la Sholienne. Où ça ?

L'étalon décolla le long de la rivière. Ce que personne n'avait vu dans la confusion, c'était une toute petite personne, éjectée du cou du dragon, qui s'était écrasée dans les roseaux. Hathir, lui, n'avait rien perdu de cette chute. Il galopa avec force, son instinct lui indiquant que cette prise ne devait pas s'échapper. Il s'arrêta finalement devant une vaste touffe de hautes plantes aquatiques.

Kira mit pied à terre en sondant la roselière : une créature s'y cachait ! Elle remercia les dieux que sa monture possède des sens aussi aiguisés. Hathir devint étrangement silencieux. Il ne voulait probablement pas faire fuir l'ennemi. La Sholienne matérialisa son épée double et s'avança entre les longues tiges que la brise berçait doucement. Elle n'aimait pas l'eau, mais il lui fallait atteindre cette cible.

Elle marcha aussi silencieusement que possible, toute son attention rivée sur cet insecte isolé. Elle percevait une énergie différente chez cet être, une énergie curieusement familière. Du bout de sa lame, elle écarta les joncs. Sa découverte la sidéra. Recroquevillée entre les quenouilles, une femme à la peau bleue tremblait de tous ses membres. Elle portait un étrange vêtement moulant en cuir noir et n'était pas armée.

– Relevez-vous lentement, ordonna Kira.

La créature tenta de redresser le torse sur ses bras tremblants. Le sang ruisselait de ses cheveux argentés : elle était blessée. Sachant que ses frères avaient besoin d'elle sur la plaine, la princesse décida qu'il valait mieux ne pas tarder pour mettre à mort ce potentiel assassin.

– Non ! s'écria Keiko en s'élançant entre Kira et Miyaji.

– Que fais-tu ici ? se fâcha la Sholienne. Wellan a ordonné aux Écuyers de rester ensemble.

– Mon premier devoir est d'appuyer mon maître, se défendit la petite Jadoise. Personne ne vous a vue prendre une direction différente. Je n'avais pas le choix : je devais vous suivre.

D'une certaine façon, elle avait raison, car, isolée, Kira aurait pu tomber dans une embuscade.

– Retourne près des chevaux, je préfère que tu ne voies pas ce que je vais faire.

– Vous ne pouvez pas la tuer, continua de protester l'enfant. Ce n'est pas un insecte comme les guerriers d'Amecareth, c'est une hybride comme vous.

« Ce n'est pourtant pas ce que je perçois », songea le Chevalier. Elle examina plus attentivement les traits de la femme bleue et lui trouva une certaine ressemblance avec le peuple des Fées. Avant qu'elle n'arrive à décider du sort de sa prisonnière, son apprentie s'agenouilla près de Miyaji.

– Keiko, reviens ici ! commanda Kira.

– Elle souffre. Laissez-moi la soigner.

La Sholienne fit disparaître son épée double et s'approcha avec l'intention de saisir le bras de la petite et de la ramener près d'Hathir. Effrayée, Miyaji tenta de reculer dans l'eau.

– N'ayez pas peur, la rassura Keiko. Je veux juste refermer cette vilaine plaie.

L'Écuyer alluma sa paume, causant tout un choc à la dompteuse de dragon.

– Je ne veux pas mourir..., implora-t-elle dans un soupir.

– Maître, elle parle notre langue ! s'émerveilla Keiko.

– Asbeth aussi, grommela Kira.

Avant qu'elle ne puisse intervenir, l'apprentie appuya la main sur la tempe de la femme bleue. Cette dernière ferma les yeux avec soulagement. Mécontente, le Chevalier agrippa le bras de Keiko et celui de Miyaji. Elle les remit toutes les deux sur pied et les tira hors de l'eau. La pseudo-Fée était menue, juste un peu plus grande que Keiko. Kira avait beau la sonder, elle ne captait que de l'énergie insecte en elle. Tout comme l'avait fait pour son cheval-dragon, jadis, la Sholienne posa la main sur le front de la femme bleue. Curieusement, elle n'entendit pas les voix de la collectivité.

Hathir s'étira le cou pour renifler les cheveux argentés tachés de sang de l'inconnue. « Il est d'accord avec moi quant à ses origines », conclut Kira en étudiant les traits fins de sa captive.

– Qui êtes-vous ? s'enquit-elle.

– Miyaji, murmura l'hybride, les yeux baissés.

– Que faites-vous ici ?

– Je suis tombée de Stellan, mon dragon.

Sa réponse stupéfia le Chevalier et son apprentie. Wellan leur avait raconté ce qu'il avait vu sur Irianeth. Elles savaient que les dragons mâles possédaient des ailes, mais elles ignoraient qu'on pouvait les chevaucher.

– Je suis *seccyeth*, précisa Miyaji en ressentant leur étonnement.

– Qu'est-ce que c'est ? voulut savoir l'apprentie.

– Keiko, ne m'oblige pas à te punir, l'avertit Kira. Puisque tu sembles si bien connaître le rôle d'un Écuyer, tu n'es pas sans savoir que ce sont les Chevaliers qui interrogent les prisonniers.

– Je suis désolée, maître.

– Que veut dire *seccyeth* ? s'enquit Kira.

– Dresseur de dragons, répondit Miyaji.

– Fantastique..., murmura l'apprentie, émerveillée.

– Pas quand ces bêtes s'attaquent aux humains pour les arracher de leurs selles ou qu'elles essaient de tuer notre roi, lui rappela la femme Chevalier.

« Les adolescents sont-ils tous aussi irréfléchis ? » se demanda-t-elle en oubliant qu'elle avait déjà eu le même âge.

– Je suis désolée, maître.

Son repentir ne dura pas longtemps.

– On dirait que tous les noms d'insectes finissent de la même façon, observa Keiko. Elle est une *seccyeth* et le sorcier vous appelle Narvath.

Miyaji leva des yeux remplis d'épouvante sur la princesse mauve. Tous les sujets d'Amecareth connaissaient le nom de son héritière ! Elle s'écrasa sur les genoux, face contre terre, en position de soumission.

– Qu'est-ce que j'ai dit ? se désola l'apprentie.

– Je pense qu'elle ignorait mon identité, répliqua Kira.

– Je ne savais pas que vous vous trouviez parmi eux, Altesse, bredouilla la femme bleue. Prenez votre arme et tranchez ma tête...

Keiko questionna le Chevalier du regard.

– Cela nous ferait gagner du temps, raisonna Kira.

– Mais elle pourrait aussi nous apprendre bien des choses au sujet de la stratégie de l'empereur, protesta Keiko.

« Elle a raison », concéda Kira. Elle matérialisa donc un bout de corde et attacha les mains de Miyaji dans son dos. Wellan serait sans nul doute intéressé à entendre ce que cette dompteuse de dragons avait à dire.

4

La captive

Sur la plaine, les Elfes faisaient bien attention de ne pas blesser leurs alliés humains et de ne viser que l'ennemi de leurs flèches acérées. Leur précision était impressionnante : ils ne frappaient que les endroits vulnérables entre les diverses sections des carapaces. Les Chevaliers poursuivaient les fuyards à cheval, les détournant le plus possible de la rivière. Onyx combattait au sol. Il avait laissé tombé son arme traditionnelle pour faire apparaître son épée double où couraient des éclairs bleuâtres. Son bras, apparemment infatigable, la maniait avec beaucoup d'adresse. Swan était descendue de cheval pour l'appuyer, même si elle aurait dû en principe suivre les membres de son groupe. Dempsey le lui reprocherait certainement plus tard. Pour l'instant, c'était son mari qu'elle voulait seconder.

Wellan avait d'abord fauché les innombrables scarabées en chargeant dans leurs rangs, puis il avait retenu son cheval pour étudier le champ de bataille. « Mais d'où sortent-ils et pourquoi y en a-t-il autant ? » se demanda-t-il. Plus les Chevaliers les terrassaient, plus il en arrivait. Ce tableau lui rappela une invasion de petits insectes qu'avait déjà subie le Château de Rubis lorsqu'il était enfant. Son père n'avait pu s'en débarrasser qu'en faisant enfumer tout le bâtiment...

Son fils immortel se matérialisa brusquement devant son destrier. Grisald fit une incartade. Wellan tira sur les rênes et parvint à la calmer.

– Père ! L'ennemi envahit aussi le sud ! l'avertit Dylan.

– Le sud ? s'étonna le Chevalier. Dans quel royaume ?

– Celui que vous appelez Cristal, tout près de l'endroit où vous avez construit de petites maisons pour protéger vos hommes des intempéries.

Bergeau, Falcon, Chloé et Dempsey ! appela aussitôt Wellan. *Ralliez vos groupes et foncez au camp du Royaume de Cristal ! Faites-moi un rapport dès que vous y serez !* Les membres de ces divisions, y compris Swan, cessèrent les combats et galopèrent vers leurs commandants. Les trois vortex apparurent presque en même temps, avalant les soldats d'Enkidiev. Wellan se retourna : son fils avait disparu.

Il ne restait plus que les troupes de Wellan, Santo et Jasson chez les Elfes. Ces derniers facilitaient grandement leur travail en rabattant les insectes vers eux. Il y avait un long moment déjà que cette bataille s'était engagée. Les Écuyers, restés en retrait, commençaient à s'impatienter. Ils n'avaient pas l'habitude des campagnes militaires. Ils ne savaient même pas se servir de leurs armes. Kevin les avait incités à utiliser leur magie lorsque des guerriers impériaux s'étaient glissés à travers les mailles de leur filet, mais rien ne s'était plus produit de leur côté depuis l'attaque du dragon.

L'arrivée de Kira et de sa captive bleue leur fournit une agréable distraction. La Sholienne n'appréciait pas tellement l'attitude amicale de son gros cheval noir envers l'étrangère. Hathir cherchait constamment à flairer les cheveux de

Miyaji ou à lui donner de petits coups de naseaux dans le dos tandis qu'ils avançaient devant les Écuyers. « À qui pourrais-je la confier ? » se demanda le Chevalier. Keiko était bien trop fascinée par la *seccyeth* pour exercer une surveillance adéquate. Kevin portait son bandeau, donc elle pourrait lui échapper. Lassa aurait tôt fait de la prendre en pitié et Liam de la terroriser. « Cassildey ! » décida Kira. Ce jeune garçon d'Émeraude, apprenti de Sage, avait, de l'avis de ce dernier, un grand sens des responsabilités. Il lui prédisait même une brillante carrière. Keiko serait certainement froissée par cette décision. Toutefois, un Écuyer devait apprendre à obéir à son maître.

— Cassildey, je te confie cette prisonnière, prononça solennellement la Sholienne.

Le gamin accepta fièrement sa mission. Kira lui remit l'extrémité de la corde avec laquelle elle avait attaché Miyaji et fonça vers le champ de bataille sur son gros cheval. Tous les enfants étirèrent le cou pour observer la curieuse créature que le Chevalier avait ramenée avec elle.

— Elle aurait pu au moins nous dire qui elle est, maugréa Liam.

— Un peu de respect, mon garçon, l'apostropha Kevin.

— Elle s'appelle Miyaji, répondit Keiko.

L'hybride gardait la tête basse, honteuse d'avoir mis la vie de Narvath en danger en attaquant les humains avec son Lotakieth.

— D'où sort-elle ? voulut savoir Jenifael.

— Elle était sur le dos du dragon, les informa Keiko.

– Que faisait-elle là ? s'étonna Maryne.

– C'est sa maîtresse.

Lassa sentit ses cheveux se dresser sur sa tête. Il ne connaissait pas beaucoup les animaux, pour avoir passé presque toute sa vie dans une tour, mais il avait entendu Bergeau raconter que leurs destriers, même s'ils étaient domptés pour la guerre, vouaient à leurs maîtres un attachement profond. Lorsque ceux-ci tombaient à la guerre, les chevaux revenaient les protéger. Et les dragons, eux ?

Le porteur de lumière tenta d'utiliser ses facultés magiques pour retrouver la gigantesque bête qui volait quelque part au-dessus d'Enkidiev. Une fois de plus, ses pouvoirs l'abandonnèrent.

– Lassa, pourquoi es-tu si pâle tout à coup ? s'inquiéta Jenifael.

– Je viens d'avoir une terrible pensée..., bredouilla-t-il.

– Ne me dis pas que tu regrettes d'être devenu Écuyer ! se fâcha Liam.

– C'est autre chose, protesta le porteur de lumière. Si le dragon appartenait à cette femme, est-ce qu'il ne va pas essayer de venir la chercher ?

Tous les regards se portèrent sur le firmament. Les apprentis sondèrent les environs. Le Lotakieth plongea si rapidement du ciel que personne n'eut vraiment le temps de réagir. Les enfants se mirent à hurler de terreur en voyant le monstre se poser lourdement sur le sol.

– Que se passe-t-il ? s'alarma Kevin.

– Le dragon ! cria son Écuyer. Il est devant nous !

Le Chevalier mit pied à terre.

– Dirige-moi, Liam.

– Vous n'allez pas l'affronter ? Il fait jour !

– Ne discute pas mes ordres.

Le gamin se laissa glisser sur le sol en maugréant. Il prit le bras de Kevin en s'efforçant d'avoir l'air brave. Le soldat lui demanda de le poster entre la bête et les Écuyers. Liam lui obéit à contrecœur.

– Tu peux retourner avec les autres maintenant, indiqua Kevin.

– Mais il n'est pas question que je vous abandonne.

Le Chevalier ne pouvait plus rien capter magiquement. Il sentait toutefois l'air que déplaçait le dragon avec ses longues ailes. Il se mit à siffler doucement et les battements ralentirent. Solidement retenue par Cassildey, Miyaji assistait à la scène, impuissante. Sa première intention fut d'ordonner à Stellan de repartir vers Irianeth, au risque d'être frappée par l'humain qui la gardait. En entendant les sons qui sortaient de la bouche du soldat vêtu de vert, elle fut paralysée. Où cet homme avait-il appris à charmer les animaux ? C'était un art que ne possédaient que quelques élus...

Kevin aurait bien aimé recevoir l'aide d'un de ses compagnons, mais ils poursuivaient tous des insectes sur la plaine. Il avait le pouvoir d'endormir le colosse. Il faisait cependant trop clair pour qu'il lui tranche la gorge et le bras de Liam n'était pas assez fort.

Les ailes de la bête s'immobilisèrent. Elle allongea son long cou pour aller flairer celui qui lui parlait si gentiment. Miyaji saisit aussitôt le danger.

– Je vous en prie, ne lui faites pas de mal, implora-t-elle.

– Alors, dites-lui de s'en aller, répliqua Jenifael.

– Parce que nous ne le laisserons certainement pas nous dévorer, l'appuya Thalie.

Miyaji ferma ses yeux argentés. Ils l'entendirent communiquer par voie télépathique avec l'animal dans une langue inconnue. Stellan releva vivement la tête et poussa un cri strident. Il protesta en secouant le cou, mais sa maîtresse se fit insistante. Finalement, d'une formidable poussée de ses pattes postérieures, il prit son envol.

Lassa, que se passe-t-il ? résonna la voix de Wellan dans leurs esprits. *Tout va bien, sire*, assura le porteur de lumière. Malgré son inexpérience de la guerre, Lassa jugeait préférable de ne pas retirer les soldats du combat maintenant qu'ils étaient hors de danger.

– Qu'avez-vous dit à votre dragon ? demanda Cassildey en tirant légèrement sur les liens de la prisonnière.

– J'ai exigé qu'il retourne chez nous, murmura Miyaji, persuadée que les humains la mettraient à mort.

– Vous auriez pu tout aussi bien lui demander de nous mettre en pièces, intervint Jenifael. Pourquoi ne l'avez-vous pas fait ?

– Stellan ne mérite pas de mourir. Il fait seulement ce qu'on lui demande.

– Il a un beau nom, commenta Sladek.

Kevin ne les écoutait pas. Il était resté immobile devant la ligne d'Écuyers à humer le vent.

– Il est parti, maître, l'informa Liam.

– Je sais...

– Que flairez-vous ?

– Je n'en suis pas certain.

Le Chevalier invalide avait passé suffisamment de temps dans l'alvéole d'Asbeth pour reconnaître son odeur. Émanait-elle de la bête ailée ou l'homme-oiseau était-il quelque part dans les environs ? Il savait que Wellan voulait lui régler son compte, mais si ce dernier devait se trouver sur sa route...

Le soleil déclinait et les Chevaliers n'avaient toujours pas réussi à éliminer les guerriers de l'Empereur Noir. Ce fut Wellan qui prit la décision de mettre fin à la chasse, car il ressentait l'épuisement de ses frères et ses sœurs d'armes. Il leur demanda de revenir vers les Écuyers afin de préparer la prochaine stratégie.

Les enfants furent bien contents de les voir apparaître. Il commençait à faire sombre et ils étaient inquiets d'être aussi vulnérables sur le bord de la rivière Mardall. Les destriers marchaient lentement, la tête basse. Tout comme leurs maîtres, ils étaient éreintés.

Wellan ordonna aux apprentis de préparer le campement. Avec joie, les jeunes plantèrent magiquement des piquets dans la terre pour attacher les chevaux et ramassèrent du bois pour le feu. Sage libéra Cassildey de sa mission pour lui permettre de suivre les autres. Il tira la prisonnière jusqu'à son chef, qui marchait aux côtés du nouveau roi.

– Depuis quand capture-t-on des Fées ? s'étonna Wellan en examinant la créature bleue.

– Ce n'en est pas une, sire, assura le garçon.

– Elle chevauchait le dragon, expliqua Kira en sortant des rangs.

Le grand Chevalier arqua un sourcil en remarquant pour la première fois que la princesse rebelle était habillée en vert, comme tout le monde. Mais ce n'était pas le moment de la questionner à ce sujet.

– Une Fée sur un Lotakieth ? ricana Onyx.

Il fit le tour de Miyaji en l'étudiant. Elle ressentit aussitôt les intentions de l'humain et se mit à trembler.

– Qu'est-il arrivé aux petites créatures jaunâtres qui ont l'habitude de guider les dragons ? s'enquit-il.

– Il n'y a pas que les Midjins qui savent dompter les Lotakieths..., murmura-t-elle, effrayée.

– Les Midjins, répéta Onyx. Oui, je me rappelle... Leur chair était vraiment délicieuse.

La femme bleue perdit l'usage de ses jambes. Elle s'écrasa sur le sol en pleurant. Wellan décida d'intervenir. Onyx était devenu son roi, mais il n'avait pas le droit de terroriser la captive.

— Altesse, nous ne pouvons pas..., commença-t-il.

— Cessez de m'appeler ainsi ! ordonna le souverain en faisant volte-face.

Wellan se demanda si l'éclat sauvage qu'il voyait dans ses yeux était celui qu'il présentait jadis au Roi d'Argent. Le grand chef prit une profonde inspiration afin de conserver son calme.

— Il n'est pas question que nous la mettions à mort, se reprit-il.

— Les Chevaliers d'Émeraude ne font pas de prisonniers, l'avertit Onyx.

— J'ignore les règlements que vous suiviez autrefois, sire, mais mes hommes sont indulgents.

Onyx le fixa longuement. C'est exactement ce que Hadrian leur avait dit jadis, avant que certains des soldats, rendus fous par les incessants combats, ne se jettent sur les Midjins pour les égorger.

— Qui l'a trouvée ? demanda-t-il.

— C'est moi, sire, l'informa Kira.

— Tu en seras donc responsable, décida le monarque. Si elle s'échappe, la sanction sera sévère.

Kira allait rouspéter. Le regard aigu de Wellan lui fit ravaler ses paroles.

— J'imagine que personne n'a eu le temps d'apporter de la nourriture, lança Onyx, déconcertant tout le monde.

Il ferma les yeux et fit apparaître autour du feu naissant des mets qu'il avait empruntés au royaume le plus proche. Les Chevaliers et les Écuyers n'osaient plus bouger. *Wellan, si tu le peux, viens jeter un coup d'œil ici*, fit alors la voix de Chloé.

– Mangez pendant que vous le pouvez, leur conseilla le chef. Je reviendrai bientôt.

L'angoisse resserra le cœur de Bridgess. Elle s'approcha de lui tandis que le reste de l'armée se restaurait.

– Tu es à bout de forces, protesta-t-elle en prenant ses mains.

– Je sais comment les refaire rapidement, ne t'inquiète pas.

– Dans ce cas, fais-le maintenant.

– Bridgess...

– Moi aussi, j'y tiens, l'appuya Jenifael en se plantant aux côtés de sa mère.

Il ne pouvait lui reprocher de ne pas être avec son maître, puisque Swan se trouvait au Royaume de Cristal avec sa troupe. Avant qu'il ne puisse lui expliquer pourquoi le temps pressait, l'enfant saisit l'une des courroies de sa cuirasse et l'emmena en retrait. Lassa observa la scène sans savoir s'il devait intervenir.

– J'ai détaché ta couverture de ta selle, expliqua Jenifael. Allonge-toi ici.

– Jeni, ce n'est pas le moment. Chloé a besoin de moi.

– Obéis-moi.

Wellan adressa un regard à son épouse : elle semblait d'accord avec leur fille. Il n'avait besoin que de quelques minutes pour rétablir sa force vitale. Il prit donc place sur le sol et croisa ses longues jambes.

Plus près du feu, Kira avait détaché sa prisonnière en l'avertissant qu'une tentative d'évasion entraînerait sa mort. Miyaji n'était pas un soldat, seulement une dompteuse de dragon. Elle hocha doucement la tête en signe d'accord. La Sholienne s'assit près d'elle. Sage et leurs Écuyers les rejoignirent.

– Mangez-vous cette nourriture ? lui demanda la princesse en lui montrant son écuelle remplie de viande et de petits légumes.

– Je ne mange pas de roches rouges comme les insectes, si c'est ce que vous voulez savoir, se défendit l'hybride.

– C'est à cela qu'elles servent ? s'étonna Kira en se rappelant le minerai extrait par les lézards sur leur île.

Sage tendit un plat à la femme bleue, qui l'accepta avec hésitation. Elle aperçut les yeux opalins de ce soldat et comprit qu'il était comme elle.

– Parlez-nous un peu de vous, fit-il, gentiment.

– Je suis de la tribu des Midjins du nord, mais je ne leur ressemble pas, avoua-t-elle en examinant la nourriture. Je ne connais pas ma vraie mère. Mon mentor m'a dit que j'étais l'un des enfants de l'empereur.

Kira et Sage échangèrent un regard entendu.

– Personne ne me le disait, mais ils savaient tous que je faisais partie des rejets...

– Quels rejets ? s'enquit Keiko.

– Ne recommence pas à la harceler, l'avertit la Sholienne.

– Il y a des œufs qui produisent de magnifiques guerriers, d'autres des ouvriers. Seul un petit nombre génère des larves anormales.

– Je ne pense pas que vous soyez sortie d'un œuf, voulut la rassurer Cassildey. Vous ressemblez trop à une Fée.

– Il y a une façon de le savoir, indiqua Kira en pointant Ariane assise plus loin.

La femme Chevalier s'occupait d'Odélie et d'Écuyers dont les maîtres combattaient dans le sud. Se sentant surveillée, Ariane se tourna vers eux. Ses yeux s'arrêtèrent sur la femme bleue. Elle n'avait pas passé beaucoup de temps avec son peuple. Cependant, elle se rappelait avoir vu une créature semblable, jadis. Les Fées azurées étaient rares et surtout très timides, car elles possédaient une sensibilité si grande qu'elle pouvait causer leur mort. Elle demanda aux enfants de poursuivre leur repas et rejoignit la Sholienne.

– Nous avions justement besoin de vous, lui dit l'apprentie de Kira.

– Keiko ! reprocha Kira.

– Je suis désolée, Lady Ariane, s'excusa la petite Jadoise. Je suis trop curieuse.

– Il n'y a pas de mal, mais Lady Kira a raison. On vous a enseigné la politesse, enfin, je l'espère.

– Maître Farrell... le roi, enfin, je ne sais plus comment l'appeler..., commença Cassildey.

– Nous non plus, avoua Sage.

– Il n'a pas beaucoup insisté sur cet aspect, leur apprit le garçon.

– C'est évident, grommela Kira.

Ariane prit place près de Miyaji, qui la fixait avec stupeur. Ce n'était pas l'apparence physique de la Fée qui la subjuguait, c'était l'énergie qu'elle captait en elle, car elle ressemblait à la sienne. La femme Chevalier posa une douce main sur son bras.

– Tu n'es qu'en partie insecte, assura-t-elle. Un jour, je te présenterai au peuple dont tu es également issue.

Pour la première fois depuis sa capture, Miyaji se sentit un peu rassurée.

5

INCURSION

Il faisait très sombre au Royaume de Cristal lorsque Wellan s'y matérialisa. Il avait repéré ses soldats en retrait des petites habitations construites pour se protéger des vents marins lorsqu'ils étaient de garde. Il choisit donc d'apparaître à proximité. Les chevaux attendaient, les oreilles droites, au pied d'une petite colline. Leurs maîtres se trouvaient au sommet. Allongés sur le ventre en compagnie d'une dizaine de guetteurs de Cristal, ces derniers épiaient les mouvements de l'ennemi. Le grand chef ne mit qu'un moment à les rejoindre. Il s'accroupit entre Bergeau et Chloé. Un spectacle affligeant se présenta devant lui : des centaines d'insectes débarquaient sur la plage.

– Je croyais tomber au beau milieu d'un combat, murmura Wellan.

– Quand nous sommes arrivés, les bateaux accostaient, expliqua Chloé.

– Nous avons utilisé nos esprits pour compter le nombre d'adversaires, poursuivit Bergeau. On dirait que tout l'empire se déverse chez nous.

– Nous n'avons pas foncé sur eux tout de suite parce qu'il y a aussi des guerriers noirs dans ce dernier arrivage, compléta Dempsey.

– Pourquoi ici et pas au nord ? s'interrogea Wellan.

– Nous nous sommes posé la même question, souffla Nogait.

Wellan tenta de repérer ces colosses qui, contrairement aux insectes plus petits, savaient fort bien se battre. Nogait capta ses pensées.

– Peut-être que les bruns sont leurs Écuyers, observa-t-il.

– Dans ce cas, ils en ont cinq cents chacun, maugréa Bergeau.

La lune dessinait le contour des barques impériales, maintenant presque vides. Les scarabées envahissaient la plage et les cliquetis de leurs mandibules devenaient de plus en plus insupportables. Wellan aperçut enfin l'élite d'Amecareth : une cinquantaine de guerriers noirs, dispersés parmi leurs congénères plus chétifs.

– Ils sont certainement là pour diriger les plus jeunes, signala Chloé.

– Ils ont dû apprendre que nous les avons malmenés à Émeraude, ajouta Maïwen.

– Comment veux-tu que nous éliminions ceux-là ? demanda Bergeau à son chef.

– Il est hors de question de tenter de leur barrer la route, décida Wellan.

– Nous pourrions leur tendre des embuscades, suggéra un Cristallois.

– Cela me semble la meilleure façon de les empêcher de se rendre jusqu'à la rivière, admit le chef. Mais où est donc Falcon ?

– Il est parti en reconnaissance dans les autres royaumes côtiers, répondit Dempsey.

Justement, un vortex se formait derrière eux. Falcon grimpa la colline à quatre pattes et s'écrasa aux côtés de Wellan.

– Content de te revoir, annonça-t-il.

– Qu'as-tu vu ? s'enquit son chef.

– Il y a un autre débarquement, à la frontière du Royaume d'Argent et de celui des Fées. Ils sont presque aussi nombreux et de gros insectes noirs sont parmi eux. Ils se dirigent vers la muraille qui remonte vers l'est.

Wellan soupira profondément en analysant la situation. Il n'était pas habitué à ce type de guerre. Au fond, il savait bien que l'Empereur Noir, même s'il était lent, finirait par avoir recours à une stratégie différente. Il lui fallait diviser ses effectifs avant d'aller observer ce nouveau contingent ennemi.

– Vous avez raison, déclara finalement le Chevalier à la sentinelle de Cristal. Il faut les attirer dans des guets-apens. Vous connaissez bien ce terrain, que suggérez-vous ?

– S'ils veulent atteindre la rivière et traverser au Royaume de Perle, il leur faudra éviter les lacs et les plus petits cours d'eau.

– Et une armée de cette taille ne peut emprunter qu'un seul chemin, ajouta un autre Cristallois. Nous savons où elle passera.

– Y a-t-il des villages sur leur route ? voulut savoir Chloé, qui désirait d'abord et avant tout protéger le peuple.

– Oui, plusieurs.

– Il faut les faire évacuer, commanda Wellan. Divisons-nous en trois groupes et travaillons avec les guetteurs à établir différentes embûches. Il faut éliminer nos adversaires petit à petit.

– Nous n'avons pas le temps de creuser des trappes, précisa un des natifs, mais nous pouvons les cribler de flèches à partir des arbres et les ensevelir sous des rochers dans les cols où ils devront pénétrer.

– En utilisant de l'huile, nous pouvons aussi les faire rôtir dans les bourgades.

– Et vos maisons ? se désola Maïwen.

– Nous les reconstruirons, rétorqua l'homme en haussant les épaules. Si nous n'arrêtons pas ces monstres, elles ne nous serviront à rien.

Wellan approuva. Il demanda au groupe de Bergeau d'accompagner les veilleurs qui prépareraient le piège dans le défilé entre les montagnes. Il dépêcha ensuite celui de Dempsey et de Chloé dans la forêt où les Cristallois les aideraient à se poster dans les branches. Quant aux soldats de Falcon, il les chargea des brasiers. Tous avaient déjà visité ces lieux dans le passé. Ils pourraient donc facilement s'y transporter avec leurs bracelets.

Les Chevaliers descendirent de la colline. Ils saisirent les brides des chevaux et les emmenèrent dans les vortex de leur troupe. Les guetteurs y plongèrent avec eux. Après une courte réflexion, Wellan accompagna les hommes de Falcon. Puisque leur commandant avait déjà été embroché par Asbeth, il craignait sa réaction devant l'ennemi.

Ils réapparurent dans un village à peine endormi. Les guetteurs eurent tôt fait d'encercler les visiteurs nocturnes. Le Cristallois, qui accompagnait les Chevaliers, leur expliqua rapidement la situation. On sonna le cor et les habitants émergèrent de leurs chaumières, affolés.

— Tu peux me faire confiance, murmura Falcon à Wellan pendant qu'on rassemblait les familles au centre du hameau.

— Il arrive qu'un soldat, qui a déjà été grièvement blessé, fige lorsqu'il revoit son bourreau.

— Oui, j'imagine que ce doit être traumatisant, mais je n'ai pas l'intention de me retrouver sur sa route. Si je saisis bien, il suffit de répandre de l'huile autour d'un village pour y faire brûler les monstres, puis de faire la même chose dans le suivant. En agissant ainsi, les scarabées ne risquent-ils pas d'emprunter un autre chemin ?

— Pas si c'est l'arrière-garde que tu élimines.

— J'ai compris.

— Pendant que tu organises les guetteurs, je vais emmener ces braves gens au palais du Roi Cal où je suis déjà allé. J'en profiterai pour l'informer de la situation et peut-être te ramener des hommes.

— Ce serait apprécié.

Sans rien pouvoir emporter, les paysans suivirent Wellan dans le tourbillon de lumière. Ils furent bien surpris de se retrouver devant la chaumière de leur souverain en quelques secondes à peine. Les sentinelles surgirent de l'obscurité, glaive à la main. Ils reconnurent l'armure du grand Chevalier et le conduisirent au roi.

Cal rallia tous les combattants de sa nation et les confia à Wellan. Lorsqu'il voulut aussi accompagner ses troupes, le grand chef s'opposa.

– On attaque mon pays ! protesta violemment le monarque qui, somme toute, ressemblait aux autres hommes du Royaume de Cristal.

– Mon devoir est de protéger les dirigeants d'Enkidiev.

– Le mien est de défendre mon peuple. On m'a déjà dit que les Chevaliers servaient les souverains. Alors, je vous ordonne de m'emmener.

Wellan n'eut plus le choix. Lorsque tous furent groupés devant le palais, il croisa ses bracelets. Ils s'engouffrèrent au pas de course dans le tourbillon lumineux.

Tandis que le Roi Cal et les veilleurs prêtaient main-forte à Falcon et à ses Chevaliers, Wellan demanda à l'un des Cristallois de l'accompagner jusqu'au prochain village pour qu'il l'aide à persuader ses habitants de le suivre. Toute la nuit, ils se rendirent de hameau en hameau et évacuèrent vieillards, femmes et enfants, jusqu'à ce qu'ils parviennent au passage étroit entre deux falaises. Les sens magiques du grand chef lui indiquèrent que la troupe de Bergeau se trouvait à son sommet. Il avait été facile pour Wellan de se déplacer de manière surnaturelle entre les bourgades, car il y avait déjà mis le pied, mais il n'avait jamais grimpé dans ces montagnes.

— Laissez-moi vous aider, offrit Dylan en apparaissant près de lui.

Ses yeux bleus brillaient de plaisir. Wellan remarqua que ses cheveux argentés avaient été coupés aux épaules.

— Je voulais qu'ils soient de la même longueur que les vôtres, expliqua l'adolescent de lumière.

Il glissa une main dans celle de son père et l'autre dans celle du guetteur, et ils furent aussitôt transportés sur l'escarpement. À l'aide de leur magie, les soldats de Bergeau roulaient de grosses pierres jusque sur le bord de la falaise. Ils n'auraient qu'à les pousser dans le vide pour anéantir une grande partie de l'armée d'Amecareth.

— Puis-je vous accompagner cette nuit ? demanda Dylan.

— Bien sûr. En fait, j'attends ce moment depuis bien longtemps.

Le Chevalier marcha jusqu'à ses hommes, occupés à apporter d'autres morceaux de roc. Bergeau vint à sa rencontre.

— Alors fiston vient nous aider ? le taquina l'homme du Désert.

— Dans la mesure où cela m'est permis, répondit sérieusement l'Immortel.

— Tu ne serais pas le rejeton de notre grand chef si tu obéissais tout le temps. Alors, Wellan, content de ce que tu vois ?

— Vous leur donnerez le coup de grâce, c'est certain.

– Les autres sont prêts ?

– Plusieurs villages sont transformés en pièges meurtriers. Les soldats de Dempsey et de Chloé se posteront dans les arbres pour les attaquer avec des flèches.

– Tant qu'à être ici, viens donc nous donner un coup de main.

Wellan accepta volontiers. Il repéra d'autres rochers plus loin et entreprit de les transporter dans les airs. Dylan l'observait avec intérêt. Cela remplit le père d'orgueil. « Dès que cette guerre sera terminée, nous passerons beaucoup de temps ensemble », se promit-il.

6

ORIFICES

Aux premières lueurs de l'aube, au Royaume des Elfes, les Chevaliers sellèrent leurs chevaux afin de poursuivre les insectes qui s'étaient éparpillés sur la plaine la nuit précédente. Les Écuyers s'empressèrent de les imiter, mais Bridgess les avertit qu'ils ne pourraient pas participer à l'opération militaire. Elle entra tout de suite en conflit avec le nouveau Roi d'Émeraude. En apprenant que les enfants seraient une fois de plus écartés des combats, Onyx s'enflamma.

– Quand cesserez-vous de les traiter comme des bébés ! éclata-t-il, debout au milieu du campement.

Les Chevaliers échangèrent un regard étonné. Comment devaient-ils réagir à ce commentaire ? Qui aurait le courage d'y répondre ? Santo s'avança sur-le-champ, croyant de son devoir, en tant qu'aîné, d'intervenir même si Bridgess avait pris cette décision.

– Ils n'ont aucune expérience de combat, répliqua-t-elle avant que Santo n'ouvre la bouche.

Onyx marcha résolument vers elle, l'air sombre. Les Écuyers n'osaient même plus respirer.

– Qu'en savez-vous, Chevalier ? persifla le souverain.

– Ils n'ont jamais utilisé une épée, répondit vivement la femme Chevalier.

« Décidément, les femmes de cette époque ont du caractère », pensa le renégat sans rien laisser paraître. Bridgess soutint son regard sans fléchir.

– Je leur ai enseigné la magie pendant de nombreuses années, l'avez-vous oublié ?

– Non, je m'en souviens très bien, rétorqua Bridgess en conservant son calme.

– Je ne leur ai pas seulement appris à traduire de vieux textes et à se servir de potions magiques. Ceux à qui j'ai enseigné la magie savent utiliser le pouvoir de leurs mains pour se défendre.

– Majesté, voulut intervenir Santo avant que la discussion ne dégénère en altercation.

– Cessez de m'appeler ainsi ! explosa Onyx.

– Mais comment sommes-nous censés nous adresser à notre souverain ? s'étonna Bailey.

– Je n'ai jamais appelé mon ami le Roi d'Argent autrement que Hadrian.

– Alors vous voudriez qu'on vous appelle Onyx ? s'enquit Volpel.

– C'est mon nom, en effet. Maintenant, à moins de me présenter un argument plus convaincant, je veux que vous emmeniez ces Écuyers avec vous. N'est-ce pas ce que dit le code ?

– Oui, mais..., voulut protester Santo.

– Je vous ai donné un ordre ! On ne devient pas soldat en restant en selle toute la journée sur la berge d'une rivière !

– Il a bien raison, maugréa Liam.

Kevin posa la main sur la nuque du gamin en guise d'avertissement. Ce n'était pas le moment de jeter de l'huile sur le feu.

– Va seller nos chevaux, le pressa-t-il.

Les apprentis, dont les maîtres étaient restés sur la plaine, se réjouirent de pouvoir les suivre, mais les autres se sentirent quelque peu désorientés. Encore une fois, Bridgess décida d'intervenir. Elle demanda à ses compagnons de prendre un apprenti de plus pour qu'aucun ne soit laissé sans surveillance. Onyx approuva cette initiative. Les destriers furent immédiatement harnachés pour la mission de recherche. L'ancien Chevalier s'occupa lui-même de sa monture qu'il semblait traiter avec plus d'égards que les soldats qui se battaient pour lui.

Une délégation d'Elfes émergea alors de la forêt, le Roi Hamil en tête. Il s'agissait surtout de jeunes gens, tous armés d'arcs et de flèches. Leurs carquois étaient remplis à craquer. Onyx attendit qu'ils arrivent au campement. Bridgess décocha un regard interrogateur à Jasson qui, de tous les Chevaliers, avait entretenu le plus de relations avec le peuple sylvestre.

– Majesté, fit respectueusement Jasson en inclinant la tête.

– Je suis venu vous informer qu'il n'y a plus d'insectes dans mes forêts.

– Alors, où sont-ils allés ? demanda Onyx en se croisant les bras.

Le seigneur des Elfes releva un sourcil.

– Comme vous le savez probablement déjà, expliqua Jasson, le Roi Émeraude Ier n'est plus. Son héritière ayant refusé le trône, le peuple a élu son nouveau monarque.

– Pourquoi me dites-vous cela maintenant ? s'étonna Hamil.

– Parce qu'il se tient devant vous.

Tous les Elfes échangèrent des murmures stupéfaits. Leur chef les fit taire d'un seul mot transmis à leur esprit.

– Si vous êtes le nouveau gouvernant d'Émeraude, pourquoi portez-vous cette cuirasse ? s'enquit-il.

– Contrairement à mon prédécesseur, je suis d'abord et avant tout un soldat, rétorqua Onyx.

– Les habitants d'Émeraude ont élu un roi guerrier ?

– Cela semble vous surprendre ?

– D'autres souverains sont également chefs de leur armée, les informa Santo pour détendre l'atmosphère. Le Roi de Perle, par exemple. Et celui de Cristal.

– Donc, vous avez décidé de pourchasser vous-même l'ennemi, déduisit Hamil.

— Je suis l'homme le mieux placé pour le faire.

— Puis-je connaître votre nom, sire ?

— Je suis Onyx d'Émeraude.

Hamil connaissait évidemment l'histoire d'Enkidiev, surtout que son ancêtre avait été l'ami du Roi Hadrian d'Argent.

— Ce nom a été porté par un grand soldat, jadis, se rappela-t-il.

— Eh bien, sachez qu'il est toujours vivant.

Les Chevaliers sentirent la confusion s'emparer des Elfes. Était-ce vraiment le moment de leur raconter toute l'histoire ?

— Si vous voulez bien nous excuser, messire, nous avons fort à faire aujourd'hui, signala Onyx, désinvolte. Nous aurons très certainement l'occasion de discuter de politique plus tard.

— Oui, bien sûr, bredouilla Hamil.

Le renégat monta sur son cheval, une véritable vision du passé pour ces Chevaliers modernes. Il se sentait enfin revivre pour la première fois depuis cinq cents ans.

Les Elfes leur offrirent leur aide. Bridgess, qui prenait le commandement en l'absence de Wellan, l'accepta. Il leur fallait patrouiller un vaste territoire et débusquer des ennemis dont ils ne savaient rien. Elle leur demanda donc de ratisser l'orée des bois, tandis que les Chevaliers parcourraient la plaine. Les jeunes archers acceptèrent sans hésitation. « Les temps changent », songea Onyx en les observant.

– Pressons, exigea-t-il.

Les Chevaliers grimpèrent en selle et s'assurèrent que les apprentis en fassent autant. Le renégat aperçut alors la femme bleue, debout près du cheval de Kira. Ils ne pouvaient certainement pas traîner un tel fardeau.

– Commencez les patrouilles, ordonna-t-il. Je me charge de la prisonnière.

– Sire... Je veux dire Onyx, s'interposa Kira, qui craignait pour la vie de Miyaji.

– Je vais la ramener à Émeraude et revenir, la devança le renégat. Dois-je aussi solliciter ton approbation ?

– Mais non...

Un sourire indéchiffrable se dessina sur le visage du roi. Il tendit la main et la Sholienne se vit obligée de lui remettre la corde retenant l'hybride. L'homme et la captive disparurent en un clin d'œil. Les Chevaliers attendirent que le Roi des Elfes se soit éloigné avec quelques-uns de ses sujets avant d'échanger des commentaires sur leur nouveau monarque.

– Va-t-il nous embêter ainsi à chaque mission ? éclata Milos.

– Prends garde à tes paroles, l'avertit Bridgess.

– Il ne fait que dire ce que nous pensons tous, soupira Zerrouk.

– C'est aussi un grand guerrier qui pourrait nous en apprendre beaucoup sur la façon de gagner une guerre, rouspéta Liam.

– Qu'est-ce que je t'ai dit au sujet de la politesse ? l'apostropha Kevin.

– Je suis désolé, maître. Ça m'a échappé...

– N'empêche qu'il a raison, leur rappela Ariane. Onyx a affronté les troupes d'Amecareth jadis et il en a triomphé.

– Pendant que nous perdons notre temps à discuter, les insectes sont libres d'accéder aux autres royaumes, leur rappela le guerrier d'Espérita.

– Sage a raison, nous ne réglerons pas cette situation aujourd'hui, l'appuya Jasson. Quels sont tes ordres, Bridgess ?

Son groupe et celui de Jasson fouilleraient méthodiquement la plaine, tandis que celui de Santo irait jeter un coup d'œil sur l'autre rive de la rivière Mardall, question de s'assurer que l'ennemi n'avait pas profité de la nuit pour s'infiltrer au Royaume d'Opale. En réalité, elle l'avait surtout choisi en raison de sa sensibilité. Si les insectes avaient dépassé le territoire des Elfes, Santo le saurait.

Les soldats prirent un apprenti parmi ceux de leurs compagnons qui combattaient dans le sud. Lassa aurait bien aimé suivre son ami Liam, mais ce fut Santo qui le réclama. Quant à Jenifael, elle rejoignit d'elle-même sa mère, avec qui elle se sentait davantage en sécurité.

Les divisions de Bridgess et de Jasson se déployèrent sur le vaste territoire qui séparait la région forestière de la falaise de Shola. Ils n'y trouvèrent nulle trace de l'ennemi.

– Ils sont peut-être repartis à Irianeth, réfléchit Jasson.

Ses deux apprentis le suivaient de près, buvant ses paroles.

– Ou ils ont traversé la rivière pendant la nuit, conclut le Chevalier.

Un peu plus loin, Ariane ébauchait le même raisonnement. Les Elfes avaient chassé les scarabées hors des bois et le mur rocheux des royaumes nordiques aurait dû les empêcher d'aller plus loin. La Fée leva les yeux sur les sommets enneigés. Les insectes s'y seraient-ils réfugiés pendant que les humains dormaient ? Jasson, son commandant, possédait des bracelets. Devait-elle lui suggérer d'aller y jeter un coup d'œil ? Les deux enfants, dont elle avait la garde, faisaient marcher leurs chevaux au même rythme que le sien. Tout en cherchant un indice expliquant la disparition de centaines de guerriers impériaux, la femme Chevalier conservait un contact télépathique étroit avec ses petits.

Son mari, le capitaine Kardey, inspectait aussi le sol, plus loin sur la prairie. On lui avait aussi confié un Écuyer, même s'il n'était pas Chevalier, et il s'acquittait de sa tâche avec beaucoup de fierté. Ariane l'observa un instant : il était le plus bel homme d'Enkidiev et le plus attentionné aussi. Elle ne put s'empêcher de sourire en le voyant expliquer au jeune Jaromir comment relever une piste. Un jour, ils auraient un fils à qui Kardey pourrait transmettre toute sa science.

Malgré son bandeau, Kevin avait insisté pour participer aux recherches avec les apprentis Liam et Ivanko. En fait, il se fiait surtout à l'odorat et à l'ouïe de son cheval-dragon. Ce fut celui de son Écuyer qui élucida le mystère. Pietmah s'immobilisa en poussant un sifflement aigu. Virgith y répondit aussitôt en ramenant son cavalier vers elle.

– Qu'a-t-elle vu ? s'inquiéta le Chevalier.

– C'est ce que j'essaie de déterminer, maître, répondit Liam.

Il avait beau regarder partout autour de lui, il ne voyait que de longs herbages caressés par le vent. Pietmah décolla sans avertissement. L'apprenti eut à peine le temps de s'accrocher à sa selle. La jument s'arrêta tout aussi brusquement devant une touffe qui ressemblait pourtant à toutes les autres. Cette fois, Liam crut distinguer un bout de carapace. Sans réfléchir, il sauta à terre et dégaina son épée. Avec témérité, il écarta les longues tiges. Deux pieds à quatre orteils griffus se vissaient dans le sol.

– Maître ! appela le garçon.

Pietmah relaya son appel à Virgith qui fonça vers eux, l'autre apprenti sur les talons.

– Tu as trouvé quelque chose ? s'énerva Kevin.

– Je sais où ils sont ! Je viens de voir un insecte plonger sous la terre !

Un frisson d'horreur courut dans le dos du soldat. Depuis des heures, ils piétinaient l'ennemi ! Il demanda au gamin de rappeler ses frères d'armes. Ils arrivèrent tous au galop et Liam leur raconta ce qu'il avait vu. Jasson passa une main lumineuse au-dessus de l'endroit où le scarabée avait disparu.

– Par tous les dieux ! s'exclama-t-il avec surprise.

– Que ressens-tu ? s'alarma Bailey.

– Ils creusent des souterrains !

— Comme des taupes ! s'exclama Jenifael.

— La rivière Mardall est trop profonde, se rappela Bridgess. Ils ne peuvent l'avoir franchie en passant dessous.

— Donc, ils sont encore tous ici, comprit Hettrick.

— Et comment peut-on les forcer à sortir de leur trou ? s'enquit Kardey.

— C'est une excellente question, admit Jasson, qui continuait de sentir le mouvement des insectes sous lui.

— Nous n'avons jamais tenté de projeter nos rayons à travers un obstacle, déclara Milos.

— Moi, je l'ai fait jadis, à Shola, les informa Kira. Ils ont rebondi sur le roc et ont bien failli me tuer.

— Mais, contrairement à la pierre, le sol est friable, affirma Bridgess.

— On devrait au moins essayer, les encouragea Volpel.

— Je m'en charge, annonça Jasson. Reculez, et surtout soyez prêts à vous battre. Il se peut qu'ils n'aiment pas le traitement.

Bridgess s'assura que ses compagnons et les apprentis se dispersent. Elle exigea aussi qu'ils n'utilisent leurs sens magiques qu'en cas de nécessité. Jasson inspira profondément et chargea ses mains. Il sentit une créature se mouvoir sous lui. Il retourna ses paumes incandescentes vers le sol, laissant partir deux faisceaux lumineux. La terre trembla et un scarabée souillé de terre jaillit devant lui. Du sang noir dégoulinait de son coude. Jasson resta immobile, attendant de voir si d'autres coléoptères le suivraient. Le guerrier brunâtre ne fit qu'un pas. Mortellement blessé, il s'écrasa lourdement aux pieds du Chevalier. Ses compagnons l'observaient avec stupeur.

— Vous savez ce qu'il vous reste à faire, les encouragea Jasson en remontant à cheval.

— Ce n'est plus de la guerre, c'est de la chasse au lapin ! protesta Kardey, contrarié.

— Nous éradiquerons l'ennemi un secteur à la fois, décida Bridgess.

— Cela nécessitera des mois ! maugréa Sage.

— Pas si vous vous remuez, les encouragea Jasson.

Jenifael se rapprocha de sa mère.

— Est-ce que tu as peur ? s'enquit la guerrière.

— Non. Je voulais seulement te dire que nous pouvons vous aider. Nous avons appris à canaliser le feu de nos mains. Nous pourrions obliger les insectes à quitter leur cachette et vous n'auriez qu'à les détruire. Ce serait un véritable travail d'équipe.

— Nous allons mettre ton plan à exécution, Athalée, toi et moi, et s'il fonctionne, nous le suggérerons aux autres, répliqua la mère. Est-ce que cela te convient ?

— Parfaitement, maman... Pardon, Lady Bridgess.

La femme Chevalier la gratifia d'un sourire approbateur.

7

UNE ɥEUREUSE RENCONTRE

Se souvenant d'un endroit où il avait traversé jadis la rivière Mardall lors d'une mission avec Wellan, Santo prit la tête de ses soldats en leur conseillant de garder l'œil ouvert. Des Elfes ratissaient les berges qui s'appuyaient sur la sylve. Personne n'avait encore examiné la rive où les Chevaliers allaient s'aventurer. En plus de Shangwi, son Écuyer, Santo emmena Lassa, car c'est ce que Wellan aurait probablement souhaité. De plus, tout laissait croire qu'à son retour sur le champ de bataille, le Roi Onyx chercherait à rejoindre ceux qui patrouillaient la plaine. En prenant le porteur de lumière avec lui, le guérisseur lui éviterait ainsi d'être tourmenté par l'exigeant monarque.

Les Chevaliers avancèrent sur le bord de l'eau. Avant d'atteindre le gué, Santo en profita pour sonder l'âme de Lassa. Il y trouva un puits vertigineux d'amour, de tendresse et de compassion. Il en fut tout étourdi. Curieusement, cet enfant lui ressemblait beaucoup. Le gamin ressentit cette intrusion dans son être. Il ne chercha pas à s'y opposer. « Comment cet enfant doux comme de la soie va-t-il mettre fin au règne de l'empereur ? » se demanda le guérisseur. Les dieux agissaient parfois de façon inexplicable...

Ils atteignirent finalement le rocher dont Santo gardait le souvenir en raison de sa forme curieuse. À son avis, il ressemblait à un loup, le cou penché, en train de boire. Il fallait avoir beaucoup d'imagination pour y déceler cette conformation, mais l'esprit du guérisseur était particulier. Santo arrêta son cheval. Le courant était fort. Cependant, il ne semblait pas avoir trop érodé le fond au fil des ans.

– Laisse-moi m'y aventurer le premier, réclama Brennan.

Sa monture redressa les oreilles au moment d'entrer dans l'onde. Attentif, le Chevalier la fit marcher très lentement. Il ne trouva aucun trou, aucune embûche. Il grimpa sur la rive opposée et signala à ses compagnons qu'il n'y avait pas de danger. Santo laissa passer tous ses soldats avec leurs apprentis, puis suivit Lassa et Shangwi, pour s'assurer que leurs destriers, encore jeunes, ne se laissent pas impressionner par l'eau vive qui bouillonnait sur leurs pattes.

– Vous avez une bonne mémoire, sire Santo, le complimenta Lassa, une fois sur la terre ferme. Je n'aurais jamais pu me rappeler un point précis le long de cette rivière.

– Je me suis aperçu, il y a fort longtemps, que mon cerveau ne fonctionnait pas tout à fait comme celui de mes frères, répliqua tristement le guérisseur. Je perçois des choses qu'ils ne voient pas et je me souviens de détails qu'ils n'ont jamais remarqués. Tu peux faire la même chose, Lassa.

– Vous l'avez vu en moi, n'est-ce pas ?

– Qui ne serait pas tenté d'étudier plus à fond celui qui nous permettra tous de vivre enfin en paix ?

Santo capta de la terreur dans le cœur de l'enfant.

— Tu ne dois surtout pas avoir peur, voulut-il le rassurer. Les dieux ne nous laissent jamais tomber.

— Vous croyez vraiment qu'un chemin nous est tracé ?

— Si je n'en étais pas convaincu, je serais le plus malheureux des hommes, mon petit. Je ne comprends pas toujours ce qu'ils attendent de moi, mais je sais qu'ils me viendront en aide.

— Ce doit être une sorte de confiance qu'on acquiert en grandissant, j'imagine.

— Je pense que c'est surtout une question d'éducation.

— Le Magicien de Cristal m'a enseigné bien des choses, mais pas cela, je le crains.

— Cesse de te tourmenter. Le moment venu, tu sauras ce que tu dois faire.

Lassa allait rétorquer qu'il n'avait pas vraiment envie de se retrouver face à face avec l'Empereur Noir, lorsqu'une créature jaillit de la terre telle une fontaine. Instinctivement, le destrier du porteur de lumière se cabra et matraqua l'ennemi de ses sabots. Pris au dépourvu, son cavalier ne s'accrocha pas à la selle. Il fut durement projeté sur le sol. Gabrelle fonça sur le scarabée pour l'éloigner du jeune garçon si important pour leur avenir. Santo mit pied à terre pour aller cueillir le petit malheureux.

D'autres insectes surgirent autour du groupe de la même manière. Les Écuyers chargèrent leurs mains et criblèrent les guerriers impériaux de faisceaux lumineux. Les Chevaliers préférèrent utiliser leur épée. Malgré l'échauffourée, le guérisseur parvint à se poster devant Lassa pour le protéger.

Santo détestait se battre, mais lorsqu'il y était forcé, il devenait un adversaire redoutable. Il faucha tous ceux qui tentaient de s'en prendre au prince.

Chevaliers, attention ! résonna la voix de Bridgess dans leurs esprits. *Les soldats insectes ont la faculté de se cacher dans le sol !*

— Elle aurait pu nous le dire avant ! s'exclama Harrison en frappant l'ennemi d'estoc et de taille.

— Nos compagnons l'ont sûrement découvert en même temps que nous ! répliqua Mara.

Santo comprit la gravité de la situation lorsqu'il vit encore plus de carapaces surgir entre les longues tiges. Il n'avait qu'une vingtaine de Chevaliers avec lui et un groupe d'apprentis qui lançaient des rayons lumineux partout, risquant davantage d'enflammer la prairie que de décimer l'ennemi. Il allait ordonner à ses soldats de se replier lorsqu'il entendit au loin l'éclat d'un cor de chasse. Tout en parant un coup de lance, il sonda les alentours. Un nombre important de cavaliers venait à leur aide.

L'assaut de ces hommes, armés de longues épées, fut salutaire. En un rien de temps, ils démembrèrent leurs opposants à mandibules, comme s'ils avaient fait cela toute leur vie. Une fois la poussière retombée sur le champ de bataille, Santo reconnut l'emblème du Royaume d'Opale. Le Prince Humey en personne avait mené cette charge. Il s'approcha au trot du guérisseur, flanqué de son capitaine.

— Vous êtes arrivés au bon moment, je vous en remercie, Altesse, l'accueillit le guérisseur.

— Une jeune fille est venue nous prévenir de l'arrivée des guerriers de l'empereur sur notre territoire, répondit Humey en mettant pied à terre.

– Nous n'avons envoyé personne, s'étonna Santo.

– Elle portait pourtant des vêtements verts. Nous avons cru qu'elle était des vôtres.

– Vous a-t-elle dit son nom ? s'inquiéta Brennan en rejoignant son commandant.

– Pas à ma connaissance. Je regrette de ne l'avoir pas demandé. Vu l'urgence de la situation, nous nous sommes précipités à votre secours.

Les Chevaliers échangèrent des regards étonnés. Aucun de leurs frères d'armes ne se trouvait dans l'est, encore moins leurs apprentis. Par mesure de prudence, Santo compta les enfants. Il n'en manquait aucun.

– Nous éluciderons ce mystère plus tard, déclara-t-il.

– Vous avez raison, accepta le jeune homme qui ressemblait davantage à un Jadois qu'à un Opalien. Vous devez m'expliquer ce qui se passe, afin que je puisse protéger mon peuple.

En patrouillant lentement le côté est de la rivière Mardall avec ses sens magiques, Santo raconta à Humey les étranges événements entourant cette dernière invasion. Le prince l'écouta en silence. Seuls ses sourcils froncés laissaient voir son angoisse.

Heureusement, Lassa s'en était tiré sans une égratigure. Il suivait le guérisseur en silence et caressait le cheval qui l'avait défendu. Santo entendit alors les commentaires télépathiques des groupes de Jasson et de Bridgess, qui cherchaient à déloger les insectes de leurs terriers. Il en fit part à Humey.

— Malgré mon rang, je ne peux me porter à la rescousse d'un royaume voisin sans l'autorisation de mon roi, expliqua le prince, avec un air contraint.

— Ne vous inquiétez pas. Les Elfes savent se défendre et un certain nombre de Chevaliers sont parmi eux.

Les soldats d'Opale et d'Émeraude s'arrêtèrent à l'ombre de grands arbres vers midi. Les cuirassiers partagèrent leurs provisions avec les Chevaliers et les Écuyers.

— Combien de guerriers de l'empereur se cachent dans le sol ? demanda le capitaine de l'armée.

— Nous n'en sommes pas certains, soupira Santo. Probablement des centaines.

— Alors, nous continuerons de surveiller diligemment nos terres.

— Nos murailles les empêcheront de s'en prendre au peuple, assura Humey.

— N'en soyez pas si sûr, Altesse, l'avertit le guérisseur. Nous les avons vus escalader celles du Château d'Émeraude sans la moindre difficulté.

Les Opaliens murmurèrent entre eux, jurant d'empêcher l'empire de se rendre à leurs portes. Santo communiqua ensuite avec Bridgess, sachant fort bien que tous ses frères entendraient ses paroles. La femme Chevalier lui recommanda d'utiliser ses puissantes facultés pour faire sortir les créatures des galeries qu'elles étaient en train de creuser. Ainsi, elles seraient plus faciles à éliminer. Santo acquiesça.

8

La femme bleue

Onyx ne savait pas ce qu'il allait faire de la captive en quittant les Chevaliers. Autrefois, on ne s'embarrassait pas des prisonniers. L'ennemi, peu importait sa couleur, était supprimé par tous les moyens imaginables. Il n'avait cédé aux demandes des soldats d'Enkidiev que pour conserver le respect et l'amitié de Wellan. Il avait encore besoin du grand chef.

Le souverain apparut au milieu de la cour. Au bout de la corde, Miyaji ne tentait même pas de se débattre. Cette étrange créature ne semblait pas posséder un esprit combatif. « Comme ses succulents petits maîtres », songea-t-il. Les paysans commencèrent à se rassembler autour de l'étrange duo. Onyx mit pied à terre et un palefrenier s'occupa immédiatement de son cheval. Où loger la détenue ? Personne n'avait réparé l'escalier de l'ancienne prison. Même le fer des barreaux avait rouillé. Il tira sur les liens de la femme bleue et l'entraîna vers la forge où se trouvait le seul homme capable de réparer la geôle.

– Morrison ! appela-t-il en s'arrêtant devant la porte.

Couvert de sueur, le géant blond apparut dans la vapeur de son antre. Rien ni personne n'impressionnait le forgeron.

– Altesse ?

– Est-il possible de réparer les portes des cellules du cachot ?

– Probablement. C'est pour elle ?

– Les Chevaliers l'ont capturée sur le champ de bataille et ils tiennent à ce qu'elle reste en vie.

– Ce travail prendra des jours, grommela Morrison. Que dois-je faire d'elle en attendant ?

– Je m'en occuperai, annonça Élizabelle en se postant près de lui.

Tout comme son père, elle portait un grand tablier de cuir. Onyx arqua un sourcil. Il était toujours surpris de retrouver des femmes dans des postes traditionnellement réservés aux hommes.

– N'ayez aucune crainte, Majesté, elle ne s'échappera pas, assura la fille du forgeron en avisant l'air dubitatif de son souverain.

Onyx, qui avait d'autres plans à mettre à exécution, lui tendit la corde. Sans les remercier, il tourna les talons et mit le cap sur l'enclos afin de récupérer son destrier. Miyaji n'avait pas remué un cil. Tête basse, elle acceptait son sort. Douce-ment, Élizabelle lui releva le menton. Si elle n'avait pas eu la peau azurée, cet être aurait facilement pu passer pour une Fée.

– Qu'est-ce que tu vas en faire ? s'inquiéta le forgeron.

– Nous pourrions la garder chez nous jusqu'à ce que les maçons refassent les marches et que tu crées de nou-veaux barreaux pour une des cellules.

– J'ai des armes à forger. Je n'ai pas le temps de réparer la prison. Mais...

Élizabelle connaissait suffisamment son père pour déchiffrer ses expressions. Il venait d'avoir une idée. Il se mit à examiner attentivement les jambes de Miyaji.

– Fais-la entrer dans la maison, décida-t-il.

Sa fille s'exécuta avec plaisir. Elle n'aurait pas aimé que la captive soit abandonnée dans une tour. La pauvre créature semblait déjà suffisamment terrorisée. Miyaji suivit sa gardienne sans faire d'histoires. Elle n'avait jamais vu une architecture aussi étrange. Les Midjins habitaient des terriers creusés dans les falaises sur le bord de l'océan. Les humains vivaient loin de l'eau, dans des habitations de roc et de bois qui formaient des angles droits.

Élizabelle la fit pénétrer dans la douce fraîcheur du domicile du forgeron. La femme bleue fixa les innombrables plantes comme si elle n'en avait jamais vues de toute sa vie.

– Parles-tu ma langue ? demanda sa gardienne.

– Oui..., murmura timidement Miyaji. Même si je ne connais pas tous vos mots.

– Mon roi dit que tu es une ennemie. Pourtant, tu n'as pas les traits des insectes qui nous ont attaqués.

– Je ne ressemble à personne.

– Si je te détache, me promets-tu de ne pas t'enfuir ?

– Je ne saurais pas où aller...

Au risque de s'attirer les foudres de son père, la jeune femme libéra la prisonnière. Miyaji frotta aussitôt ses poignets endoloris. Ses sens particuliers lui indiquèrent qu'elle n'avait rien à craindre de cette belle femme à la longue chevelure ondulée.

– As-tu faim ? voulut savoir Élizabelle.

– J'aimerais boire de l'eau.

La fille du forgeron lui en versa dans un gobelet. L'hybride avala le liquide froid en fermant les yeux. Élizabelle la fit asseoir à la table et lui demanda de lui raconter son histoire. Miyaji se sentait en confiance dans cette pièce remplie de la vibration bénéfique des végétaux. Elle lui relata tous ses souvenirs. Élizabelle comprit, au bout d'un moment, que Miyaji était le produit d'une autre agression d'Amecareth.

– Tout comme toi, la Princesse Kira est métissée, déclara-t-elle.

Miyaji pencha doucement la tête de côté, signe évident qu'elle ne comprenait pas cette notion.

– Sa mère est une Reine demi-Elfe de Shola et son père est l'Empereur d'Irianeth, expliqua Élizabelle. Au lieu d'avoir la peau bleue, comme toi, elle est mauve.

– C'est la couleur de la royauté..., s'étrangla presque la créature inquiète. Y a-t-il une autre héritière que Narvath ?

Élizabelle savait que les insectes donnaient ce nom à la guerrière.

– Kira est Narvath, confirma-t-elle.

– C'est elle que j'ai vue sur le champ de bataille ?

– C'est certain. Elle combat aux côtés des Chevaliers d'Émeraude.

– Elle devrait être avec son père, le puissant empereur du monde.

– Kira a choisi le camp des humains, car elle sait qu'ils ont bon cœur. Elle les aide à conserver le territoire qui leur revient de plein droit.

– Mais le maître possède toute chose...

« Il ne sera pas facile de briser cet endoctrinement », songea la geôlière en étudiant les traits tendus de la captive.

– Nous avons des croyances différentes, soupira-t-elle.

– Expliquez-moi, je veux comprendre.

Alors, tout en préparant le repas, Élizabelle lui parla de la vie des humains, de leurs joies, de leurs peines, de leurs qualités, de leurs défauts, de leurs réussites et de leurs échecs. La femme bleue la fixait avec ses grands yeux argentés comme si la lumière divine venait de la frapper.

– Alors, je ne suis pas un rejet, murmura Miyaji, en état de choc.

– Peut-être l'es-tu chez toi, mais certainement pas ici. Nous avons appris à aimer et à respecter les hybrides.

– Mais pas les insectes.

– Ils ont débarqué sur Enkidiev avec des dragons qui ont dévoré tout un peuple. S'ils étaient venus en paix pour faire du commerce ou je ne sais quoi, sans doute les choses se seraient passées différemment. Ils nous ont déclaré la guerre. Nous ne faisons que défendre nos biens.

Miyaji baissa la tête. Toutes ces révélations l'affligeaient profondément.

– Avais-tu un rôle dans leur société ? demanda Élizabelle pour la distraire.

– Je suis... j'étais *seccyeth*, dompteuse de dragons.

La fille du forgeron se retourna lentement, en proie à une immense frayeur.

– Une quoi ?

– J'ai été élevée par un peuple d'insectes plus petits qui ont appris à charmer et à faire obéir les dragons mâles. C'est un grand honneur.

– Et où est cet animal, en ce moment ?

– Je n'en sais rien. Celui que vous appelez Altesse l'a blessé et il s'est envolé.

Élizabelle allait la questionner davantage, lorsque son père entra dans la maison. Son air contrarié lui fit comprendre qu'il n'aimait pas voir l'étrangère sans ses liens. Il déposa sur la table un bracelet de fer et une longue chaîne.

– Je l'ai fait plus léger, pour elle, lâcha-t-il pour toute explication. À moins que tu passes toutes les nuits debout à la surveiller, on n'a pas le choix. Il faut l'attacher.

Maintenant que la captive lui avait révélé son secret, Élizabelle ne s'opposa pas. Morrison planta un pieu à travers le dernier maillon pour le fixer au sol, puis ouvrit l'anneau qui se verrouillait grâce à un mécanisme à clé. Miyaji le laissa passer l'attache à sa cheville sans bouger.

— Elle pourra se déplacer dans la maison, sans atteindre ton lit ou le mien, expliqua le géant en se relevant.

Ils mangèrent tous les trois dans un curieux silence. Après le repas, Morrison alla fumer sa pipe dehors en admirant les premières étoiles. Élizabelle installa un châlit de bois près de l'âtre et le remplit de paille. Elle y déposa une chaude couette, puis se retourna vers la dompteuse de dragons.

— Est-ce que ça ira ? voulut-elle savoir.

Miyaji hocha la tête avec soumission. Elle traîna sa chaîne sur le plancher et se coucha en boule, comme un petit chat qu'on recueille un soir de pluie.

— Je ne t'ai pas demandé ton nom, s'excusa Élizabelle.

— Je m'appelle Miyaji.

— Moi, c'est Élizabelle. Bonne nuit, Miyaji.

La créature bleue ferma les yeux et s'endormit aussitôt. En se rendant à sa chambre, la fille du forgeron ne put s'empêcher de penser à l'avenir de la prisonnière. Qu'en ferait le nouveau roi à son retour ?

9

LES SECRETS DE DANALIETH

Les combats n'occupaient nullement l'esprit du Roi Onyx lorsqu'il quitta son château. Il aurait pu se matérialiser sur n'importe lequel des cinq champs de bataille de l'ouest pour assouvir son besoin viscéral de vengeance. Il choisit plutôt de réapparaître dans la forêt des Elfes. Il avait eu de nombreuses occasions de sonder l'esprit du commandant de la nouvelle armée de Chevaliers. Wellan lui avait parlé d'un intéressant tumulus où se cachait un grand trésor. Contrairement à ce qu'il avait cru pendant plus de cinq cents ans, les ouvrages les plus importants de la bibliothèque d'Émeraude avaient survécu.

Cette bonne nouvelle le ragaillardit. Le jeune Magicien de Cristal n'avait pas compris, à l'époque, l'importance de conserver les ouvrages écrits par les dieux eux-mêmes. Il les avait jugés terriblement dangereux, même si la plupart des humains ne pouvaient pas les lire. Sous prétexte de détruire les journaux tenus par un grand nombre d'anciens Chevaliers, il avait tenté de faire disparaître ces merveilles de savoir. Heureusement, le Roi Hadrian avait deviné ses intentions.

Jadis, entre les batailles, les deux soldats d'antan avaient consommé les meilleurs vins d'Enkidiev en chantant, en se racontant des blagues et en invectivant l'ennemi.

Certains soirs, l'ancien chef des Chevaliers d'Émeraude avait tenu des propos beaucoup plus sérieux et laissé entrevoir des bribes de connaissances que lui seul possédait. Malgré son état d'ébriété, le renégat n'avait jamais perdu un mot de ses discours. Hadrian lui avait parlé de sa grande affection pour les Elfes, de la magie que recelaient leurs immenses forêts, de leur lien privilégié avec la plupart des dieux. Il lui avait également raconté l'étrange légende de Danalieth.

Ce personnage de la mythologie elfique était né de l'union de la déesse des secrets et d'un roi Elfe. Théoriquement, il n'était pas un Immortel, puisque sa mère était une divinité. Il était un cran au-dessus des demi-dieux. Sa mère Natelia avait accepté, à la demande de Parandar, de le mettre au service des hommes-insectes sur leur grand continent rocailleux. Le chef du panthéon était persuadé que la bonté, la compassion et la générosité de Danalieth sauraient transformer l'empereur de ce peuple insatiable en une créature plus indulgente.

Mais ce fils du ciel possédait quelque chose que Parandar n'avait jamais accordé à ses serviteurs : sa propre volonté. Danalieth était descendu du ciel, mais au lieu de servir l'ancêtre d'Amecareth, il avait plutôt visité la grande île qu'habitait son père. Leur rencontre avait changé le cours de l'histoire. Le jeune Immortel s'était imprégné de la civilisation elfique. Il avait appris sa magie, sa langue, sa façon exquise de façonner des bijoux. Inévitablement, il avait fini par transgresser les lois célestes. Il aimait tellement ce peuple noble et supérieur qu'il lui avait enseigné à communiquer avec les dieux de la nature. Il lui avait aussi fait cadeau de superbes ouvrages d'orfèvrerie, dont le médaillon qui était maintenant en possession de Wellan. Ces objets renfermaient de terribles pouvoirs.

Danalieth avait connu une fin tragique, mais il avait vécu la vie dont il avait rêvé. Onyx l'avait toujours envié pour cette raison. Prévenu par sa mère de la colère du panthéon, l'Immortel s'était résigné à son sort, non sans avoir caché un peu partout des armes de pouvoir. Parmi elles, la griffe de toute-puissance avait été dissimulée dans les rochers par la déesse Cinn, mais elle avait été forgée au pays des Elfes par Danalieth lui-même. Et il y en avait d'autres. Il suffisait seulement de les trouver.

Onyx poussa son cheval vers cette curieuse pulsation qu'il captait dans la terre, un battement qui ressemblait à celui du cœur de son ami Hadrian. Cet homme n'avait pas été uniquement un grand soldat, il avait également su utiliser ses facultés surnaturelles à d'autres fins que la guerre. Se coupant des commentaires qu'échangeaient les Chevaliers d'Émeraude aux prises avec la nouvelle espèce de guerriers insectes, le nouveau souverain trouva finalement le tertre artificiel construit par le Roi d'Argent. Il était protégé par une intéressante magie elfique, rien qu'un bon sorcier ne puisse déjouer.

Le renégat mit pied à terre et laissa brouter la bête. Il savait qu'elle ne s'éloignerait pas. Il marcha lentement autour du galgal, cherchant une entrée. S'il connaissait bien son vieil ami, il avait très certainement laissé un signe pour ses camarades...

– Hadrian, parle-moi...

C'est alors qu'il vit la pierre. Elle était posée à plat sur le sol. Aucune végétation ne la recouvrait, et elle avait la forme d'un hippocampe !

– Je savais que tu ne me laisserais pas tomber ! se réjouit Onyx.

Il s'agenouilla devant cette marque vraisemblablement placée là pour ceux qui connaissaient l'importance de ce petit poisson pour Hadrian.

Le roi magicien passa la main au-dessus du motif marin. Son vieil ami avait utilisé le même genre d'enchantement que certains soldats de leur époque pour cadenasser leurs journaux. « Un jeu d'enfant », constata-t-il. Il se remémora les phrases préférées de son ami et les récita à haute voix. D'abord, rien ne se produisit. Puis, une image apparut dans son esprit.

Le renégat avait toujours été le dernier à quitter le champ de bataille. Quand il arrivait au campement, les autres soignaient déjà leurs blessures ou ils dormaient, épuisés par les combats. Hadrian était habituellement dans sa tente, où il se versait à boire.

– Il était temps que tu arrives ! s'exclama Onyx en se rappelant ce que lui disait alors l'ancien chef des Chevaliers.

La terre se mit à trembler et une ouverture apparut dans le tumulus. Onyx y pénétra sans même craindre un piège. Il connaissait trop bien le Roi d'Argent. Du revers de la main, il alluma les flambeaux et contempla ce sanctuaire inespéré.

– Hadrian, tu es un génie !

Le Roi d'Émeraude marcha le long des rayons, se laissant guider par son intuition. Jamais Hadrian n'aurait mis des ouvrages importants à la vue de tous. Il avisa l'épée double sur la table de pierre.

– Mais bien sûr...

Il se pencha et trouva une petite surface plane à l'intérieur de l'autel. Quelques livres y reposaient depuis des centaines d'années, intouchés. Il les extirpa de leur cachette avec précaution et les déposa sur la surface polie. Son cœur se gonfla de joie : il s'agissait de trois recueils distincts et chacun traitait d'un instrument de pouvoir différent. Ces ouvrages étaient écrits dans l'ancienne langue des Elfes, avant qu'elle n'ait subi l'influence de celle des humains. Ils représentaient un défi intéressant pour un homme pressé d'exercer sa domination.

Il ouvrit le premier et découvrit un croquis de la griffe soudée à son doigt. Il pourrait donc en apprendre davantage sur ses propriétés magiques. Le second dévoilait où étaient cachées les spirales enflammées. « Donc, le troisième parle très certainement des bracelets de foudre... », déduisit Onyx. Il venait de mettre la main sur un trésor inestimable !

Le renégat avait appris, lors de ses discussions privées avec Hadrian, que ces bijoux célestes ne pouvaient pas être utilisés par un seul homme. Leur puissance était trop élevée. C'est pour cette raison que le nouveau roi voulait convaincre Wellan de lui venir en aide. Ce brave soldat voulait à tout prix sauver Enkidiev : il accepterait sans doute de recevoir un aussi beau présent. Mais qui posséderait le troisième objet ? Kevin aurait été le candidat par excellence, mais sa condition ne lui permettrait pas d'utiliser cette arme redoutable.

Onyx repassa mentalement tous les membres de l'Ordre, sans se décider. Le visage de Hawke apparut alors dans ses pensées. Il avait capté dans le cœur de l'Elfe un immense désir d'apporter sa contribution dans ce conflit. Une fois qu'il lui aurait expliqué à quoi servait cet héritage de Danalieth, le magicien d'Émeraude s'allierait à sa cause.

L'ancien soldat parcourut avec intérêt les explications fournies pour chaque objet de pouvoir. Un sourire s'étira lentement sur ses lèvres : Wellan, Hawke et lui deviendraient invincibles et ils aviseraient les dieux de ne plus se mêler de leurs affaires. Danalieth avait octroyé des facultés individuelles à ses créations enchantées, mais il avait aussi prévu qu'ensemble, elles seraient foudroyantes.

Il décrypta d'abord le texte concernant la griffe, puis apprit tout ce qu'il pouvait sur les spirales et les bracelets. Satisfait, il remit les recueils à leur place. Son sixième sens l'avertit soudain d'un danger : on l'attendait à l'extérieur. Prudemment, il posa le pied sur la première marche, prêt à faire apparaître sa double lame. Il émergea du tertre et se retrouva devant une vingtaine d'Elfes qui le visaient de leurs arcs.

– Que faites-vous ici ? s'étonna le Roi Hamil.

– Je voulais voir les ouvrages que mon ami Hadrian a préservés de la colère du Magicien de Cristal, expliqua Onyx, immobile.

– Mais qui êtes-vous, enfin ?

– Je suis le seul survivant de l'armée qui a repoussé la première invasion des hommes-insectes.

– C'est impossible ! Même les Elfes ne vivent pas si longtemps !

– Les Elfes ne possèdent pas ma magie.

Pendant que les seigneurs de la forêt, perplexes, examinaient l'intrus qui se disait roi, Onyx en profita pour scruter les alentours. Cette partie du domaine elfique ne comportait aucune habitation ni structure. « Une terre sacrée », comprit-il. Le soleil se couchait et il commençait à faire sombre sous les branches des grands arbres.

– Me laisserez-vous expliquer à un pair comment j'ai conservé ma jeunesse ? offrit-il, avec l'amorce d'un sourire amical.

– Malgré l'ennemi qui nous attaque ? suffoqua Hamil, interloqué.

– Mes Chevaliers sont parfaitement capables de les anéantir sans moi.

Notant un soupçon d'agacement sur le visage de cet homme paré de la cuirasse de l'Ordre, le souverain des Elfes reprit contenance.

– Vous avez raison, admit-il. Ils peuvent bien se passer de vous pendant quelques heures.

Les silencieuses créatures sylvestres ramenèrent le nouveau monarque jusqu'à leur village. Les femmes et les enfants le saluèrent à son passage. Était-ce une marque de courtoisie adressée à un Chevalier d'Émeraude ou à un dirigeant d'Enkidiev ? Savaient-ils vraiment qui il était ?

On le convia devant un bon feu. Onyx prit place sur un lit de feuilles. Il remarqua aussitôt l'absence des archers. Sans doute étaient-ils retournés sur le champ de bataille.

Le nouveau couronné accepta volontiers la nourriture des Elfes. Jadis, les combattants mangeaient ce qu'ils tuaient. Des images des premiers Chevaliers se succédèrent rapidement dans son esprit : le coup mortel porté à un dragon, le dépeçage, la chair rôtissant dans les flammes…

– Mais comment cela se peut-il ? s'interrogea Hamil, assis près de lui.

Les Elfes pouvaient donc lire les pensées des hommes... Onyx ne les avait pas côtoyés dans son ancienne vie, ayant surtout été affecté aux territoires du sud. Son ami Hadrian, par contre, avait eu la chance d'apprendre à les connaître.

– Lorsque l'ennemi a débarqué pour la première fois sur notre continent, le Roi d'Argent a levé une grande armée que le Magicien de Cristal a doté de facultés magiques, expliqua le renégat.

Les yeux verts des Elfes le fixaient avec intérêt. Ils voulaient en apprendre davantage sur le passé. Était-ce en raison de leur curiosité intellectuelle que Danalieth et Hadrian les avaient tant aimés ?

– À l'époque, je faisais partie de la cavalerie d'Émeraude. J'ai rapidement maîtrisé ces nouveaux pouvoirs et Hadrian m'a nommé lieutenant.

Il leur relata leur rencontre et la profondeur du lien qui s'était formé entre eux. Sans trop se perdre dans les détails, il leur dressa un portrait fidèle de la première invasion et de la victoire des Chevaliers d'Émeraude. Il leur parla aussi des tentatives d'Abnar pour enlever à ces fiers guerriers la magie qu'il leur avait accordée.

– Non seulement je n'ai jamais renoncé à mes facultés surnaturelles, mais j'en ai acquis d'autres au contact d'une créature qui se faisait alors passer pour un Immortel. Nous savons maintenant que Nomar est l'un des dieux déchus.

Onyx sentit un courant d'angoisse parcourir son auditoire.

– Danalieth a raconté à nos ancêtres que ces vils serviteurs ont été jetés dans un gouffre sans fond dont ils ne pourraient jamais s'échapper, l'informa Hamil.

– Il semble que le mal réussisse toujours à s'accrocher, déplora le Roi d'Émeraude. Puisque Parandar et sa cour ne semblent pas pressés de nous en débarrasser, ce sera à nous d'agir.

– Mais nous ne sommes pas divins.

– C'est pourquoi Danalieth nous a fait cadeau d'armes capables d'anéantir un Immortel et peut-être aussi une divinité détrônée.

L'Elfe sentit la colère qui sommeillait dans le regard pâle de son illustre visiteur.

– Vous avez d'autres raisons de vouloir vous venger, n'est-ce pas ?

La confiance qui avait jusque-là illuminé le visage d'Onyx se transforma en tristesse, affligeant ses hôtes.

– Nomar a enlevé un de mes fils, confia-t-il. Il paiera ce crime de sa vie.

– Malheureusement, Danalieth ne nous a pas révélé la cachette de ses terribles bijoux.

Reprenant courage, le renégat tendit la main pour que les Elfes puissent voir la griffe de métal soudée à son doigt.

– Seuls les maîtres magiciens peuvent utiliser les objets de pouvoir ! s'exclama Hamil. Êtes-vous un demi-dieu ?

– Non. J'ai seulement reçu un enseignement magique supérieur. Avant d'anéantir Nomar, je dois d'abord nettoyer le continent de ces scarabées de malheur.

Onyx se leva et s'inclina devant son pair.

– Je vous remercie de votre hospitalité, dit-il.

Il se dématérialisa sans utiliser de vortex éclatant comme les Chevaliers d'Émeraude, étonnant Hamil et les habitants de son village. Le Roi des Elfes se rappela alors qu'il n'avait pas eu le temps de le questionner sur sa visite du tertre. Il ne manquerait pas de le faire plus tard.

10

L'arrière-garde

Au Royaume de Cristal, le temps commençait à manquer. Sur la route qu'empruntait l'armée d'Amecareth, les guetteurs et les Chevaliers avaient semé des pièges meurtriers. Falcon était nerveux, mais efficace. Il pressait ses hommes tout en demeurant affable. Les Cristallois lui obéissaient comme s'ils avaient été des soldats de l'Ordre. Ils utilisèrent toutes les réserves d'huile et de goudron qu'ils trouvèrent et les répandirent autour des villages. De la paille étendue entre les chaumières permettrait au feu de se propager rapidement.

Une fois leur travail terminé, ils s'engouffrèrent dans le vortex de Falcon pour retourner au premier hameau. Le Chevalier en profita pour aller chercher Kevin, car il ferait bientôt nuit et sa vision dans le noir pourrait certainement lui être d'un grand secours. Cependant, il ne ramena ni Liam ni leurs chevaux-dragons avec eux.

Le soleil descendait rapidement à l'ouest. Les hommes s'écrasèrent sur la colline en entendant le bruit assourdissant des mandibules. Les insectes étaient juste de l'autre côté de la butte. Les Chevaliers utilisèrent leurs sens magiques pour évaluer leur nombre : ils étaient des centaines.

Falcon se concentra de toutes ses forces. Il ne devait pas commettre d'erreur, sinon le convoi serait tenté d'emprunter une autre route et les efforts de ses frères dans la forêt et dans le col rocheux seraient vains. Dès que le dernier soldat-insecte fut entré dans le cercle funeste, le Chevalier bondit et lança des rayons enflammés sur le ruban visqueux qui courait dans les broussailles. En quelques minutes à peine, un mur de flammes encercla l'arrière-garde. L'incendie gagna rapidement les maisons. Falcon sentit la chaleur du brasier sur son visage et ses bras. Ce n'était pas le moment de s'attarder. L'ennemi ne devait pas s'échapper.

Le commandant donna l'assaut. Les soldats et les guetteurs se précipitèrent de chaque côté de la muraille enflammée, armes au poing. En raison de l'obscurité croissante, Kevin put se joindre à eux. Les sifflements de terreur des scarabées qui brûlaient vifs écorchaient leurs tympans, mais ils patrouillèrent tout de même le périmètre de l'incendie. Falcon demeura en retrait, scrutant attentivement le village. Lorsqu'il ne sentit plus la moindre trace de vie, il rassembla ses hommes afin de se diriger vers la bourgade suivante.

« Ces insectes sont vraiment stupides », pensa Maïwen en inspectant la colonne sombre qui poursuivait sa route vers la rivière Mardall. Ils venaient de perdre un grand nombre des leurs dans un embrasement pour le moins suspect, mais ils ne semblaient pas s'en inquiéter. Ils continuaient d'avancer sans se poser de questions.

– Ils doivent croire qu'il s'agit d'un phénomène naturel, chuchota Ellie, accroupie près d'elle.

La jeune Fée chercha son époux du regard. Kevin était posté près de Falcon. Tout comme ce dernier, il surveillait les progrès de l'ennemi. Depuis qu'il avait repris du service auprès des Chevaliers, un fossé se creusait graduellement entre elle et lui. Pourtant, il était son âme sœur, celui avec qui elle voulait passer le reste de sa vie. Elle apercevait régulièrement une belle aura blanche autour de sa tête, mais lui ne pouvait la voir, ayant perdu toutes ses facultés magiques.

Le commandement de Falcon la fit sursauter. Elle s'élança avec Ellie et Bankston afin d'empêcher les hommes-insectes de s'enfuir et surtout de capter leur présence. Onyx leur avait expliqué, lorsqu'il était encore Farrell, que ces créatures communiquaient de façon collective, comme les abeilles. Ce que l'un d'entre eux apprenait était transmis à tous les autres instantanément.

Kevin avait suivi l'autre groupe, fonçant du côté droit de la route de terre. Ses frères n'arrivaient plus à déchiffrer ses pensées et ses émotions depuis son enlèvement. Ils savaient qu'il était devenu un hybride comme Kira et Sage, mais sans leurs pouvoirs. Kevin était lui aussi affligé de cette absence de relations étroites avec ses compagnons. Une fois cette guerre terminée, il s'exilerait pour mettre fin à ses souffrances. Souvent, lorsqu'il ne portait pas son bandeau, il remarquait les regards inquiets que Maïwen dirigeait vers lui. Elle l'avait épousé pour le soigner et parce qu'elle l'aimait aussi. Mais, en raison de sa terrible condition, jamais il ne pourrait lui rendre cet amour.

Sa distraction faillit bien lui coûter la vie. Un bras jaillit des flammes, toutes griffes dehors. Kevin se laissa tomber sur le sol, évitant ainsi de se faire déchiqueter le visage. Ne possédant plus ses paumes magiques, il se releva sur les genoux, empoigna son épée et faucha le coude de l'ennemi. Il entendit un grand cri, puis plus rien.

Un guetteur aida Kevin à se relever et s'assura qu'il n'avait rien. Le Cristallois lui tapota le dos avec affection, puis poursuivit son chemin. Honteux, le Chevalier avait évité son regard. Il était difficile pour lui de combattre auprès de ces hommes sans les indisposer. Ses pupilles verticales et ses griffes avaient le don d'effrayer ceux qui ne le connaissaient pas.

La soirée se poursuivit ainsi, d'une agglomération à l'autre. Sept villages furent sacrifiés afin de sauver le peuple. La colonne d'insectes se réduisait de plus en plus. Le groupe de Chloé et de Dempsey aurait maintenant plus de facilité à abattre les traînards et celui de Bergeau ne ferait qu'une bouchée du reste.

Lorsque le dernier hameau fut dévoré par les flammes, les soldats et les guetteurs se rassemblèrent sur une butte, à l'abri d'une attaque-surprise. Exténués, ils se laissèrent tomber sur le dos. Falcon était content de leur travail. Malgré sa grande fatigue, il ne pouvait s'empêcher de penser à son petit garçon blessé, resté à Émeraude avec Wanda. L'avenir de Nartrach l'angoissait.

– En parcourant les villages avec Santo, j'ai rencontré beaucoup de personnes infirmes, lui dit Mann, allongé près de lui. À quelques exceptions près, ils avaient tous trouvé une façon de compenser cet état.

– C'est un bras que ces monstres ont arraché à mon fils, geignit Falcon, les larmes aux yeux.

– Il deviendra encore plus habile avec l'autre. Fais-moi confiance, je sais ce dont je parle.

Une fois qu'il eut repris son souffle, le commandant eut la force de s'asseoir. Il voulut savoir si ses vaillants soldats se portaient bien.

– Tu veux prêter main-forte à nos frères dans la forêt ou sur les falaises ? s'enquit Chesley.

– J'espère bien que non, protesta Rupert. Je serais incapable de tirer une seule flèche.

– Encore moins de pousser des rochers dans le vide, ajouta Dyksta.

– Je ne vous demanderai rien de plus ce soir, assura Falcon. Vous avez bien travaillé. Notre objectif était de réduire le nombre des insectes en abattant l'arrière-garde et c'est exactement ce que nous avons accompli.

– Allons-nous rester ici à attendre les ordres de Wellan ? voulut savoir Carlo.

– Oui et non, répondit le commandant. Nous allons nous reposer, puis nous irons donner un coup de main à Bergeau.

Les Chevaliers remercièrent les guetteurs et leur recommandèrent d'aller protéger les villages au sud, même s'ils étaient convaincus que l'armée d'Amecareth ne s'y dirigerait pas.

11

Les archers

Tandis que la troupe de Falcon et les guetteurs de Cristal massacraient les insectes qui fermaient la marche, celui de Chloé et de Dempsey s'était préparé à faire la même chose à plusieurs lieues à l'est. Les Cristallois ne connaissaient pas l'usage de l'arc, mais ils se mirent volontiers à fabriquer des flèches rudimentaires avec les soldats. Leur travail était de leur fournir des munitions. La plupart des Chevaliers avaient appris le tir à l'arc avec Sage et Nogait.

– C'est le moment idéal de vous exercer ! lança ce dernier en examinant un des projectiles taillés au couteau de chasse.

– On pourrait même en faire une compétition, suggéra Herrior.

– Il n'en est pas question, s'opposa Chloé avant que son époux ne puisse ouvrir la bouche. Nous sommes en guerre contre ces créatures. Nous ne les tuons que parce qu'elles refusent de retourner chez elles. Je ne veux pas que cette embuscade devienne une partie de chasse.

Swan trouvait pourtant l'idée intéressante. Mais Chloé était leur commandant et elle lui devait obéissance. Elle empenna quelques flèches avec les plumes ramassées par des guetteurs, puis suivit Dempsey qui voulait repérer les meilleurs emplacements pour les tireurs. Le jour s'achevait. Les sens magiques des Chevaliers leur indiquaient que l'armée d'Amecareth traverserait la forêt aux premières lueurs de l'aube. Tout devait être prêt à leur arrivée.

La jeune femme marcha derrière Dempsey en l'observant. Ce soldat était si différent de celui qu'elle avait épousé. Le Bérylois était un homme tranquille et sûr de lui. Sa vue était perçante. Rien ne lui échappait. En silence, il calculait la distance entre le sentier et chacun des arbres. Il ne voulait pas que des flèches se perdent. Au bout d'un moment, il s'arrêta et tourna la tête vers sa sœur d'armes.

– Tu veux me parler ? demanda-t-il, sur un ton compréhensif.

– Je voulais surtout m'isoler et je sais que tu n'es pas envahissant. En même temps, j'apprends en t'observant.

– Ah..., se contenta-t-il de répliquer.

Il continua de marcher dans la forêt. Swan s'empressa de le rejoindre.

– Il est difficile de ne pas penser à Atlance, déclara finalement l'aîné.

– J'essaie de me convaincre qu'il est encore vivant et que nous le retrouverons, une fois que nous aurons détruit ces affreux insectes, mais j'ai si peur pour lui, s'affligea-t-elle.

– Si Nomar l'avait tué, tu le saurais. Les mères ressentent ce genre de choses.

– J'imagine...

– Tous ensemble, nous le sauverons.

– Quand c'est toi qui le dis, j'arrive presque à le croire.

– Si ce n'était pas de cette invasion, tu sais bien que Wellan aurait déjà élaboré un plan pour débusquer le dieu déchu.

L'énergie du Bérylois était si rassurante, même lorsque ses pensées étaient orientées vers la guerre. Swan ne put qu'imaginer ce qu'était la vie de Chloé auprès de lui.

– Notre expérience commune avec Sélace continue de me hanter, avoua-t-elle, au bout d'un moment. Ses crocs se sont enfoncés dans notre chair à tous les deux et il a bien failli nous tuer.

– Fais-tu des cauchemars, toi aussi ?

– Oui, souvent, avoua la farouche guerrière, mais je n'en parle jamais.

– Pas même à ton mari ?

– Surtout pas à lui. En fait, je ne sais même plus qui j'ai épousé.

– Sa transformation nous a tous pris au dépourvu. Cependant, je pense que c'est une bonne chose, en fin de compte. Son expertise ne peut que nous servir.

– Il est un bon soldat, je le concède. Je voulais surtout partager la vie d'un homme simple qui resterait avec nos enfants pour les protéger. Farrell était parfait...

– Mais pas notre nouveau monarque ?

– Son ambition démesurée me fait peur, Dempsey. Il est un père affectueux et généreux, patient, mais quand il est question de sa vie publique, il se transforme. Parfois, j'ai l'impression que le trône d'Émeraude n'est que le premier échelon de son plan de conquête. Est-ce que tu comprends ?

– À mon avis, tu t'inquiètes pour rien. S'il décidait d'annexer de force un autre royaume, les autres souverains d'Enkidiev le remettraient à sa place. N'est-ce pas ce qui est arrivé à Draka d'Argent ?

– Ce roi n'était pas un sorcier capable de maîtriser un des objets de pouvoir de Danalieth. Pour quelle raison Onyx s'en est-il emparé sinon pour asseoir son pouvoir sur le monde ?

Dempsey arqua un sourcil et pivota vers sa jeune compagne.

– Si ton mari était un homme mauvais, nous nous en serions aperçus, déclara-t-il. Je pense qu'il est tout simplement incapable d'oublier le mal que lui ont fait deux Immortels et qu'il ne sera pas satisfait tant qu'il n'aura pas assouvi sa vengeance. Et tant mieux s'il est aussi puissant. Ce sera à notre avantage. Maintenant, arrête de te torturer et aide-moi à marquer magiquement les arbres où nous pourrons grimper.

– Tu as raison. Si je veux retrouver mon fils, il faut d'abord éliminer les guerriers noirs. Merci Dempsey.

Ils choisirent des positions suffisamment éloignées de leurs adversaires pour éviter leurs lances, dans des branches où le feuillage les camouflerait sans les empêcher de voir leurs cibles. Swan se concentra sur cette activité et oublia finalement ses tourments. Elle apprit beaucoup de choses en écoutant son frère d'armes, et surtout elle arriva à faire taire son angoisse.

En rentrant au campement, ils trouvèrent une impressionnante quantité de flèches entassées dans plusieurs petits barils.

– Où les avez-vous eues ? voulut savoir Dempsey.

– Dans un village non loin, l'informa son épouse, plutôt contente de leur travail de la journée. C'est une idée de Derek.

L'Elfe Chevalier s'approcha des deux commandants.

– Je suggère aussi que nous attachions les tonnelets aux troncs où nous serons postés, ajouta-t-il.

– Je suis d'accord, acquiesça Dempsey. J'ai marqué les arbres avec Swan. Allons-y maintenant.

Le groupe s'empara des fûts et suivit l'aîné. Ils fixèrent les barils jusqu'à la tombée de la nuit et les Cristallois installèrent, à côté de chacun, une planche où les archers pourraient s'asseoir sans risquer de tomber en décochant leurs projectiles. Dempsey revint ensuite vers son épouse.

– Ils ne sont plus très loin, déclara-t-elle.

– Combien de temps avant de grimper aux arbres ?

– Ils seront ici un peu avant le lever du soleil.

– Dans ce cas, allons manger et nous reposer pour avoir la force de tenir le coup.

Elle approuva d'un léger mouvement de la tête. Les Cristallois leur donnèrent de la viande froide ainsi que des fruits sauvages. Il était hors de question d'allumer un feu ou de faire cuire de la nourriture. Personne ne savait si l'odorat des scarabées était développé, mais ce n'était pas le moment de chercher à le savoir.

Chloé prit place près de son mari. Swan remarqua aussitôt l'échange d'énergie qui se produisait lorsqu'ils étaient à proximité l'un de l'autre. Plus étonnant encore, ils ne créaient pas ce phénomène consciemment !

– C'est la même chose entre Onyx et toi, commenta Nogait, qui venait de terminer son repas sommaire. Et entre Wellan et Bridgess, Kira et Sage, Falcon et Wanda, et j'en passe.

– Alors, pourquoi est-ce que je ne le ressens pas ? s'étonna la guerrière.

– Tu es trop engagée dans ta relation. On observe ce genre de manifestation quand on prend une certaine distance.

– Est-ce que tu es en train de te payer ma tête, Nogait d'Émeraude ? se méfia-t-elle.

– Moi ? s'offensa le fanfaron.

– Ce ne serait pas la première fois.

– Il dit la vérité, affirma Kisilin.

Cette jeune femme ne parlait pas souvent. En général, elle n'intervenait que lorsqu'elle le jugeait nécessaire. Depuis son affectation dans cette unité, Swan avait appris à lui faire confiance.

– C'est une forme de communication silencieuse dans un couple, ajouta-t-elle. Souvent, l'homme sait ce que sa femme va lui dire et vice-versa.

– Amayelle devance souvent mes pensées, en effet, commenta Nogait avec un sourire entendu.

Swan le frappa sur le bras, attirant aussitôt le regard de Dempsey. L'éclat de rire de Nogait le rassura.

– Je ne sais pas comment elle fait pour t'endurer, grommela Swan.

L'obscurité envahit rapidement la forêt. Les Chevaliers et les Cristallois couvrirent leurs épaules pour échapper à l'humidité.

– Il y aura du brouillard cette nuit, déclara l'un des guetteurs.

– Cela pourrait nous empêcher de voir nos cibles, s'alarma Sagwee.

– Pas si nous utilisons nos pouvoirs, répliqua Offman.

– Je pense que ce serait encore mieux pour nous, fit savoir Drew. Ils ne nous verront pas, mais nous saurons où ils sont.

– Et comment fait-on pour trouver un coude dans une nappe de brume ? s'inquiéta Aidan.

– Vous pouvez viser n'importe quelle partie de leur corps, annonça une voix familière derrière eux.

Les Chevaliers firent volte-face en chargeant leurs paumes. Les Cristallois avaient tiré leur glaive.

– Est-ce une façon d'accueillir votre roi ? railla Onyx.

Toutes les mains s'éteignirent en même temps. Le Roi d'Émeraude sortit de la forêt et marcha droit vers son épouse. Il planta un baiser sur ses lèvres, puis se tourna vers ses frères d'armes.

– Je ne suis pas venu très souvent dans cette région, alors je me suis matérialisé trop au nord, expliqua-t-il en s'asseyant sur une souche.

– Qu'est-ce que tu fais ici ? explosa Swan.

– J'essaie d'être un bon gouvernant, répondit-il en réprimant son amusement.

– Alors, tu n'es pas au bon endroit ! Un monarque dirige les affaires de son royaume à partir de son château !

– Je suis aussi un guerrier. Il m'importe que les hommes-insectes ne franchissent pas la rivière Mardall. Quel est votre plan ?

– Nous allons attaquer l'arrière-garde à partir des arbres, expliqua Dempsey.

– Il n'est pas question que tu restes avec nous ! protesta Swan.

– L'énergie qui circule entre vous est inhabituelle, mais elle est bel et bien là, la taquina Nogait.

– Nogait, ce n'est pas le moment, l'avertit Chloé.

– Il nous reste trois fils. Est-ce que tu t'en souviens ? poursuivit Swan, rouge de colère.

— Nemeroff, Fabian et Maximilien sont en sécurité dans la tour d'Abnar, affirma Onyx sur un ton autoritaire. Si je suis ici, c'est justement pour éviter de les retrouver au bout d'une lance. J'apprécierais que nous cessions de discuter de nos affaires familiales devant tout le monde.

Swan ravala son dernier commentaire. S'il voulait régler cette question en privé, elle se ferait un plaisir de le contenter.

— Je suis un excellent archer, déclara Onyx, et je ferai ma part d'efforts.

— Moi, je ne m'habitue tout simplement pas à ce genre de roi, lâcha Nogait.

Son commentaire fit rire tout le monde et détendit l'atmosphère. Seule Swan continua de bouder dans son coin. Ursa déposa une couverture sur les épaules d'Onyx pour qu'il ne prenne pas froid.

— C'est dans ton journal que nous avons appris que le coude était le seul point faible de ces machines à tuer, fit valoir Dempsey.

— Et je n'ai pas menti, affirma Onyx. Je viens par contre de combattre ces curieuses bestioles brunâtres dans le nord et j'en suis venu à la conclusion que ce sont des larves.

— Des larves ? s'étonna Pierce. C'est donc pour cette raison qu'ils plongent sous terre au moindre danger !

— Je m'en suis douté en suivant la conversation de nos frères au Royaume des Elfes, avoua Chloé.

— Mais pourquoi Amecareth emploierait-il de tels soldats ? voulut savoir Dempsey.

– Ou bien il n'a rien d'autre, ou bien il essaie de nous désarçonner, raisonna Onyx.

– Cela explique pourquoi ils fuient devant nos épées, réfléchit Stone.

– Ils ont peur, ajouta Murray.

– Visez la tête ou le cou s'ils n'ouvrent pas suffisamment les bras, conseilla le Roi d'Émeraude. Leur carapace n'est pas encore assez dure pour les protéger.

Onyx ne leur parla pas de son excursion dans le tertre des Elfes. Il laissa plutôt les jeunes bavarder entre eux en observant le visage maussade de sa femme. Elle était belle, même quand elle faisait l'enfant. Lorsque ses compagnons d'armes se plaignirent d'avoir les mains trop froides pour tenir correctement leurs armes, leur nouveau monarque fit apparaître des gobelets de thé bien chaud.

Le ciel se colora en gris et en rose. Chloé se redressa subitement. L'armée de l'Empereur Noir arrivait à l'orée des bois. En silence, les Chevaliers s'emparèrent de leurs arcs. S'étant acquittés de leur part du travail, les guetteurs s'évanouirent dans la forêt, afin de rejoindre leurs compatriotes postés à des lieues sur la falaise.

Les archers escaladèrent prestement les troncs rugueux des arbres centenaires. Onyx saisit Swan par la taille avant qu'elle ne commence à monter.

– Tu devrais être fière d'avoir un mari qui se bat à tes côtés, chuchota-t-il.

– Je suis morte de peur à la pensée que mes enfants sont comme des oisillons sans défense dans leur nid.

– J'ai ordonné à Armène de ne pas les laisser quitter la tour magique en mon absence. Je l'ai suffisamment intimidée pour qu'elle m'obéisse.

– Tu as osé lui faire des menaces ?

– Il n'y a pas que toi qui y excelles, se moqua-t-il.

– Armène ne mérite pas ça ! Elle...

Il l'empêcha de répliquer davantage en l'embrassant sur les lèvres.

– Sois prudente.

Il se dématérialisa avant qu'elle ne puisse le frapper. Un peu plus loin, Dempsey éprouvait de la difficulté à rejoindre son poste. « Ce n'est pas étonnant puisqu'il est né dans un pays dénué de toute forêt », pensa Chloé en lui donnant un coup de pouce magique. Le soldat sentit la force invisible le soulever doucement vers les hauteurs. Il adressa un sourire de gratitude à son épouse.

Les Chevaliers prirent place sur les solides planches en se rappelant leurs ordres. Ils devaient attendre le signal de Chloé avant d'attaquer les insectes. Tout comme le groupe de Falcon, leur travail était d'amenuiser les rangs de l'ennemi. Une fois juchés dans les chênes, les soldats ne pouvaient plus se voir. Dempsey les avait avertis de n'utiliser les communications télépathiques qu'en cas d'urgence. Il s'agissait donc d'un combat où chaque Chevalier ne dépendait que de lui-même.

Au bout d'un moment, ils entendirent craquer des brindilles puis claquer des mandibules. Chloé dirigea ses sens magiques sur la forêt entière. Il y avait des centaines de scarabées... Ils passèrent sous les branches. Immobile comme une statue, la femme Chevalier balayait la région. Il ne fallait pas attaquer les premiers fantassins, mais attendre qu'au moins la moitié se dirige vers la profonde gorge où les attendaient Bergeau et ses soldats.

Quelques arbres plus loin, Onyx partageait le banc de fortune de Dillawn. La Jadoise étant plutôt délicate, ils ne risquaient pas de le briser par un surplus de poids. Le monarque dirigea toute son attention sur le combat qui se préparait. Les scarabées marchaient en rangs serrés, cinq par cinq, sur ce sentier plutôt étroit qui avait été creusé au fil du temps par des charrettes et des chevaux. Comment allaient réagir ces jeunes insectes ? Onyx n'avait jamais fait face à ce problème dans sa vie passée. Il n'avait affronté que des esclaves d'Amecareth et des guerriers d'élite.

Il fit apparaître un arc dans ses mains, émerveillant la femme Chevalier à ses côtés. Il retira une flèche du baril et l'examina. Elle était bien construite. Son empennage était rudimentaire, mais équilibré. Il jaugerait la pression de la corde de tir en tir. Comme ses compagnons, il encocha la première flèche et attendit le commandement de Chloé. Il pouvait sentir la force psychique de cette dernière tandis qu'elle étudiait le mouvement de la sombre colonne.

« Maintenant ! » ordonna Chloé. Les arbres crachèrent les projectiles tous en même temps. Comme Onyx le craignait, les créatures de l'empereur paniquèrent et tentèrent de pié-tiner leurs congénères pour sauver leur vie. Certaines tour-nèrent carrément les talons. D'autres Chevaliers les atten-daient plus loin, dans un étroit défilé : ces larves ne devaient pas retourner à la mer !

Un carquois elfique apparut sur le dos d'Onyx. À l'aide de son vortex, il réapparut sur la route, coupant la retraite des fuyards. Il abattit un insecte après l'autre, aussi rapidement que pouvait s'exécuter son bras. Puis, à court de munitions, il laissa tomber l'arc et utilisa ses pouvoirs magiques pour repousser les scarabées vers l'avant.

Lorsque Swan vit son mari au sol, elle arrêta de respirer. Pourquoi prenait-il toujours d'aussi grands risques ? Elle redoubla d'ardeur pour éliminer les guerriers qu'elle jugeait trop près d'Onyx. Le massacre ne dura qu'une heure, mais leur parut interminable. Les cadavres s'empilaient rapidement. Le renégat commença à les incinérer avant même que ses compagnons ne soient descendus des arbres. Chloé fut la première à le rejoindre.

– Ils ont eu le temps d'alerter leurs semblables, regretta-t-elle.

– Cela n'a plus d'importance, répliqua-t-il. Ils courent dans la bonne direction.

Les Chevaliers l'aidèrent à détruire les corps. Dans la fumée, le souverain aperçut alors une bien malheureuse créature : entre les énormes troncs, Swan l'observait, les yeux remplis de larmes. Il marcha vers elle en adoptant un air rassurant.

– Nous les avons eus, annonça-t-il fièrement.

Elle se blottit dans ses bras sans dire un mot.

12

Le pont ensorcelé

Sur la falaise, au-dessus de la vallée étroite qui menait à la rivière Mardall, Bergeau et sa troupe utilisaient la magie pour aligner d'immenses rochers sur le bord du précipice. Wellan leur donna volontiers un coup de main. Dylan observa le travail des humains pendant un moment, puis s'en mêla. Il n'eut évidemment pas besoin de dépenser autant d'énergie qu'eux pour arriver aux mêmes résultats. Cet exercice, bien que facile, lui plut beaucoup.

Bergeau roula le dernier bloc en place, puis se frotta les mains. La gorge n'était pas très étendue, mais en agissant rapidement, les Chevaliers arriveraient à éliminer le plus gros de l'armée d'Amecareth sous une avalanche de roc. L'homme du Désert s'informa ensuite de l'état de chacun de ses soldats, comme il avait l'habitude de le faire après une mission. Son regard s'arrêta sur Wellan et son fils. « Il mériterait que les dieux expulsent cet enfant du ciel et qu'ils le rendent mortel », souhaita Bergeau.

– Il ne nous reste plus qu'à attendre ! déclara-t-il en s'approchant de son chef. Que diriez-vous d'un festin ?

Les soldats examinèrent les alentours. Rien ne poussait sur le plateau rocheux et seuls les grands chats sauvages osaient s'y aventurer. Personne n'avait apporté de vivres. Où comptait-il trouver de la nourriture ? L'homme du Désert adressa un clin d'œil au jeune Immortel. Aussi vif d'esprit que son père, Dylan comprit la signification de ce signal. En l'espace d'un instant, des écuelles de bouilli apparurent sur le sol. Les guetteurs et les Chevaliers manifestèrent bruyamment leur joie.

Dylan ramassa une gamelle. Il la tendit à son père avec un sourire espiègle. Wellan l'accepta et prit place sur le sol. L'adolescent s'agenouilla près de lui.

– Et toi, que manges-tu ? l'interrogea Wellan.

Les combattants se rapprochèrent pour écouter sa réponse. Il n'arrivait pas souvent qu'un demi-dieu fasse ce genre de confidence aux hommes. Les quelques fois où Abnar s'était livré, il l'avait fait à Wellan, en privé.

– Qu'absorbent-ils ? voulut savoir Wimme. De la poussière d'étoiles ?

– Pouah ! s'horrifia Dylan.

Sa réaction typique d'adolescent fit sourire son père.

– Alors quoi ? le pressa Kagan.

– Nous buvons un liquide qui n'existe pas partout.

– Le nectar des dieux ! s'exclama Sherman, en extase.

– Nous l'appelons *eau cristalline*. Je ne sais pas d'où elle vient.

– Son goût ressemble-t-il à celui du vin ? le questionna Atall.

– Je ne saurais le dire...

– Où trouve-t-on cette eau ? demanda Fayden.

– Dans mon monde, il y a des sources, un peu comme dans vos forêts. Lorsque notre énergie diminue, nous allons nous y abreuver.

– Il n'en existe pas sur Enkidiev ? s'étonna Colville.

– Pas à ce que je sache.

Wellan observait son fils avec fierté. Il répondait aux questions des soldats avec une grande simplicité. Il était si différent d'Abnar...

– Combien y a-t-il d'Immortels ? se renseigna Daiklan.

Le garçon céleste fronça les sourcils comme s'il effectuait un calcul savant. Son père leva les yeux au ciel pour voir si les mentors de Dylan allaient l'empêcher de répondre à cette question compromettante. Il ne capta aucun signe d'orage.

– Mon monde est très vaste, expliqua le jeune prodige. Je sais qu'il y a d'autres créatures qui me ressemblent, mais elles vivent loin de ma cellule.

– On te garde en prison ? s'insurgea Ivy.

– Ce n'est pas une geôle dans le sens où vous l'entendez. C'est une toute petite pièce que je ne peux quitter qu'à la demande des dieux. Au début, les novices n'osent pas en sortir, mais en vieillissant, leur curiosité l'emporte.

« Finalement, c'est à moi qu'il ressemble... », songea Wellan. Les Chevaliers voulurent alors que Dylan leur parle de cet univers où ils ne mettraient jamais les pieds. L'adolescent leur décrivit les paysages qui entouraient son étroite demeure, les marches immaculées qui menaient au royaume des dieux, la sombre forêt d'arbres de verre, l'étang où l'on voyait ce qui se passait sur Enkidiev et l'espace infini où il avait acquis son talisman. Lorsqu'il s'arrêta enfin, tous l'observaient avec étonnement, la bouche ouverte, muets.

– C'est fascinant, lâcha enfin Sheehy.

Même Wellan était stupéfait. Aucun livre ne traitait du ciel avec autant de détails. Et surtout, son enfant s'exprimait avec une éloquence plutôt rare pour son âge. Les Immortels grandissaient-ils vraiment à la même vitesse que les humains ?

– Cependant, je n'ai pas visité tout l'univers invisible, s'excusa Dylan, pensant qu'ils voulaient en savoir davantage.

– Est-ce que tu as vu les grandes plaines de lumière ? réclama Heilder.

– Je n'ai pas encore le droit de m'y rendre, mais j'ai aperçu les portes qui y donnent accès. Elles sont gardées par le dieu de la mort et il n'aime pas que les néophytes y touchent.

Dylan se raidit brusquement. Wellan craignit qu'il ne soit allé trop loin.

– Qu'y a-t-il, fiston ? s'alarma Bergeau.

– Ce sont les Fées...

Pourtant, les Chevaliers ne captaient rien.

– Les envahisseurs sont arrivés à leur frontière.

Wellan déposa son repas et se leva en se rappelant tout à coup ce que Falcon lui avait rapporté.

– As-tu besoin d'hommes ? voulut savoir Bergeau.

– Non. J'y vais seulement en éclaireur, répondit le grand chef. Je saurai alors ce que nous devons faire.

Il voulut croiser ses bracelets, mais Dylan l'en empêcha.

– Votre tourbillon de lumière est trop voyant, protesta l'Immortel. Dites-moi où vous voulez aller.

– Sur la muraille d'Argent, du côté du Royaume des Fées.

Ils y furent instantanément. Wellan s'écrasa entre les créneaux. Sous eux, une marée d'insectes brunâtres avançait lentement. Il commençait à faire sombre et il était difficile d'évaluer la taille de cette armée à l'œil nu. Le grand Chevalier se servit donc de ses sens magiques.

– Il y en a vraiment beaucoup, chuchota Dylan, près de lui.

Wellan n'avait pas assez de soldats pour écraser ce second régiment.

– Emmène-moi à la rivière Mardall, là où ces guerriers se dirigent, répliqua-t-il, à voix basse. Nous devons nous assurer qu'ils ne pourront pas la traverser.

Aussitôt dit, aussitôt fait. Ils réapparurent aux abords d'une roselière. Wellan remercia son fils et pivota vers les flots agités. Une vision catastrophique s'offrit à lui. Enjambant le cours d'eau, un immense dragon semblait se diriger vers Émeraude ! Le grand Chevalier le scruta avec sa magie : il était en pierre ! Il fonça vers la structure étrangère qu'il devait détruire à tout prix avant l'arrivée des hommes-insectes.

– Père, attendez ! s'opposa Dylan.

Wellan ne l'entendit pas. Il ne voyait plus que la tâche à accomplir pour sauver son peuple. Incapable de rivaliser de vitesse avec cet homme en utilisant ses jambes, l'Immortel se servit de ses pouvoirs pour arriver au pont avant lui. Il avisa les serpents électrifiés dans les paumes de son père et s'écarta en vitesse. Les faisceaux destructeurs ricochèrent sur la surface noire sans même l'érafler.

– Vous ne pourrez pas le démolir ! l'avertit l'adolescent. C'est l'œuvre d'un sorcier !

– Asbeth est incapable d'un tel artifice, raisonna Wellan. Est-ce une création d'Amecareth ?

Dylan posa la main sur la pierre sombre et sursauta.

– Non, c'est impossible…, souffla-t-il.

Le croyant en difficulté, le Chevalier s'empressa de lui saisir les bras afin de l'éloigner du pont ensorcelé. L'Immortel leva un regard terrifié sur lui.

– Que ressens-tu ? s'alarma Wellan.

– Akuretari…

Le père promena son regard sur les alentours. Pouvait-il utiliser quelque chose pour bloquer l'accès à cette construction maléfique ? Il n'avait certainement pas la force de dévier le cours de la rivière.

– Si je le fais pour vous, je risque la colère de Parandar, indiqua l'adolescent, qui lisait ses pensées.

– Je ne te l'aurais pas demandé, Dylan. J'ai appris, au contact d'Abnar, que vous n'avez pas notre libre arbitre. Jamais je ne te mettrai volontairement dans l'embarras.

L'Immortel frémit en pivotant vers le rempart, qui faisait un angle droit à quelques pas de la rivière pour descendre vers le sud. Wellan sonda aussitôt la forêt qui bordait la muraille. Il capta la présence d'un immense dragon. La bête abattait tout ce qui se trouvait sur sa route afin de dégager la voie pour les fantassins. Pire encore, le pont était suffisamment large pour laisser pénétrer cette abomination sur le continent.

– Dylan, j'ai besoin que tu patrouilles la côte pour moi, déclara le père en mettant la main sur sa frêle épaule. Je ne pourrai pas élaborer une stratégie efficace si je ne sais pas combien de monstres vont encore débarquer sur Enkidiev. En ce moment, il y a des invasions au Royaume de Cristal, au Royaume d'Argent et au Royaume des Elfes. Je veux être certain que nous n'aurons pas d'autres soldats-insectes à affronter ailleurs.

– Je comprends.

Lui offrant un air très brave, Dylan disparut. Wellan posa les mains sur ses hanches en évaluant la situation. *Bridgess, fais-moi ton rapport*, réclama-t-il. Elle lui expliqua que les étranges guerriers bruns continuaient de s'enfouir dans le sol au lieu de se battre. Les Chevaliers devaient dépenser beaucoup d'énergie pour les traquer et les éradiquer dans les tunnels qu'ils creusaient. Elle ajouta que les Elfes leur étaient d'un grand secours dans cette pénible besogne.

Les soldats d'Opale patrouillent aussi leur côté de la rivière et, à ce que nous a rapporté Santo, ils font de l'excellent travail, l'informa-t-elle. *Ce sont des chasseurs habiles. Dès qu'un scarabée tente de sortir du sol, ils le repèrent et ils l'abattent.* « Excellent », pensa Wellan. Il pourrait donc utiliser ces Chevaliers pour stopper l'incursion par le pont ensorcelé. Les Royaumes des Elfes et d'Opale ne seraient pas laissés sans protection. Il ordonna donc à Bridgess, à Santo et à Jasson de le rejoindre avec leurs troupes sur la rive orientale de la rivière Mardall, devant la muraille d'Argent.

13

UNE CURIEUSE AMITIÉ

Les craintes d'Élizabelle s'apaisèrent, car aucun dragon n'attaqua le Château d'Émeraude durant la nuit. Le monstre ne se manifesta pas davantage le lendemain. Miyaji dormait encore lorsque Morrison et sa fille commencèrent la journée. Elle semblait plus menue, en boule sur son lit de fortune. Sa peau bleue miroitait dans les fins rayons de soleil qui se faufilaient à travers les planches des volets. Élizabelle décida de ne pas la réveiller. Elle lui offrirait à manger plus tard.

Les innombrables plantes qui décoraient la maison servaient à la garder fraîche en tout temps. Miyaji n'avait connu un tel confort que durant ses jeunes années, tandis que sa mère Midjin la protégeait du monde extérieur. Dès son adolescence, elle avait partagé la vie plus rude des dompteurs de dragons, dormant sur le sol, parfois dans les rochers. Se sentant à l'abri chez Morrison, elle s'abandonnait à un sommeil réparateur.

Lorsqu'elle ouvrit les yeux, elle trouva un étrange petit garçon assis près d'elle. Il avait les cheveux noirs en bataille et de grands yeux bleus remplis de curiosité. Il était si jeune que l'hybride se demanda s'il savait parler.

— Moi, Nartrach, déclara le bambin.

— Je suis Miyaji.

Un large sourire éclata sur le visage du gamin.

— Tu as griffes ? voulut-il savoir.

— Non.

Nartrach lui montra celles de sa seule main. Elles étaient blanches, pointues et menaçantes. La dompteuse de dragons voulut voir son autre main, mais constata avec stupeur qu'il n'en avait pas.

— Est cachée, expliqua Nartrach devant sa mine déconfite.

Il s'agissait d'un autre concept que Miyaji ne connaissait pas. Les humains étaient une bien curieuse race. Elle avait entendu dire que les membres sectionnés des insectes de sang pur repoussaient, mais cet enfant n'était pas l'un des leurs.

— Toi jouer ?

La captive lui montra le bracelet et la chaîne qui l'empêchaient de quitter la maison.

— Casser ?

— Je crois que cela m'attirerait des ennuis auprès du maître de cet endroit. C'est un homme très grand et très fort qui a décidé de me garder ici.

— Morrison..., comprit Nartrach. Est gentil.

– Je n'en suis pas si sûre. J'ai senti de la crainte en lui et ceux qui ont peur sont dangereux.

Le petit ne connaissait pas tous les mots qu'elle utilisait. Il comprit toutefois qu'elle ne désirait pas se débarrasser de ses liens métalliques. Si elle ne pouvait pas le suivre dans le palais, il n'avait qu'à aller chercher ses jouets ! Il quitta la maison en courant.

Dans l'aile des Chevaliers, Wanda venait de constater sa disparition. Utilisant ses sens magiques, elle le repéra dans le long couloir qui traversait tout l'édifice. « Depuis quand est-il debout et qui l'a habillé ? » se demanda-t-elle. Elle nota, en apercevant ses vêtements sur la commode, qu'il portait toujours sa robe de nuit.

Elle enfila une tunique propre et partit à la recherche de son fils. Le petit ouragan venait à sa rencontre. Il tourna le coin à la course.

– Nartrach, es-tu allé manger ? le questionna la mère.

– Non !

Il la dépassa et disparut dans leur chambre. Wanda l'y poursuivit.

– Est-ce que tu veux déjeuner avec moi ?

– Non, jouer.

– Tu pourras jouer après, quand ton petit estomac sera plein.

– Est plein.

Il s'était emparé d'un grand sac de toile qui appartenait à son père et le remplissait de tous ses jouets préférés. Habituellement, lorsqu'il était aussi excité, c'est qu'il venait de se faire un nouvel ami.

– Est-ce que tu t'en vas chez Cameron ? demanda-t-elle.

– Non, Miyaji.

– Mais personne ne porte ce nom au château, mon chéri.

– Oui, est une.

Il traîna la lourde besace sur le sol en direction de la porte.

– Je peux t'aider, si tu veux.

Nartrach s'immobilisa et leva un regard suppliant sur la femme Chevalier. Il était un petit garçon très indépendant, mais il savait comment faire fondre sa mère. Elle commença par lui faire enfiler ses vêtements et ses sandales, puis porta le sac pour lui. La tenant par la main, l'enfant sautillait comme une sauterelle en babillant. Il utilisait une foule de mots et un seul verbe conjugué à la même personne, soit « est », ce qui rendait ses commentaires tout à fait inintelligibles. Il ne restait donc plus à la mère qu'à découvrir elle-même l'identité de son compagnon.

L'enfant la tira jusque chez Morrison. Wanda le suivit volontiers en se demandant si ce Miyaji était un petit animal qu'Élizabelle avait adopté. Elle s'arrêta brusquement en apercevant la femme bleue assise sur un lit bas.

– Qu'est-ce que..., s'étrangla Wanda.

– Est Miyaji ! expliqua Nartrach en se saisissant du sac qu'elle tenait toujours.

La femme Chevalier le laissa prendre la besace. Elle s'approcha prudemment de l'inconnue, l'analysant d'abord avec ses yeux, puis avec ses sens magiques. Cette créature semblait être partiellement insecte, mais tout à fait inoffensive.

– Parlez-vous notre langue ? demanda Wanda.

– Oui, un peu.

Miyaji baissa la tête avec soumission.

– Vous semblez exercer une puissante influence sur mon fils.

– Il était là, à mon réveil.

Comment Nartrach avait-il deviné sa présence dans la maison de Morrison ? Était-ce le sang insecte de la femme bleue qu'il avait flairé ?

– Il semble croire que vous êtes de son âge. Vous me semblez plutôt avoir une longue expérience de vie.

– Je ne suis plus une enfant des Midjins, mais je n'ai pas encore l'âge de chercher un mari.

Wanda prit place sur le sol pendant que Nartrach farfouillait dans le sac. Elle questionna Miyaji sur ses origines et son arrivée au château, pour finalement comprendre qu'elle était une prisonnière de guerre.

– Mon fils a beaucoup souffert et je ne voudrais pas qu'il s'attache à quelqu'un qui ne restera pas longtemps ici, la prévint la femme Chevalier en évitant de parler d'une possible exécution.

Le bambin trouva finalement ce qu'il cherchait : son bien le plus précieux, un dragon façonné dans de la pierre noire. Ses ailes étaient déployées dans son dos tandis qu'il adoptait une posture d'attaque.

– Il est magnifique, hoqueta Miyaji, les larmes aux yeux.

– Lui, Fabian ! déclara fièrement Nartrach.

– Le mien s'appelle Stellan.

– Ce n'est pas le nom de son jouet, c'est celui de l'enfant qui le lui a offert, corrigea Wanda. Vous en avez un semblable ?

– Le mien est de chair et de sang, expliqua la femme bleue.

– Un vrai ? s'enthousiasma Nartrach. Stellan jouer aussi ?

– Où est cet animal ? s'alarma la mère.

Miyaji lui raconta son court affrontement avec un soldat sur de grandes plaines près de l'océan. Le monstre avait été blessé, mais il n'était pas mort. Wanda ferma les yeux et fouilla toute la région avec ses sens télépathiques.

– Vous possédez de la magie, s'émerveilla la *seccyeth*.

– Suffisamment pour protéger mon petit contre ce genre de menace. Savez-vous ce que les dragons font aux humains ? Ils leur arrachent le cœur pendant qu'il bat encore.

– Les femelles chassent ainsi, pas les mâles. Stellan est un mâle.

Wanda voulut communiquer avec son époux pour lui demander conseil. En entendant les paroles échangées entre les Chevaliers par leur esprit, elle comprit que ce n'était pas le moment d'ajouter à leurs problèmes.

– Stellan ne sait pas où je suis, voulut la rassurer Miyaji. S'il le savait, il serait déjà ici. Il a été entraîné pour retourner sur notre falaise en cas d'ennuis.

– Mon fils est-il en sécurité avec vous ?

– Je n'ai jamais fait de mal à personne.

– Et je vous conseille de ne pas commencer maintenant. Je vais le laisser ici pendant un petit moment, car il piquerait une crise si j'essayais de l'emmener. S'il a une seule égratignure à mon retour, vous me le paierez cher.

Miyaji ne répliqua pas. Elle se souvenait avoir vu sa propre mère Midjin mettre en pièces un insecte qui s'était approché de ses œufs.

Wanda retourna au palais. Elle était le seul Chevalier à Émeraude, mais elle avait tout de même des alliés. Elle rejoignit Amayelle, Sanya et Catania dans les appartements de la Princesse des Elfes où elles prenaient le premier repas de la journée ensemble. « Si je m'étais levée plus tôt, Nartrach et moi serions avec elles et je ne me sentirais pas si menacée », songea la guerrière en prenant place à la table.

– Quelque chose ne va pas, sentit aussitôt Amayelle.

– Saviez-vous que nous gardons une étrange prisonnière dans ce château ? lâcha Wanda.

– J'ai cru entendre une rumeur à ce sujet parmi les servantes, admit Catania en berçant sa petite fille.

— Il s'agit d'une jeune femme dont la peau est bleue.

Saisie, Amayelle laissa tomber son gobelet de thé qui se répandit sur la nappe blanche. La mention de ce trait inhabituel ramena un très vieux souvenir à son esprit. Les Elfes avaient jadis possédé une écriture. Ils s'en servaient sur la grande île où leur civilisation avait pris naissance. D'ailleurs, la bibliothèque d'Émeraude conservait certains de ces anciens textes. Mais en mettant le pied sur Enkidiev avec Danalieth, les Elfes avaient cessé d'utiliser tout signe graphique, préférant se servir de leur prodigieuse mémoire et de la tradition orale pour transmettre leur histoire à leurs descendants. C'est un soir, devant un bon feu, alors qu'elle était toute petite, que la princesse avait entendu pour la première fois parler des Fées azurées.

Ces créatures très sensibles naissaient tous les trois cents ans environ de parents Fées pourtant normaux. En raison de leur extrême réceptivité, elles préféraient vivre seules, loin de leurs semblables. On disait qu'elles excellaient dans la composition de remèdes efficaces pour les Elfes et les humains et que leur voix pouvait charmer les serpents.

— Amayelle, es-tu souffrante ? s'alarma Sanya.

— Non... c'est seulement une pensée soudaine, la rassura la femme Elfe. Je suis vraiment désolée de vous avoir inquiétées.

Ses amies l'aidèrent à éponger le dégât. Avant de leur avouer ce qu'elle savait sur les Fées azurées, Amayelle décida de rencontrer la prisonnière.

Le même soir, elle attendit que son fils soit au lit et bien endormi avant de quitter ses appartements. Enveloppée dans une chaude cape, elle traversa la cour et s'arrêta sur le seuil de la maison de Morrison. Le forgeron n'y était pas, mais sa fille finissait de laver la vaisselle du repas du soir dans une grande cuve.

– Élizabelle, puis-je entrer ? demanda la princesse.

– Évidemment, Amayelle !

Contente de la revoir, la jeune femme la reçut dans la grande pièce que réchauffait l'âtre. L'Elfe découvrit alors la frêle personne bleue, assise près des flammes. « Elles existent », fut-elle forcée d'admettre. Elle s'approcha prudemment de Miyaji et se chagrina en apercevant la chaîne qui la retenait.

– Pourquoi Wellan s'en est-il emparé ? voulut savoir Amayelle en s'agenouillant près de la captive.

– C'est notre nouveau roi qui l'a ramenée ici, expliqua Élizabelle. Il ne nous a fourni aucune explication. Elle s'appelle Miyaji et elle est malheureusement au service de l'empereur.

– Vous êtes une Fée très spéciale, dit la princesse à la *seccyeth*.

– Je ne sais pas ce que sont les Fées, mais des soldats m'ont dit la même chose, avoua la dompteuse de dragons.

Miyaji lui raconta sa courte vie. Amayelle l'écouta avec compassion. Il devint évident que sa mère Fée avait dû être agressée par l'Empereur Noir, comme la Reine de Shola. Cependant, cette enfant ignorait tout de son ignoble père. Elle avait vécu en marge de la ruche et de ses privilèges. Lorsque la captive eut terminé son récit, ce fut au tour de l'Elfe de lui parler des créatures azurées qui possédaient d'immenses pouvoirs de guérison. Miyaji ouvrit de grands yeux étonnés. Jamais ses parents Midjins ne lui avaient révélé ses origines. Elle avait toujours cru qu'elle était sortie d'un œuf comme tous les autres insectes.

– Elle ne devrait pas être attachée, déplora la princesse en levant un regard suppliant sur Élizabelle.

– Ce sont les ordres de Sa Majesté Onyx, lui rappela la fille de Morrison. D'ailleurs, nous préférons aussi qu'elle ne circule pas librement dans le château à cause de son dragon.

– Je pourrais la prendre chez moi et m'en porter garante.

– Mon père refusera. Quand il donne sa parole, il la tient.

Amayelle décida donc de visiter quotidiennement la prisonnière afin d'adoucir son sort. Elle en profiterait aussi pour mettre ses facultés à l'épreuve, car même si elle ne les avait jamais utilisées, il était impossible qu'elle n'en ait pas.

14

L'assaut

Les groupes de Santo, de Bridgess et de Jasson rejoignirent leur chef entre la rivière Mardall et la frontière d'Émeraude. Les Écuyers les accompagnaient, ce qui fit sourciller le grand Chevalier. Ces enfants étaient bien trop jeunes pour être exposés aux coups de l'ennemi. Bridgess capta son agacement et voulut devancer ses objections.

– Son Altesse Royale est d'avis que nos apprentis n'apprendront rien si on les écarte des combats, l'informa-t-elle, sur un ton ironique.

– Le roi ne commande pas cette armée, lui rappela Wellan.

– Tu le lui diras toi-même.

Il fit taire sa colère et se tourna vers ses soldats, attentifs et courageux. Ils formaient une ligne. Leurs Écuyers et ceux de leurs compagnons absents se tenaient derrière eux. Leur fatigue était presque tangible, mais ils devraient attendre encore un peu avant de se reposer.

– Des centaines d'insectes marchent le long de cette muraille, déclara Wellan en la pointant du doigt. Un dragon leur ouvre le chemin.

– Nous ne pouvons pas compter sur la rivière pour les arrêter, lui rappela Santo. Même si tu arrives à détruire le pont, nous avons vu qu'ils savent nager.

– Il faut trouver une façon de les contenir. Je ne veux pas qu'ils mettent le pied à Émeraude.

– On pourrait les encercler avec du feu magique, suggéra Bailey.

– De cette façon, nous risquons moins d'incendier toute la région, l'appuya Volpel.

Wellan étudia mentalement la carte géographique de la frontière. Il pourrait sans difficulté élever un mur incandescent pour les empêcher d'aller trop loin, mais pourrait-il créer le même phénomène sur le territoire enchanté des Fées. Ces dernières comprendraient-elles que c'était nécessaire pour les protéger des hommes-insectes ?

– C'est une excellente idée, acquiesça-t-il finalement. Je vais créer cette barrière à la limite des deux territoires et en ramener les extrémités vers la forêt. Cela confinera les guerriers d'Amecareth sur un champ de bataille juste assez étendu pour les contenir et nous permettre de les exterminer.

Les Chevaliers acceptèrent en balançant doucement la tête.

– Le Roi Onyx a raison, poursuivit Wellan. On nous a confié des apprentis pour leur enseigner à se battre.

Lassa avala de travers, mais son copain Liam se redressa fièrement dans ses étriers.

– Vous resterez derrière nous et vous abattrez par tous les moyens les insectes qui nous échapperont.

– Je préférerais que ce ne soit pas par l'épée, protesta Bridgess. Ils ne savent pas encore s'en servir contre une lance.

– Tu as raison, agréa le grand chef. Utilisez votre magie.

Hathir et Pietmah émirent des glapissements et se mirent à piaffer.

– Ils arrivent, déclara Kira en calmant sa monture.

Des cliquetis secs et des sifflements résonnèrent dans la forêt. Sage se concentra pour donner un sens à ce qu'il entendait.

– Ils reçoivent l'ordre de s'emparer du porteur de lumière et de la fille de l'empereur, interpréta-t-il pour Wellan.

« Et les deux sont ici ! » s'alarma Wellan.

– Je ne me cacherai pas, l'avertit Kira, les oreilles rabattues sur le crâne.

– Moi, oui, se lamenta Lassa.

Le pauvre garçon avait blêmi. Il était en effet imprudent de garder ces deux importants personnages ensemble dans la même bataille. Wellan se mit à chercher une solution. Dylan se matérialisa soudainement devant lui.

– Je n'ai vu aucune autre percée de l'envahisseur sur la côte, rapporta-t-il à son père.

– Merci, mon garçon. J'ai une autre faveur à te demander. Les soldats de l'empereur cherchent Lassa et Kira. Ta sœur a choisi de les affronter, et c'est son choix. Je préférerais qu'Amecareth ne mette pas la main sur le porteur de lumière.

– Je connais un endroit sûr.

– Alors, dépêche-toi.

Dylan courut jusqu'à la monture du Prince de Zénor. En le voyant arriver, Lassa voulut se laisser glisser sur le sol.

– Non, l'arrêta l'Immortel. Reste à cheval.

Les deux adolescents disparurent. Un effroyable rugissement se fit entendre. Des arbres s'abattirent avec fracas dans la forêt.

– Wellan, est-ce qu'on garde les chevaux ? s'informa Ariane.

Elle faisait évidemment référence au mur de feu qu'il allait bientôt élever autour d'eux et qui empêcherait les bêtes de fuir.

– Oui, décida-t-il. De cette façon, si nous devons nous replier en vitesse, nous le ferons plus rapidement qu'en cherchant à entrer tous ensemble dans un vortex.

Puisque Lassa était parti, Athalée, l'apprentie de Bridgess, avait saisi les rênes de la jument du grand chef. Wellan savait bien que Grizald n'irait nulle part sans lui. Faisant appel aux pouvoirs qu'il avait appris à maîtriser sous la tutelle de Nomar, il créa le feu à partir de l'air et le fit courir sur le sol, derrière les cavaliers. De hautes flammes établirent alors une frontière magique entre la rivière et la forêt. Elles se propagèrent rapidement en formant un vaste demi-cercle autour des Chevaliers. Les dés étaient jetés.

Les soldats tirèrent leur épée tandis que leurs apprentis s'apprêtaient à charger leurs paumes d'énergie mortelle. Jenifael aurait bien aimé que son maître soit près d'elle afin de l'observer durant l'affrontement, mais Swan défendait un autre territoire, au sud. Par contre, la petite aurait l'occasion de voir ses deux parents à l'œuvre.

Le dragon déracina les derniers arbres qui le séparaient de la rivière. D'un brutal coup de sa queue hérissée, il les catapulta par-dessus le cours d'eau.

– Attention ! cria Wellan.

Le groupe de Santo s'éparpilla en vitesse. L'immense tronc s'écrasa devant les Écuyers, qui n'avaient pas bougé, paralysés par la peur. Wellan leur jeta un rapide coup d'œil, se demandant s'il allait désobéir à son roi. Il n'eut pas le temps de penser davantage. Le monstre mit la patte sur le pont de pierre en faisant trembler la rive. Depuis qu'il avait vu un dragon mâle sur Irianeth, Wellan craignait beaucoup moins ces animaux. Mais cette femelle était gigantesque. Elle avait presque trois fois la taille de celles qu'employaient habituellement les hommes-insectes. « Ils se servent de celle-là pour défricher le terrain », remarqua le chef. Malgré tout, il ne pouvait pas supposer que cette bête était inoffensive.

Le grand Chevalier chargea ses mains de serpents électrifiés afin de faire reculer le dragon. Ses compagnons se massèrent derrière lui pour l'appuyer. Les faisceaux ardents frappèrent la tête du reptile. Ils manquèrent ses yeux rouges de peu. Irritée, la bête secoua son long cou en rugissant. Des sifflements fusèrent derrière elle.

– Ils l'encouragent à avancer, expliqua Sage.

« Pourquoi comprend-il leur langue et moi pas ? » s'offusqua Kira, prête à attaquer, elle aussi. Elle avait plus de sang insecte que lui, pourtant.

– Alors nous allons l'encourager à reculer, répliqua Jasson.

Les Chevaliers déclenchèrent un tir de barrage. Les faisceaux frappèrent le poitrail du monstre de toutes parts. Même si sa carapace le protégeait, cette charge sembla lui causer de la douleur. Il battit brusquement en retraite, écrasant les jeunes insectes derrière lui, et fonça dans le bois, du côté de la forêt enchantée. Wellan suivit sa course avec ses sens magiques. Furieux, le dragon se mit à détruire les arbres de cristal et à piétiner les fleurs géantes des Fées.

– Wellan, attention ! l'avertit Bridgess.

Il ramena son attention sur le pont. Sur l'autre berge, deux gros guerriers impériaux avançaient. D'un seul claquement de leurs mandibules, ils rappelèrent leur dragon à l'ordre. Le monstre sortit de la forêt en grondant comme un gros chien contrarié. Avant que les Chevaliers ne puissent le repousser une seconde fois, il galopa sur le pont. Malgré sa taille colossale, il le franchit en quelques secondes à peine, dardant son long cou vers les soldats qui l'indisposaient.

Les Chevaliers se déployèrent aussitôt en éventail. Au centre, Wellan dégaina son épée. L'empoignant à deux mains, il la releva très haute, prêt à décapiter le monstre. Il avait vu

Onyx le faire sur Irianeth et sur la plaine des Elfes. Il suffisait d'attendre le bon moment et de frapper derrière la collerette épineuse. Les écailles prenaient naissance à cet endroit, rendant l'animal particulièrement vulnérable. Mais ce n'est pas le grand chef que visa la bête enragée. À la vitesse de l'éclair, elle attaqua Jasson et le manqua de peu.

Wellan libéra sa main droite et bombarda le dragon de rayons incendiaires afin d'attirer son attention. Le stratagème eut un peu trop de succès : le dragon fonça sur lui en ébranlant la rive. Bridgess craignit le pire. Pourtant, son époux demeurait immobile et concentré. La gueule grande ouverte, le reptile lança sa hideuse petite tête sur l'humain qui l'exaspérait. Au moment où le Chevalier abattait sa lame, l'animal stoppa son geste. Le métal lui frôla le bout du museau et heurta le sol. Il rétracta vivement le cou et attaqua de nouveau.

La présence d'esprit de Volpel sauva son chef d'une mort certaine. Il éperonna son cheval et fonça. Se penchant sur le côté, il tendit le bras et cueillit Wellan au galop. C'est alors que le reptile aperçut la rangée d'enfants dont les silhouettes se détachaient sur un écran de flammes. Il n'avait pas besoin d'être très intelligent pour comprendre qu'il s'agissait de proies plus faciles.

Empêchez-le d'atteindre les Écuyers ! ordonna Bridgess, tandis que Volpel déposait Wellan sur le sol. Kira descendit prestement du dos d'Hathir. Elle ne voulait pour rien au monde exposer sa monture aux crocs de cette abomination à écailles. Concentrée sur son adversaire, elle ne vit pas Sage faire la même chose. La princesse mauve courut entre les pattes de la bête et lâcha un rayon violet sur son ventre. Le dragon poussa un cri strident et pivota sur lui-même. Les humains s'esquivèrent en vitesse pour ne pas être frappés par la lourde queue qui balayait le sol.

Sage fit un saut en arrière. Les épines labourèrent sa manche. Un peu plus et c'était son bras qu'elles arrachaient. Curieusement, il n'avait pas peur. Son devoir de Chevalier était de protéger le jeune Cassildey, dont il avait désormais la charge. Il l'avait juré devant les dieux. L'Espéritien observa attentivement la bête. Elle devait bien avoir des points sensibles à part la base du cou. Il encocha une flèche et étudia chaque écaille... L'intérieur de l'oreille ! Il laissa partir le projectile qui se ficha dans la conque. Furieux, le dragon se mit à exécuter une curieuse danse pour se débarrasser du morceau de bois qui le faisait souffrir.

Attention ! les avertit Santo. Ses compagnons virent les fantassins traverser le pont. Le groupe de Jasson fonça sur les arrivants en évitant les bonds du mastodonte blessé. Sage visa de nouveau la tête. La flèche se brisa sur la corne du nez. L'Espéritien n'eut pas le temps de plonger la main dans son carquois : le monstre chargeait ! Sage se jeta sur le sol et roula plusieurs fois sur lui-même pour l'éviter.

– Dispersez-vous ! s'écria Liam aux apprentis.

Jenifael enfonça les talons dans les flancs de son cheval, entraînant ses compagnons avec elle vers la droite. Pietmah n'attendit pas que son jeune cavalier réagisse. Elle poussa les autres Écuyers vers la gauche. Le mastodonte impérial ne poursuivit pas les enfants. Il franchit le mur de flammes, galopant vers le Royaume d'Émeraude.

– Il faut lui donner la chasse ! s'alarma Liam.

– Ce ne sont pas les ordres de mon père ! lui rappela Jenifael.

Les Chevaliers Winks et Rainbow convergèrent vers les apprentis pour les réorganiser. Une fois le danger du dragon écarté, il ne restait plus que les scarabées à repousser. Ils étaient nombreux, mais la largeur du pont ne leur permettait pas de foncer tous en même temps. Jasson et ses Chevaliers harcelaient déjà la première vague d'insectes. Leurs frères d'armes s'empressèrent de leur prêter main-forte.

Kira se rendit d'abord à son époux qui se relevait avec difficulté. La bête l'avait-elle heurté au passage ? D'une main lumineuse, la princesse l'examina sommairement.

– Kira, j'aimerais que tu arrêtes de me couver ! protesta-t-il.

– Je veux juste m'assurer que tu n'as rien.

– Quand je serai vraiment blessé, je te demanderai de me soigner, d'accord ?

– J'ignorais que mes interventions t'indisposaient à ce point, s'offensa-t-elle.

– Tu me fais passer pour un faible aux yeux de nos frères d'armes.

« Ce n'est pas le moment de se disputer », décida Kira. Les hommes-insectes s'échappaient entre les montures des Chevaliers.

– Cela ne se reproduira plus, lâcha-t-elle, les oreilles rabattues sur le crâne.

Sans attendre la réplique de son mari, la Sholienne matérialisa son épée double et bondit en direction de Santo dont le cheval était encerclé par l'ennemi. Tout comme elle, Wellan massacrait tout ce qu'il trouvait devant sa lame pour secourir le guérisseur.

Winks et Rainbow incitèrent les apprentis à reformer la ligne, juste à temps d'ailleurs. Des scarabées brunâtres arrivaient en grand nombre. Fille de deux illustres Chevaliers, Jenifael était bien placée pour savoir qu'un Écuyer devait toujours obéir à ses ordres. Elle chargea ses mains d'énergie. Ses amis l'imitèrent sur-le-champ.

– Prenez garde de ne pas atteindre vos maîtres ! recommanda Rainbow.

Les rayons incandescents fusèrent de toutes parts. Il y avait tant de faisceaux lumineux qu'on se serait cru à la surface d'un énorme diamant taillé !

Soyez vigilants ! résonna la voix de Wellan dans leur esprit. *Des guerriers noirs accompagnent ces novices ! Vous ne pourrez pas les combattre de la même façon !* Le grand chef n'avait pas terminé sa phrase que le capitaine Kardey se retrouvait seul devant un de ces guerriers d'élite. Autour de lui, les Chevaliers en avaient plein les bras. L'Opalien possédait une épée ensorcelée, mais aucune magie. En général, lors des combats contre ces machines à tuer, son rôle consistait à les achever. Il savait qu'elles étaient puissantes et obstinées une fois qu'elles choisissaient une cible.

L'homme-insecte attaqua. Kardey n'avait plus le choix, il devait se défendre. Il arrêta avec difficulté la lance que son adversaire piquait vers sa poitrine et riposta avec son épée. Ce combat risquait de durer longtemps. Le coléoptère était infatigable. Le capitaine chercha de l'aide des yeux. Les rayons lumineux des Écuyers ne lui permettaient pas de voir quoi que ce soit au-delà de quelques pas. Cet instant de distraction eut des conséquences désastreuses : le guerrier noir enfonça la pointe acérée de son arme dans son thorax.

Kardey sentit une horrible douleur dans tout son corps et ses jambes cédèrent sous lui. Il fut brutalement entraîné à terre par son ennemi qui planta son pied griffu sur son abdomen afin de dégager sa lance d'un coup sec. Persuadé d'avoir tué le soldat humain, le scarabée poursuivit son chemin pour en assassiner un autre.

– Ariane..., hoqueta l'Opalien en s'étouffant dans son sang.

Le capitaine ne possédait aucune faculté télépathique lui permettant de communiquer avec son épouse, mais des frissons d'horreur coururent tout de même dans le dos de la Fée qui combattait non loin. Ses sens magiques balayèrent le champ de bataille et s'arrêtèrent sur Kardey.

– Non ! rugit-elle en fauchant la tête de l'insecte brun devant elle.

Elle courut tête baissée à travers les combats. Elle se jeta à genoux près de Kardey et alluma ses paumes. Elle les posa sur le trou béant dans sa poitrine.

– Tiens bon ! pleura-t-elle.

Malgré sa douleur, le capitaine posa sur elle des yeux remplis d'adoration. Il avait vu mourir trop d'hommes pour ne pas savoir qu'il était perdu.

– Je t'aime, réussit-il à articuler.

– Je ne te laisserai pas partir ! hurla la Fée, désemparée.

Des pierres se mirent à tomber du ciel. Ariane protégea son mari avec son propre corps, mais les projectiles ne l'atteignirent pas. Curieusement, ils ne s'abattaient que sur le crâne des insectes. Le phénomène étonna tellement les Écuyers qu'ils cessèrent leurs tirs pour observer les scarabées qui s'écrasaient un à un sur le sol, la tête fracassée. Jenifael leva le regard vers le firmament. Elle ne vit rien du tout. Les cailloux géants apparaissaient de nulle part. Une main invisible semblait les projeter ensuite sur l'ennemi. Était-ce une manifestation divine ?

Les Chevaliers virent leurs adversaires tomber sans qu'ils les aient frappés. Wellan analysa rapidement la situation. Quelqu'un leur venait en aide, mais la magie qu'il flairait n'était pas celle des dieux. Cette pluie de roc providentielle était-elle provoquée par Dylan ? Pourtant, le grand chef lui avait demandé de veiller sur Lassa...

– Regardez ! s'écria Dienelt.

Il fallait avoir la vision perçante d'un Elfe pour entrevoir les voiles transparents qui sillonnaient le ciel, au-dessus du champ de bataille.

– Je les vois ! confirma Bianchi.

– Vous voyez quoi ? s'impatienta Bailey.

– Les Fées ! l'informa Robyn, émerveillée.

Wellan laissa la pointe de son épée retomber vers le sol en observant le phénomène irréel. Il ne pouvait pas distinguer les silhouettes de ces êtres aériens, comme le faisaient les Chevaliers issus du peuple de la forêt. Il ressentait cependant leur étrange énergie. Jamais dans toute l'histoire d'Enkidiev, les Fées n'étaient intervenues dans les conflits opposant les humains aux hommes-insectes. Elles n'avaient même pas tenté d'arrêter Draka lorsqu'il avait marché sur Émeraude...

– C'est Chloé qui serait contente de constater que ses démarches auprès du Roi Tilly ont enfin porté fruit, fit observer Jasson qui n'osait plus bouger.

Le déluge dura quelques minutes, puis cessa complètement. Les Chevaliers et les Écuyers demeurèrent immobiles, retenant leur souffle. C'est alors qu'ils entendirent les sanglots d'Ariane. Wellan et Jasson furent les premiers à réagir. Ils se précipitèrent au secours de leur sœur d'armes, rapidement suivis des autres. La pâleur de Kardey leur fit tout de suite comprendre qu'ils arrivaient trop tard.

– Aidez-le ! implora la guerrière.

Santo passa une main lumineuse au-dessus du capitaine : la vie l'avait bel et bien quitté. Les Chevaliers possédaient de grands pouvoirs, mais seuls les dieux pouvaient ressusciter les morts.

– Ariane, je suis désolé, murmura tristement le guérisseur.

À la lumière du feu magique qui les entourait, Wellan contempla un bien triste spectacle. Des centaines de cadavres gisaient partout sur la rive de la rivière Mardall. Il fit rapidement le tour de ses soldats. Certains avaient subi des blessures que leurs compagnons traitaient déjà. L'Opalien était la seule victime de ce raid. Puis, le grand chef s'interrogea sur leurs sauveteurs providentiels.

Un bourdonnement s'éleva, rendant les chevaux très nerveux. *Retenez-les fermement*, ordonna Wellan aux apprentis qui continuaient de former une longue ligne. Leurs maîtres posèrent la main sur le pommeau de leur épée, car ils redoutaient une ruse d'Asbeth. La menace ne se matérialisa pas.

Ce furent plutôt des Fées qui prirent forme autour d'eux. Elles convergèrent sur-le-champ vers Kardey, la Reine Calva en tête.

— Mère, sanglota Ariane.

— Cet humain était ton époux, n'est-ce pas ? crut le reconnaître Calva.

— Un vaillant soldat qui n'était pas obligé de se battre pour l'Ordre et qui ne méritait pas de mourir ainsi...

Le Roi Tilly descendit alors du ciel aussi mollement qu'une feuille poussée par le vent. Il étudia rapidement le visage éploré de sa fille, puis celui de l'homme qu'elle continuait d'étreindre.

— Ton amour pour lui est édifiant, déclara-t-il. Nous avons encore du mal à comprendre les émotions des humains. Il pourrait sans doute nous aider.

— Il a quitté ce monde !

Tilly saisit les épaules de sa fille et la décrocha de Kardey. Ariane se débattit furieusement, ne désirant pas être séparée de l'homme qu'elle aimait de tout son cœur. Sans que le roi prononce un seul mot, les Fées s'emparèrent du corps du capitaine et s'envolèrent avec lui.

— Je m'occupe de ton mari, annonça Tilly.

Avant que Wellan ne puisse le remercier de son apport dans la victoire, le roi s'évapora. Jasson s'empressa d'attirer sa sœur d'armes dans ses bras pour la réconforter. Il aurait été lui-même inconsolable si Sanya avait subi le sort de Kardey.

– Les Fées ont des facultés magiques que nous n'avons pas, susurra Jasson.

– Elles n'ont pas celui de le ressusciter, hoqueta-t-elle. Sinon, je l'aurais aussi.

Elle se dégagea et cacha son visage dans ses mains pour pleurer. Au milieu de ses frères, Kira l'observait en se demandant dans quel état elle aurait été si Sage avait été tué dans ce combat.

– Détruisez rapidement les cadavres ! commanda Wellan. Nous devons retrouver ce dragon.

Kira suivit son groupe pour s'acquitter de cette lugubre besogne.

15

OSANTALT

Lassa se sentit aspiré vers le ciel lorsque Dylan l'emporta avec son cheval. Le Magicien de Cristal lui avait enseigné à se déplacer magiquement et il avait déjà emprunté le vortex des Chevaliers. La façon de voyager des Immortels ne ressemblait à rien de ce qu'il connaissait. Il flottait dans un espace glacial et bleu. Des picotements parcoururent tout son corps. Lorsqu'ils arrivèrent à destination, les doigts du prince étaient engourdis. Il calma aussitôt sa monture inquiète.

L'adolescent n'avait jamais prêté beaucoup d'attention à ses cours de géographie. Son mentor lui avait présenté un grand nombre de cartes jadis, mais aucune ne montrait vraiment les paysages des diverses régions. Il avait beau regarder autour de lui, il ne savait pas où il se trouvait.

Dylan grimpa derrière Lassa sur la selle. Sa sensibilité de demi-dieu lui permit de lire instantanément la question dans l'esprit du porteur de lumière.

– Nous sommes sur le plus haut plateau d'une grande île que les habitants d'Enkidiev et d'Irianeth n'ont jamais visitée.

– Donc, ce n'est pas l'île des lézards, conclut Lassa.

Un frisson d'horreur lui parcourut le dos.

– Non, ce n'est pas celle des araignées non plus, le rassura Dylan.

– Je n'ai jamais vu d'autres îles dans les livres de la bibliothèque.

– Il manque beaucoup de renseignements dans ces ouvrages.

– Mon maître, ton père, m'a dit que le Roi Hadrian a sauvé les plus importants. Il a découvert des cartes inhabituelles dans une cachette chez les Elfes.

– Je doute fort que cet endroit y apparaisse, car il abrite une race qui ne désire pas être retrouvée. Sois sans crainte, personne ne grimpe jamais jusqu'ici.

– Mais comment sais-tu toutes ces choses ?

– Les Immortels aussi vont à l'école.

– Ne devrais-tu pas y être en ce moment ?

– Disons que je reçois moins de leçons qu'avant. Je peux donc me permettre de venir en aide à mon père plus souvent. Je t'en prie, fais avancer ton cheval.

Lassa le fit volontiers. La plaine s'étendait à perte de vue. Elle était couverte de hautes herbes qu'un vent tiède berçait avec douceur. À leur droite s'élevait un pic imposant. Il ressemblait à la Montagne de Cristal, en plus large. Il semblait fait de rochers violacés, superposés les uns par-dessus les autres par la main d'un dieu, jusqu'à ce qu'ils atteignent le ciel. Son sommet était saupoudré de neige immaculée.

– C'est un volcan, expliqua Dylan.

– Est-ce qu'il dort ?

– Oui, depuis longtemps. Il a jadis donné naissance à toute cette végétation. Les volcans sont destructeurs, mais lorsque leur colère prend fin, le sol devient plus riche.

Les adolescents poursuivirent leur route jusqu'à ce que Lassa aperçoive enfin l'océan.

– Ne t'approche pas trop de la falaise, recommanda l'Immortel.

Le prince stoppa son destrier. Ils se trouvaient en effet sur un immense tablier, coupés du reste du monde. Le soleil faisait briller chaque vague comme un joyau. Les oiseaux marins leur passaient sous le nez en poussant des cris perçants. Lassa ignorait qu'il s'était arrêté au-dessus de leurs nids accrochés à la paroi rocheuse.

– Y a-t-il seulement la mer, en bas ?

– Non, répondit Dylan. Si ce n'était pas aussi dangereux, je te montrerais la forêt constellée de petits villages et le temple. Mais personne ne doit savoir que nous sommes ici.

Pour faire plaisir à Dylan, Lassa changea de place avec lui. Il le laissa guider lui-même l'animal sur le plateau.

– Il devrait y avoir des chevaux dans mon monde ! s'exclama joyeusement l'Immortel.

Dylan se tourna vers son compagnon humain et vit le remords sur son visage.

– Tu n'as aucune raison de te sentir coupable, affirma l'adolescent immortel.

– Je suis en train de m'amuser, tandis que mon maître et ses soldats affrontent l'ennemi.

– Mon père a bien agi en me demandant de t'éloigner de ce dragon. Tu es trop important pour l'avenir de l'humanité.

– Mais comment vais-je vaincre Amecareth si je n'apprends pas à me battre ?

– Tu peux le faire sans t'exposer à un tel danger, Lassa.

– C'est peine perdue, soupira le porteur de lumière. Lorsque j'ai peur, toutes mes facultés s'envolent. Imagine un peu comment je réagirai devant l'Empereur Noir.

– Tu vieilliras et tu atteindras l'âge où les hommes commencent à surmonter leurs craintes.

Dylan l'emmena à une source qui courait sur le sol comme un serpent entre les graminées. Le cheval se désaltéra et les garçons en profitèrent pour se délier les jambes.

– Qui sont les gens qui vivent au pied de la falaise ? voulut savoir Lassa.

– Ce sont des Elfes.

– Les ancêtres du Roi Hamil ?

– En fait, ce sont plutôt ses contemporains, rectifia Dylan. Ses ancêtres sont morts depuis longtemps.

– Il est malheureux que nous ne puissions pas leur rendre visite.

– C'est pour les protéger que je leur masque notre présence. Les dieux ne me pardonneraient pas de les mêler à ce conflit.

Lassa avait appris du Magicien de Cristal que les Elfes étaient un peuple pacifique, qui préférait les joutes oratoires aux combats armés. Leur poésie et leurs chansons étaient exquises et leurs bijoux, d'une fascinante délicatesse.

– J'aurais dû naître ici, soupira le jeune prince. J'aurais grandi au milieu des choses que j'aime.

– Les dieux t'ont choisi un destin différent, Lassa.

– Si telle était leur intention, pourquoi ne m'ont-ils pas donné le courage de mon ami Liam ? Il est brave et il ne craint rien. Je ne me sens pas la force d'accomplir la prophétie.

– Mes maîtres savent ce qu'ils font. Je t'en prie, fais-leur confiance.

Pour lui changer les idées, Dylan lui raconta ce qu'il savait sur le paisible peuple d'Osantalt. Assis sur l'herbe tendre, Lassa l'écouta avec ravissement.

16

LA GORGE DE LA MORT

Au matin, les Chevaliers avaient réduit le nombre des envahisseurs en posant des pièges dans certains villages de Cristal et en criblant les scarabées de flèches. Il en restait malheureusement encore beaucoup. C'était à Bergeau de jouer. Son groupe était posté sur la falaise, attendant que les hommes-insectes empruntent l'étroit défilé que des rivières avaient creusé des milliers d'années auparavant.

– Surtout, pas de panique, recommanda l'homme du Désert à sa troupe. Il faut attendre que les premiers atteignent le col là-bas avant de précipiter les rochers dans le vide. Ne faites rien sans mon ordre. Ces bousiers ne doivent pas sentir que nous sommes ici.

– Est-ce qu'on peut vous aider ? demanda Falcon en émergeant de son tunnel de lumière.

– Ce n'est pas de refus ! accepta joyeusement Bergeau en échangeant avec lui la poignée de main des Chevaliers.

Les soldats de Falcon se massèrent derrière lui. Bergeau leur expliqua ce qu'ils devaient faire et ils s'éparpillèrent sur la falaise. Plus il y avait de mains magiques, plus l'opération serait réussie.

– Comment se fait-il que ton vortex t'ait emmené ici ? demanda l'homme du Désert à Falcon.

– Je me suis déjà perdu dans le coin il y a fort longtemps.

– Tu ne t'en es jamais vanté.

– Bergeau, ils arrivent, l'avertit Wimme.

La sombre colonne apparut à l'entrée de la gorge. Bientôt, les cliquetis des mandibules se mirent à résonner sur les parois rocheuses. Les insectes étaient de la même couleur que ceux qu'ils avaient pourchassés sur la plaine des Elfes, mais parmi eux se trouvaient quelques guerriers d'élite.

Bergeau sonda attentivement l'ennemi. Jamais il n'avait compté autant de fantassins depuis le début des combats. Cette vallée allait bientôt devenir un véritable cimetière. Le Chevalier suivit attentivement les progrès des scarabées qui ouvraient la marche. « Ce qu'ils peuvent être lents », se découragea-t-il.

Il vit ses frères et ses sœurs d'armes accroupis près des blocs de pierre, épiant l'avance des insectes. Falcon commençait à avoir des crampes dans les mollets lorsque l'avant-garde atteignit finalement l'endroit ciblé.

Maintenant ! ordonna Bergeau. Il aurait mieux fait d'utiliser sa voix plutôt que ses facultés télépathiques pour prévenir ses compagnons. Même si les insectes ne comprenaient pas la langue des humains, ce seul mot sema la panique dans leurs rangs. Ce fut la débandade. Les créatures, qui se mouvaient à une vitesse de tortue, se transformèrent en lièvres effrayés. À l'aide de leurs pouvoirs de lévitation, les Chevaliers firent rouler les rochers. Ceux-ci s'écrasèrent brutalement sur l'ennemi, mais les scarabées de tête réussirent à s'échapper. *Wellan, où es-tu ?* s'énerva Bergeau. *Nous venons d'arrêter l'invasion du Royaume d'Argent, avec l'aide des Fées*, répondit le grand chef.

Quelqu'un doit se rendre tout de suite à la frontière du Royaume de Cristal et du Royaume de Perle, là où débouche la gorge ! réclama Bergeau. *Nous n'avons pas réussi à broyer tous ces insectes de malheur !*

Plus à l'ouest, le groupe de Chloé et de Dempsey venait de terminer l'incinération des cadavres ennemis lorsqu'ils entendirent le message de Bergeau. Les deux lieutenants n'eurent pas le temps de se consulter que le Roi d'Éme-raude prit pour eux la décision d'aller prêter main-forte à Bergeau.

— Ramassez vos armes, ordonna Onyx. Nous partons maintenant.

Habitués d'obéir, les soldats rassemblèrent carquois, flèches et armes. Ils eurent à peine le temps de se relever que le paysage avait changé autour d'eux. Ils étaient sur la berge de la rivière Mardall.

— Formez une ligne ! les pressa leur souverain.

Les Chevaliers s'exécutèrent en jetant un coup d'œil inquiet à leurs commandants. Chloé et Dempsey ne sem-blaient pas s'opposer à cette prise en charge.

— Encochez vos flèches et préparez-vous à tirer !

Derek réagit le premier. Près de lui, Nogait se demanda à quel point son bras fatigué serait efficace. Mais il ne com-battait plus seulement pour lui-même dans cette guerre.

Il protégeait maintenant une épouse et un magnifique petit garçon. « Les guerriers d'Amecareth n'iront nulle part », décida-t-il en sentant naître de nouvelles forces en lui.

Ils entendirent d'abord la galopade. *Il y en a des centaines*, remarqua Chloé, le bras tendu, prête à laisser partir le premier projectile.

– Utilisez toutes vos flèches puis les pouvoirs de vos mains, commanda Onyx. Ils ne doivent pas atteindre la rivière !

Wellan évalua rapidement la situation à la frontière du Royaume des Fées. Il restait beaucoup d'insectes à incinérer et un dragon à retrouver. Il ne voulait pas non plus risquer la vie de tous les enfants qui attendaient bravement ses ordres. Au risque de s'attirer les foudres d'Onyx, le grand chef décida de les laisser poursuivre le nettoyage le long de la rivière.

– Bianchi, reste avec les Écuyers et achevez ce travail, déclara-t-il. Rejoignez-nous lorsque vous aurez terminé.

Liam lui demanda alors s'il pouvait rejoindre Kevin, lui rappelant leur entente. Wellan accepta. Le bouillant apprenti quitta donc ses amis en tenant la bride de Virgith et de Pietmah. En pénétrant dans le tourbillon de lumière de Wellan, il se demanda où Dylan avait bien pu emmener Lassa.

Quelques secondes plus tard, les groupes de Santo, de Wellan et de Jasson se matérialisaient derrière celui de Chloé et de Dempsey, juste à temps pour voir partir les premières flèches. Les scarabées s'abattirent les uns après les autres, mais ceux qui les suivaient n'hésitèrent pas à marcher sur le dos des victimes pour tenter d'atteindre le cours d'eau. On aurait dit qu'il fuyait devant un Lotakieth. Wellan courut se poster près d'Onyx.

– Content de vous revoir, le salua le roi. Vous tombez bien.

Le grand chef était trop concentré pour répliquer. Il estima la distance qui les séparait des insectes, leur nombre et la direction de leur fuite. Les groupes de Bergeau et de Falcon émergèrent alors d'un maelström. Liam s'empressa de rejoindre Kevin.

– Jasson, Santo, prenez la droite ! hurla Wellan. Bergeau et Falcon, avec moi !

Les Chevaliers s'élancèrent sans poser de questions. Instinctivement, ils avaient compris qu'ils devaient couvrir le plus de terrain possible. Ils reçurent les rescapés à coups de rayons incendiaires et de faisceaux tranchants. Malgré tous leurs efforts, il en arrivait d'autres. *Nous avons besoin d'aide*, fit la voix d'Onyx dans l'esprit de Wellan. Le grand chef ne le savait que trop bien. Mais où trouver des soldats disposés à combattre un tel ennemi ? « Le Roi de Perle ! » se rappela-t-il.

– Bridgess, prends le commandement ! exigea-t-il.

Elle n'eut pas le temps de lui demander où il allait : il sautait déjà dans son vortex. Chloé réclama aussitôt son attention. *Ils prennent la direction du pont que Kira a construit il y a des années !* les informa la femme Chevalier. « Oh non », s'effraya la Sholienne. Si l'ennemi réussissait à atteindre le Royaume de Perle en utilisant sa création, Wellan ne le lui pardonnerait jamais.

— Jasson, je dois tenter de détruire ce pont ! expliqua-t-elle à son commandant, tout en lançant des rayons violets dans la masse compacte des insectes qui fuyaient vers le sud.

— Tu peux t'y rendre toute seule ? voulut-il savoir.

— Évidemment !

— Alors, fais ce que tu dois faire.

La princesse courut aussi rapidement qu'elle le pouvait. En mettant fin prématurément à ses études de magie, elle n'avait pas eu le temps d'apprendre à se déplacer instantanément dans l'espace comme le faisaient Lassa et Onyx. La dernière fois qu'elle avait tenté l'expérience, elle s'était retrouvée à des lieues de sa destination. Ce n'était pas le moment de commettre une bévue.

Elle atteignit l'endroit en question et étudia son œuvre en reprenant son souffle. Les circonstances pénibles de son assemblage lui revinrent en mémoire. « J'étais jeune et stupide à l'époque », déplora-t-elle. Elle rétablit le calme en elle, afin de se souvenir de l'incantation qu'elle avait utilisée jadis.

— C'était un simple exercice de lévitation, se rappela-t-elle.

Elle tendit les bras avec l'intention de rappeler les blocs à elle. La structure se mit à trembler. La première pierre allait se détacher lorsqu'un rayon bleuâtre lui lacéra le bras. Elle poussa un cri de douleur et chercha à identifier la provenance de cette attaque. Elle vit une ombre passer au-dessus d'elle.

— Asbeth...

Il fit un large virage au-dessus des arbres pour revenir à la charge. Kira pivota sur elle-même. Elle était en terrain découvert.

– Le bouclier, le bouclier !

Elle eut juste le temps de le matérialiser. Les faisceaux indigo y éclatèrent en sifflant comme des serpents. L'homme-oiseau se posa sur le sol, entre la princesse et le pont.

– Ta magie est rudimentaire, croassa le mage noir. Tu n'as rien appris depuis notre première rencontre.

– Et vous êtes toujours aussi incompétent ! riposta la Sholienne en cherchant une ouverture dans le feu nourri du sorcier. Je ne comprends pas que l'empereur vous garde à son service !

Les plumes du corbeau géant frémirent de colère. Ses tirs d'un bleu éclatant se firent plus insistants. Kira comprit qu'il n'était pas prudent de l'irriter davantage. Elle pouvait se défendre contre n'importe lequel de ses ennemis, mais ce sorcier lui donnait toujours du fil à retordre.

– Vous ne nous empêcherez pas de prendre ce monde d'assaut, s'enorgueillit Asbeth. Nous sommes des conqué-rants.

– Votre arrogance vous perdra.

– Avant ou après t'avoir tuée ?

– Avant ! tonna une voix qui réconforta Kira.

Le rayon incendiaire que Sage lança sur le mage le déconcentra suffisamment pour que la Sholienne l'attaque à son tour. Pris entre deux feux, l'ignoble serviteur d'Amecareth n'eut plus le choix : il fila vers le ciel. Les deux Chevaliers continuèrent de le bombarder jusqu'à ce qu'il soit hors de portée.

– Merci, marmonna Kira, embarrassée.

– Je savais que tu te mettrais les pieds dans le plat.

Ils entendirent la course précipitée des insectes sur la rive. Le regard insistant de Sage fit comprendre à sa femme que le temps pressait. Kira fit de nouveau appel à ses pouvoirs. Les premiers blocs à se détacher furent ceux du parapet.

– Ce n'est pas très utile, lui fit remarquer Sage, de plus en plus nerveux.

– Quand on renverse un sortilège, ce qu'on a créé se défait dans l'ordre inverse ! protesta la Sholienne. Ce n'est pas moi qui ai inventé la magie !

– Ils arrivent !

Un troupeau informe de têtes, de bras, de lances et de carapaces humides se hâtait vers le pont. Les scarabées ne semblaient pas vouloir se battre. Ils étaient si paniqués qu'ils allaient les piétiner d'une seconde à l'autre. Les Chevaliers tournèrent les talons pour gagner l'autre rive. Ils furent alors happés par un énorme filet d'énergie et balancés au milieu de leurs compagnons qui venaient d'arriver. Bridgess fit disparaître les mailles lumineuses et ordonna à son groupe de se mettre en position. Elle venait de sauver la vie du jeune couple.

Les Chevaliers se mirent à bombarder l'accès au Royaume de Perle avec toute leur énergie, mais leurs adversaires continuaient d'avancer.

– Tu étais censé les arrêter dans la gorge ! cria Jasson à Bergeau.

– Je ne sais pas ce qui s'est passé ! maugréa l'homme du Désert. Ils ont détalé quand les rochers leur sont tombés dessus !

– Ils ont dû flairer votre présence !

Désespérés, les hommes-insectes se mirent à projeter leur lance par-dessus la tête de leurs congénères qui essuyaient le feu des humains.

– Attention ! cria le Roi Onyx.

Il leva le bras et arrêta les projectiles en plein vol. Cela n'impressionna nullement l'ennemi. Voyant qu'ils ne pouvaient pas franchir le pont, les guerriers impériaux se jetèrent à l'eau.

– Ne les laissez pas grimper sur la berge ! ordonna Bridgess en courant se poster près de la rivière.

Les Chevaliers s'éparpillèrent entre les plantes aquatiques.

17

LES SOLDATS DE PERLE

Wellan avait jadis visité le palais du Roi Giller. Il avait partagé le repas de la famille royale dans le grand hall. Il choisit donc de se rendre à cet endroit. L'apparition du maelström au milieu de la grande salle sema l'effroi. Les serviteurs plongèrent sous les tables, tandis que les invités au banquet du midi faisaient bruyamment reculer leur banc. Lorsque le grand chef émergea du tourbillon lumineux, il se retrouva devant une trentaine d'hommes armés.

– Il n'y a que vous pour faire une entrée aussi saisissante, sire Wellan, se détendit le monarque.

Il rengaina son épée, indiquant ainsi à sa cour d'en faire autant.

– Je suis désolé de manquer de civilité, mais j'ai besoin de votre aide, Majesté.

Le Chevalier lui décrivit rapidement l'invasion et les efforts de ses compagnons pour la repousser. Le visage détendu du souverain se transforma aussitôt en masque de guerre. C'est alors que Wellan remarqua l'adolescent à ses côtés. Il n'était pas plus grand que Lassa. Ses cheveux blonds étaient plus pâles et son regard plus froid.

– Rassemblez mon armée ! ordonna Giller. Et qu'on apporte mon armure !

Les hommes quittèrent la pièce en courant. Les femmes restèrent silencieuses, observant le visiteur avec réserve. Elles n'aimaient pas voir partir ainsi leurs maris, mais elles comprenaient que leur devoir était de protéger le Royaume de Perle.

– Ma fille n'est pas avec vous ? s'informa le roi.

– Elle a pris le commandement de mes hommes en mon absence.

– La frontière est à quelques jours d'ici. Connaissez-vous une façon de nous y conduire plus rapidement ?

Wellan n'avait jamais emmené toute une armée dans son vortex, mais son instinct lui disait que ce ne serait pas un problème.

– J'utiliserai ma magie, assura-t-il.

Les serviteurs revinrent non seulement avec les vête-ments du roi, mais également avec ceux de son fils. Giller remarqua l'inquiétude sur le visage du Chevalier.

– Ne vous fiez pas à son âge, s'amusa-t-il. Il sait très bien se défendre.

– J'en suis certain, mais le Prince Xavier est votre seul héritier.

– Raison de plus pour lui montrer tout ce qu'il doit savoir pour bien régner.

On les habilla de la tête aux pieds. Le monarque faisait belle figure dans son armure dorée décorée d'un faucon de métal noir. Une jeune femme attacha sur ses épaulettes une sombre cape d'un tissu soyeux. Le regard tendre qu'ils échangèrent fit comprendre à Wellan que le roi avait mis fin à son deuil.

Ils rejoignirent le régiment dans la cour du château. Tous portaient la même armure que le souverain, sans cape. Ils grimpèrent sur leurs destriers, lance à la main et épée à la hanche.

– Si vous avez besoin de plus d'hommes, je peux en rappeler un grand nombre qui vivent dans les villages environnants, déclara le roi.

Devant Wellan, environ mille hommes s'apprêtaient à suivre Giller au combat.

– C'est une décision que nous prendrons ensemble sur le champ de bataille, répondit finalement le Chevalier.

Il croisa ses bracelets. Quelques chevaux firent un écart. Leurs maîtres les maîtrisèrent aussitôt. Le Roi de Perle fonça dans le tourbillon de lumière, son fils à ses côtés. Wellan attendit que tous y aient pénétré avant de les suivre. Le maelström tint le coup. Le grand chef se retrouva sur le bord de la rivière Mardall où les Perlois étaient déjà à l'œuvre. Son jeune beau-frère, le Prince Xavier, retint surtout son attention. Habile cavalier, l'adolescent galopait ventre à terre en fauchant l'ennemi avec sa lame. Wellan ne captait aucune peur en lui. S'il avait possédé quelque faculté magique que ce soit, il aurait été une belle acquisition pour l'Ordre.

Le grand Chevalier rejoignit son épouse, qui encourageait ses hommes à repousser le nombre croissant de scarabées franchissant la rivière. Il étudia rapidement la situation. D'autres insectes continuaient de se jeter à l'eau sans frayeur, mais ils ne semblaient pas remonter sur la berge opposée.

– Le courant doit les emporter, avança Bridgess en évitant la lance de son adversaire.

La rivière Mardall longeait le Royaume de Perle, puis traversait celui de Zénor pour se jeter dans le Désert où elle rejoignait la mer. Wellan comprit que les coléoptères, s'ils ne se noyaient pas, pouvaient donc refaire surface n'importe où avant d'atteindre la falaise.

– Excellent raisonnement, le félicita Onyx en renversant l'homme-insecte qui allait frapper le Chevalier avec sa lance. Le problème, c'est qu'ils ne restent pas dans l'eau.

Le roi exécuta une feinte et saisit la lance d'un autre guerrier impérial. Il ramena brutalement son pied sous le menton du combattant, le plaquant sur le dos.

– Ces soldats ne sont pas adultes, poursuivit Onyx. Ce sont des larves. Lorsqu'elles ont peur, elles s'enfoncent dans la terre où elles creusent des tunnels. Elles sont en train de nous passer sous les pieds en ce moment même.

Wellan sonda le sol. Onyx disait vrai : des dizaines de scarabées s'enfuyaient dans ces souterrains !

– Je vois que vos efforts de recrutement ont porté fruit, poursuivit le Roi d'Émeraude en plantant son épée dans les mandibules de son opposant. Giller est votre beau-père, si je me rappelle bien.

– En effet, il est le père de Bridgess, confirma Wellan en parant le coup d'un autre insecte. Mais il aurait répondu à mon appel d'une façon ou d'une autre.

Des guerriers noirs firent finalement leur apparition parmi leurs congénères brunâtres.

– Enfin, un peu de résistance, se réjouit Onyx.

Il marcha au-devant de ces coriaces ennemis avec une flamme de plaisir dans les yeux. Wellan décida de le couvrir. Bergeau fit de même.

Swan aperçut son époux du coin de l'œil. Il allait encore se mettre en péril. Elle voulut s'élancer pour lui venir en aide. Une créature recouverte de terre émergea devant elle ! La guerrière n'eut pas le temps de reculer : les griffes sales de l'homme-insecte labourèrent son armure et son bras gauche. En poussant un cri de guerre, la femme Chevalier saisit le pommeau de son épée à deux mains et exécuta un arc de cercle. La tête du coléoptère vola dans les airs et frappa un autre insecte en pleine poitrine.

Attention ! lança-t-elle. *Ils surgissent du sol !* Ses frères d'armes reçurent cette communication, mais pas les soldats de Perle. Ils constatèrent ce fait d'eux-mêmes au bout d'un moment. Les chevaux piétinèrent plusieurs des larves qui venaient respirer à la surface. Les autres replongèrent sous terre.

Dans la pagaille, Wellan se retrouva devant trois énormes scarabées noirs. Les colosses avançaient lentement, en marchant sur les cadavres des jeunots. Onyx se plaça en position d'attaque. Il leur fallait faucher les bras de ces guerriers noirs aussi rapidement que possible, en évitant d'être atteints par leurs lances. Wellan et Bergeau imitèrent leur roi. Aucun des trois n'eut le temps de faire le moindre mouvement. Les javelots glissèrent soudain entre les griffes des insectes. Ils flottèrent dans les airs et s'arrêtèrent dans les mains de Kira.

– Qu'est-ce que vous attendez ? explosa la Sholienne.

Les trois hommes profitèrent de la confusion des coléoptères pour foncer. La vitesse d'exécution d'Onyx était remarquable. Frappant la carapace de son opposant de tous côtés, il finit par enfoncer sa lame à l'intérieur de son coude. Un sourire sadique sur le visage, le renégat tira sur l'épée qui sectionna le membre. Les deux Chevaliers eurent un peu plus de difficulté, mais terrassèrent finalement les géants.

Bientôt, les humains n'eurent plus d'adversaires. Ceux-ci jonchaient le sol ou s'y cachaient encore. Le visage couvert de sueur, le Roi de Perle chevaucha jusqu'à Wellan.

– Il y a fort longtemps que je n'ai pas eu autant d'agrément ! affirma-t-il.

Le prince trottina jusqu'à son père. Il ne semblait pas être blessé.

– Je crois que vous aurez malheureusement l'occasion de récidiver, répliqua Wellan. Il y a encore beaucoup d'insectes qui se déplacent sous la terre. Nous ne savons pas où ils sortiront.

– S'ils osent se montrer la tête dans mon royaume, ils la perdront ! déclara Giller en descendant de cheval.

Ses hommes manifestèrent bruyamment leur accord. Le Roi de Perle s'approcha du grand chef en retirant ses gants de cuir.

– Majesté, il y a ici quelqu'un que vous devez rencontrer, le renseigna Wellan. Voici le nouveau souverain d'Émeraude, le Roi Onyx.

Giller remarqua pour la première fois cet homme aux longs cheveux noirs, qui portait l'uniforme des Chevaliers. Il avait appris, comme tous les autres dirigeants d'Enkidiev, que Émeraude Ier avait rendu l'âme. Cependant, aucune missive ne l'avait informé de l'identité de son successeur.

– Sire, le salua le Roi de Perle avec courtoisie. Me ferez-vous l'honneur de m'accompagner au château, tandis que mon capitaine se charge des prochaines patrouilles ?

– Rien ne me ferait plus plaisir, mais j'ai encore un monstre à traquer sur mon propre territoire, répliqua Onyx.

« Le dragon ! » se rappela Wellan. Comme la plupart de ses frères, il sonda la région. L'animal galopait dans le Royaume d'Émeraude.

– Yanné…, s'étrangla Santo.

Sans attendre les ordres de Wellan et sans prévenir les membres de son propre groupe, il croisa ses bracelets et s'évapora. Ses soldats échangèrent un regard étonné.

– Une autre fois, peut-être ? ajouta le renégat.

– Tout le monde avec moi ! ordonna Wellan à ses Chevaliers.

– Nous n'avons pas besoin d'être une centaine pour tuer un seul dragon, indiqua Onyx. Quelques hommes suffiront. Que les autres nettoient cette hécatombe.

Il se tourna vers le Roi de Perle.

– Ce fut un plaisir de faire votre connaissance.

Sans utiliser de vortex éclatant, le Roi d'Émeraude disparut avec une dizaine de Chevaliers, dont Wellan. Giller et ses hommes étaient sidérés.

– Notre nouveau souverain est aussi un sorci..., commença Nogait.

– Un magicien, le coupa Jasson.

Le monarque releva un sourcil. Ce n'était guère le moment d'exiger des explications : d'horribles bestioles foraient le sol de son pays ! Jasson poussa Nogait vers sa troupe, pendant que le roi allait s'entretenir avec le chef de ses soldats au sujet des patrouilles à organiser. Les Chevaliers étaient exténués.

– Vous savez ce que vous avez à faire si vous voulez retrouver vos Écuyers et vous reposer autour d'un bon feu ce soir ! les stimula Chloé.

Kira lui obéit sur-le-champ. En se concentrant profondément, elle réussissait à enflammer deux ou trois insectes à la fois. Elle commençait à nettoyer son secteur lorsque son époux la rejoignit.

– Je suis désolé, s'excusa-t-il.

– Tu n'as pas à l'être, tu avais raison. J'agis mal envers toi depuis le début.

– Je veux juste que tu admettes ma valeur.

– Mais personne ne la connaît mieux que moi !

Elle se jeta dans ses bras et l'étreignit comme si elle ne l'avait pas vu depuis un siècle.

– Je veille sur toi, parce que si je te perdais, j'en mourrais, chuchota-t-elle à son oreille.

– Tu parles d'un endroit pour se faire des câlins, les taquina Nogait en poursuivant le travail de crémation.

– Ne te fâche pas, murmura Sage dans l'oreille pointue de sa femme.

– Moi, je pense que ce serait une excellente idée qu'elle éclate de colère, répliqua leur compagnon. De cette façon, elle pulvériserait tous ces cadavres et nous pourrions aller dormir.

– Je ne me fâcherai pas, affirma Kira en prenant une profonde respiration.

Sage la libéra et l'embrassa sur les lèvres. Les flammes qui jaillissaient des mains de leurs frères d'armes se reflétaient dans les yeux de miroir de l'Espéritien. Kira aurait bien aimé être ailleurs que sur un champ de bataille.

– Si vous ne vous activez pas bientôt, je vais rapporter votre désobéissance à Wellan, les menaça Nogait avec un air espiègle.

– Laisse-les un peu tranquilles, exigea Kevin, guidé par Liam. Ils ont bien travaillé aujourd'hui.

– Et toi ?

– Mon maître a fait sa part d'efforts, le défendit aussitôt Liam.

– Comment y es-tu arrivé ? voulut savoir Sage.

– Ce magnifique petit guerrier me disait où frapper, répondit Kevin. Je n'ai peut-être plus mes pouvoirs magiques de jadis. Toutefois, il semble que ma force physique ait décuplé. Approche, Nogait.

Le Chevalier espiègle s'exécuta en se demandant ce qu'il avait l'intention de faire. Kevin tâta sa cuirasse jusqu'à ce qu'il trouve sa large ceinture de cuir. Il l'empoigna solidement et le souleva de terre comme s'il n'avait pesé qu'une plume.

– Doucement ! s'exclama Nogait.

Kevin le remit par terre.

– Je vous suis certes plus utile la nuit, mais grâce à Liam, je peux aussi vous aider le jour.

– Qu'est-ce vous faites là ? reprocha Bergeau. Ce n'est pas le moment de vous amuser !

En riant, les soldats se remirent au travail afin d'en finir au plus vite. Ne possédant plus la faculté de lancer des rayons enflammés, Kevin demeurait près du jeune Liam qui le faisait à sa place.

18

Le Dragon et le roi

Santo n'avait pas réfléchi en se précipitant dans son vortex. Il avait simplement répondu à un élan du cœur. Il réapparut sur la route qui menait au village de Leomphe et courut jusqu'à la belle allée de la propriété de Sutton. Au milieu des champs, les paysans s'étaient immobilisés et fixaient quelque chose à l'ouest. Le guérisseur pivota pour scruter la région. Le dragon approchait à grande vitesse. Au loin, on voyait la cime des arbres s'agiter violemment dans la forêt.

– Fuyez ! hurla Santo en secouant les bras au-dessus de sa tête.

La panique gagna les ouvriers un à un, tandis qu'ils apercevaient les signaux du Chevalier. Ils laissèrent tomber faux et râteaux et prirent leurs jambes à leur cou. Ils ne savaient pas ce qui les menaçait, mais ils faisaient confiance au soldat en cuirasse verte. Voyant qu'ils lui obéissaient, Santo obliqua vers la maison. La servante, qui puisait de l'eau, le reconnut. Elle informa aussitôt ses maîtres de son arrivée. La famille n'eut pas le temps de sortir de la demeure. Le Chevalier s'y engouffra comme l'aquilon.

– Santo ! s'exclama Yanné.

Elle se jeta dans ses bras et ne reçut qu'un rapide baiser. Le visage de son bien-aimé était crispé.

– Que se passe-t-il, sire Santo ? s'alarma Sutton.

– Un dragon vient par ici ! les avertit le guérisseur. Partez !

– Pour aller où ? s'énerva Galli.

– Dans la rivière ! Rassemblez vos gens et réfugiez-vous dans l'eau !

Le sol trembla sous leurs pieds. « C'est impossible... », se troubla Santo. Il balaya la ferme de ses sens aiguisés. Le monstre galopait déjà vers les bâtiments.

– Dépêchez-vous ! les pressa le Chevalier.

De sa voix forte, Sutton ordonna à tous ceux qui se trouvaient dans la maison de fuir par le jardin. Il prit lui-même la tête de la maisonnée. Payla et Galli s'accrochèrent à sa tunique pour aller plus vite. Yanné refusa de bouger.

– Je vous en conjure, suivez-les ! la supplia Santo.

– Je reste avec vous.

– La bête qui arrive est presque aussi grosse que cette maison !

– Je ne vous abandonnerai pas.

Pour avoir écrit des centaines de chansons sur les bêtises qu'on faisait par amour, Santo décida de reconduire lui-même la jeune femme à la rivière. Il lui saisit le bras et l'entraîna dans le couloir. Ils allaient atteindre la sortie lorsque le long cou du monstre y pénétra vivement. Yanné étouffa un cri de surprise. Le Chevalier eut juste le temps de la tirer vers lui. Les mâchoires du dragon se refermèrent sèchement dans le vide. Mécontent, le reptile fonça dans le mur avec son large poitrail, ébranlant toute la villa. Du plâtre se détacha du plafond et tomba devant les yeux des humains.

– Courez ! ordonna Santo en poussant sa belle en sens inverse.

Cette fois, elle décolla sans répliquer. Le guérisseur chargea ses mains et bombarda la tête triangulaire de la bête enragée. Elle ferma les yeux pour les protéger des flammes, mais redoubla d'ardeur pour démolir la charpente. Elle allait y parvenir d'une seconde à l'autre ! Santo tourna les talons et fila. Il déboucha dans la plus grande pièce. Yanné était assise en boule près de l'âtre. La maison trembla sur ses fondations. Si le dragon ne réussissait pas à les dévorer, il allait très certainement les ensevelir dans les décombres. *Wellan, mes frères, j'ai besoin de vous !*

Et que faites-vous de votre roi ? réclama Onyx. Les coups sourds cessèrent. Le monstre poussa un cri si aigu que le guérisseur se boucha les oreilles. Cela ne pouvait signifier qu'une chose : on venait à leur aide.

– Yanné, surtout ne bougez pas, recommanda-t-il. Et cette fois, j'y tiens.

Terrifiée, elle acquiesça en secouant frénétiquement la tête. Persuadé qu'elle lui obéirait, le Chevalier bondit vers la sortie. Il s'arrêta sur le seuil pour assister à un bien curieux spectacle : une dizaine de soldats tentaient d'attirer le dragon loin de la demeure.

Santo fit un pas. La longue queue hérissée balaya le sol devant ses bottes, arrachant les dalles du chemin. Il était encore plus dangereux de se trouver derrière le dragon que devant ! Le guérisseur longea le mur en s'y appuyant le dos. Il allait bientôt être hors de portée de l'animal lorsqu'une éclisse perça sa cape. Il tenta de se libérer. Le tissu se déchira. Il ne fut pas le seul à capter ce bruit. Le dragon se releva sur ses pattes arrière en se tournant vers le guérisseur.

Onyx avait emmené les dix Chevaliers qui s'étaient trouvés le plus près de lui, soit Wellan, Dempsey, Derek, Bailey, Volpel, Hettrick, Milos, Zerrouk, Daiklan et Wimme. Les compagnons de Santo comprirent, sans que le roi prononce un seul mot, que leur frère était en grand danger. Ils multiplièrent les tirs sur tout le corps de la bête.

Le guérisseur vit approcher la gueule ouverte du dragon à une vitesse effarante. Il détacha les agrafes sur ses épaules et bondit de côté. La corne du monstre défonça le mur. Santo détala. Il sentit alors une effroyable douleur dans son pied et bascula près des rosiers. Le dragon avait enfoncé ses crocs dans son talon.

Wellan utilisa ses pouvoirs de lévitation afin de décrocher l'animal de sa proie. Il réussit à le traîner plus loin, mais le dragon refusa de lâcher Santo. Un second coup de dents et il le tuerait ! Onyx avait perdu son sourire narquois. Il pilonnait le haut du corps du colosse avec des rayons bleuâtres. On voyait bien que son attaque causait de la douleur au prédateur, qui continuait de retenir son repas.

Voyant que ses compagnons n'arrivaient à rien, Derek tenta une action plus directe. Il avait été le premier Elfe à se joindre à l'Ordre d'Émeraude et à prouver à leur grand chef que son peuple était courageux. Il avait arraché Kira des griffes de son père sur Irianeth. S'il avait réussi cet exploit, il pourrait certainement sauver Santo. Il dégaina son épée et chargea. Il avait appris, durant ses années de soldat, que les yeux de n'importe quelle créature étaient en général son point le plus vulnérable. Il utilisa donc sa lame comme une lance, la dirigeant vers les iris en feu.

– Derek ! le rappela Wellan.

Les dragons étaient étonnamment agiles lorsqu'ils chassaient. Celui-ci pouvait fort bien happer deux Chevaliers à la fois ! En voyant arriver un deuxième humain à portée de sa gueule, l'animal libéra Santo. Son attaque fut si rapide que Derek ne put l'éviter. Les crocs plongèrent dans son abdomen et il perdit le souffle.

– Non ! hurla le grand chef.

Heureusement, Onyx avait conservé son sang-froid. Tout comme les anciens Chevaliers l'avaient fait jadis, il profita de l'inattention de la bête pour lui trancher la tête, juste derrière sa collerette rigide. Hanté par ses souvenirs de la première invasion, où il avait perdu ainsi de bons soldats, le Roi d'Émeraude recula en titubant. Le corps massif du dragon s'effondra à côté de lui sans qu'il s'en aperçoive.

Oubliant sa propre douleur, Santo se traîna jusqu'à l'Elfe. Les dents pointues du prédateur avaient traversé ses côtes et commencé à retirer ses organes, mais il respirait toujours. Tous les Chevaliers se jetèrent à genoux près de Derek.

– Si on le débarrasse de ces crochets, il va…, commença Dempsey.

Les mots refusèrent de sortir de sa gorge. Comme son roi, il se mit à revivre de pénibles souvenirs : naguère, un sorcier requin lui avait presque arraché les jambes. Santo appliqua les mains sur les trous qui saignaient abondamment. Il avait reçu plus de puissance de guérison que ses frères, il devait tenter quelque chose. Une intense lumière jaillit de ses paumes. Des larmes coulant sur ses joues, Wellan assistait à la scène, impuissant. Ses compagnons étaient en état de choc.

– Il faut enlever la tête du dragon, ordonna Santo, haletant.

– Mais en retirant trop rapidement les crocs, nous risquons de le tuer, protesta Bailey.

Daiklan eut alors une brillante idée. Il appuya les mains sur les énormes dents et, à l'aide d'un court rayon incandescent, les cassa. Wellan saisit la crête épineuse et souleva le crâne pour le rejeter plus loin.

– Dégagez la première dent, lentement, ordonna Santo.

Dempsey le fit en douceur. Son frère guérisseur arrêta l'hémorragie.

– L'autre, maintenant, exigea-t-il.

Dempsey refit la même opération. Ils entendirent alors un bruit de soufflerie : les poumons de Derek cherchaient désespérément de l'air.

– Aidez-moi ! cria Santo, qui s'épuisait rapidement.

Volpel secoua sa léthargie et posa ses mains lumineuses sur le thorax de son compagnon. Il parvint à colmater les plèvres, mais Santo n'arriva pas à réparer les artères du cœur que le dragon avait tenté d'arracher. Les yeux verts de l'Elfe exprimaient sa terrible souffrance.

– Santo, garde tes forces..., hoqueta Derek.

– Je ne te laisserai pas mourir.

– Je suis déjà mort...

Wellan les observait en se demandant ce qu'il devait faire.

– Jadis, on achevait les hommes qui étaient condamnés, lui dit Onyx, l'air grave.

– Cette époque est révolue ! se fâcha le grand chef.

– Votre compassion ne le sauvera pas.

– Je ne veux pas mourir ici, souffla l'Elfe, qui perdait rapidement ses forces. Emmenez-moi au château.

– Si on le bouge, il ne..., commença Wimme.

– Laissez-moi faire, décida le roi.

Toute la bande s'évapora.

19

UNE MARQUE DE GRATITUDE

Amayelle prit l'habitude de visiter la prisonnière du Château d'Émeraude aussi souvent qu'elle le pouvait. Les Elfes et les Fées étaient des peuples différents, mais qui partageaient un profond respect de la vie et de la nature. Élizabelle assistait à leurs échanges sans dire un mot, car elle voulait en apprendre le plus possible sur ces races cousines. Cela lui permettait de mieux connaître son futur époux. Voyant que Miyaji n'affichait pas le moindre comportement agressif, la geôlière obtint de Morrison qu'il détache son bracelet de fer pour qu'elle puisse faire un peu d'exercice.

Ce jour-là, Amayelle marchait dans la cour avec la Fée azurée lorsqu'elles entendirent les cris des servantes dans le palais. La princesse ressentit leur chagrin et comprit qu'un grand malheur venait de se produire. Elle songea aussitôt à son jeune fils. Ne pouvant pas laisser la captive sans surveillance, elle lui prit la main et la tira dans l'édifice. Miyaji fut entraînée dans un grand escalier, puis un long couloir. Amayelle s'immobilisa sur le seuil d'une chambre de l'étage royal. Une dizaine de Chevaliers entouraient le blessé qui gisait sur le lit.

Toutefois, Miyaji contemplait un tout autre spectacle. Sur les draps de satin reposait un jeune homme aux cheveux blonds auréolé de lumière blanche. Jamais elle n'avait vu une chose pareille. Elle se dégagea doucement de l'emprise d'Amayelle et se faufila entre les soldats. Le regard du moribond se tourna vers elle. Il avait les yeux de la même couleur que ceux de la Princesse des Elfes, mais ils étaient à l'agonie. Sans savoir pourquoi, Miyaji grimpa sur le lit. Les Chevaliers ne l'arrêtèrent pas. Seul le Roi Onyx fit un geste pour se saisir d'elle. Il n'en eut pas le temps. Un rayon bleu turquoise fusa du plexus solaire de la *seccyeth* pour plonger dans celui de Derek.

Wellan n'intervint pas non plus. Cette scène lui rappelait la guérison que Kira avait jadis opérée sur Bridgess. Miyaji était un rejeton d'Amecareth, tout comme la Sholienne. Ces hybrides possédaient de remarquables facultés de rétablissement.

– Est-ce qu'elle lui fait du mal ? s'alarma Hettrick, qui ne savait pas s'il devait venir en aide à son frère d'armes.

– Je crois qu'elle essaie de le sauver, murmura le grand chef, émerveillé par les pouvoirs de cette créature.

Ayant perdu beaucoup de sang par sa blessure à la cheville, Santo s'écroula sur le sol sans crier gare. Wellan et Zerrouk le transportèrent aussitôt dans une autre chambre. Ils s'empressèrent de guérir ses plaies et de lui donner de l'énergie. Malgré tout, son teint demeurait blafard.

– Tiens bon, Santo, l'encouragea le grand chef.

Un cocon de lumière blanche se forma autour du guérisseur, forçant ses frères à reculer.

– On dirait qu'il t'a entendu, remarqua Zerrouk.

Ne pouvant plus rien faire pour lui, les Chevaliers retournèrent auprès de Derek, curieux de voir si la dompteuse de dragons possédait le don de soustraire un homme à la mort. Toute la pièce baignait maintenant dans un vif éclairage bleu.

Wellan, nous avons terminé le nettoyage, fit alors la voix de Bridgess dans leur esprit. *Avez-vous retrouvé le dragon ?* Son époux lui raconta sommairement ce qui s'était passé, sachant que tous les membres de l'Ordre l'entendaient. Dans sa tour, Hawke capta aussi son message. Il arriva en catastrophe au chevet de son compatriote.

– Messieurs, nous avons une guerre à gagner, leur appela Onyx.

– Il y a encore des insectes dans le sol là-bas, l'appuya Wimme.

– L'un de nous ne devrait-il pas rester au château avec Derek ? s'inquiéta Volpel.

– Laissez-moi m'occuper de lui, offrit le magicien d'Émeraude.

Onyx aurait pu ramener les Chevaliers sur la côte sans leur demander ce qu'ils en pensaient. Son regard chercha plutôt l'assentiment de leur chef. Wellan hocha faiblement la tête. Il était difficile pour lui de quitter ses soldats blessés, surtout Santo, mais son roi avait raison. Les combats dans l'ouest n'étaient pas terminés.

Le groupe disparut, faisant sursauter Amayelle. Elle se retrouva seule avec Hawke au chevet du mourant.

– Je croyais que les Fées azurées ne sortaient jamais de leurs forêts, se troubla le magicien.

– Celle-ci a été capturée par les Chevaliers, expliqua la princesse. Je croyais que vous en aviez été informé.

La lumière s'éteignit aussi brusquement qu'elle était apparue. Miyaji s'effondra sur le torse de Derek. Prudemment, Hawke passa la main au-dessus d'eux.

– Ils sont vivants, mais leurs cœurs battent d'une bien étrange façon, s'étonna-t-il. Je me demande si c'est cette femme qui cause ce phénomène...

– Morrison voudra lui remettre sa chaîne, l'informa Amayelle. M'aiderez-vous à la ramener chez lui ?

– Dans cet état, elle ne représente aucun danger pour nous. Je suggère de la laisser récupérer et de poster deux gardes à la porte.

La princesse acquiesça. Hawke était le magicien d'Émeraude et ce titre lui conférait une grande autorité en l'absence du roi. Les deux Elfes quittèrent donc la chambre royale en toute quiétude.

Miyaji se réveilla au bout de quelques heures. Elle se redressa prudemment en observant Derek. Son visage était impassible. Elle avait suivi son instinct en administrant ce traitement au mourant. « Comment ai-je su quoi faire ? » se demanda-t-elle. Elle avait vu beaucoup de soldats habillés comme Derek sur le champ de bataille après sa capture.

Pourquoi était-il le seul à être nimbé d'une douce aura immaculée ? La *seccyeth* avança la main pour toucher les cheveux blonds de l'Elfe. Il ouvrit les yeux. Il s'agissait là d'un geste anodin qui remplit son cœur de joie : il était vivant !

– Souffrez-vous ? osa-t-elle demander, malgré sa timidité.

– Ma vision est embrouillée, murmura-t-il, mais je ne ressens rien du tout. Qui êtes-vous ?

– Je suis Miyaji. L'élue de l'empereur s'est emparée de moi sur les grandes plaines près de l'océan.

Une foule d'images se succédèrent dans l'esprit de l'Elfe Chevalier : les insectes bruns courant dans toutes les directions, les soldats les pourchassant, l'énorme bête ailée tombant du ciel...

– Vous êtes la femme sur le dragon volant.

Miyaji contempla ses petites mains qui contrastaient avec la peau blanche du blessé. Les crocs du monstre y avaient laissé de longues cicatrices où le sang avait séché.

– C'est un dragon sans ailes qui m'a fait ça, expliqua-t-il.

– Vous avez de la chance d'être encore en vie. Habituellement, les femelles tuent instantanément leurs proies.

D'autres scènes se formèrent dans la tête de Derek : le Roi Onyx, la maison de Sutton, le monstre déchaîné, son frère guérisseur happé par sa gueule...

– Où est Santo ? s'énerva le Chevalier.

– Je ne sais pas qui c'est.

— Il a été blessé en même temps que moi.

— Je suis désolée, j'ignore ce qui lui est arrivé.

Se sentant soudainement faible, la captive se recoucha sur la poitrine de l'Elfe. Une merveilleuse sensation de bien-être s'empara d'elle. Derek cessa de parler, mais Miyaji ne s'en alarma pas, car elle entendait toujours battre son cœur. Elle reprit ainsi ses forces jusqu'au soir. Il faisait très sombre dans la pièce lorsqu'elle se réveilla pour la seconde fois. Elle ignorait comment les humains créaient de la lumière. Dans son pays, on l'obtenait de pierres transparentes qui s'allumaient toutes seules à la tombée du jour. Derek remua sous elle.

— Vous êtes encore là, apprécia-t-il.

La *seccyeth* devina son plaisir dans le ton de sa voix. Il parvint à s'asseoir et elle en fit autant. Toutes les bougies prirent feu, émerveillant la jeune femme. Le Chevalier put enfin admirer son visage. Son teint azuré ne lui enlevait rien de sa beauté, au contraire...

— Je suis le Chevalier Derek d'Émeraude, se présenta-t-il. Pouvez-vous me dire à qui je dois la vie ?

— Je crois que c'est à moi...

— Dans ce cas, j'ai une dette envers vous.

La dompteuse de dragons ne savait plus quoi dire.

— Vous êtes une Fée, n'est-ce pas ? s'enquit-il.

— Je n'en sais rien, mais certains de vos compagnons le prétendent.

– On raconte dans des livres qu'il existe de rares Fées dont la peau est de la couleur du ciel. On dit qu'elles possèdent une grande puissance magique.

Derek capta la tristesse de la prisonnière.

– Ce n'est pas votre faute si vous êtes née hybride, tout de même, voulut-il la rassurer.

– Que veut dire ce mot, au juste ?

– L'Empereur Amecareth s'emploie à mêler son sang à celui d'autres races afin de concevoir un héritier parfait.

– Ce ne peut pas être moi...

L'Elfe prit doucement le menton de sa bienfaitrice et le releva.

– Je pense qu'il ignore votre véritable force, sinon il vous aurait gardée auprès de lui, affirma-t-il.

Elle réprima un sourire de gratitude.

– Je meurs de faim, déclara-t-il pour l'égayer. Et j'entends gronder votre estomac. Que diriez-vous de manger avec moi ?

Avant qu'elle ne puisse protester, Derek repéra et secoua le large ruban qui pendait près du lit, avertissant ainsi les serviteurs qu'il avait besoin d'eux.

20

UN CŒUR APAISÉ

Il faisait nuit lorsque Santo sortit de sa transe régénératrice. Il chercha d'abord à s'orienter, puis se rappela qu'il était revenu au Château d'Émeraude avec ses frères d'armes afin de sauver Derek d'une mort certaine. Il revit les trous dans la cuirasse de l'Elfe, le sang giclant de son corps...

– Derek ! s'alarma-t-il.

Santo parvint à s'asseoir sur le bord du lit. Il était seul dans une chambre de l'étage royal. On avait allumé plusieurs bougies autour de lui. Il posa prudemment les pieds sur le sol et constata qu'il ne portait plus ses bottes. Son âme de guérisseur se mit en action : il sonda la forteresse pour retrouver son compagnon Elfe. Non loin, Derek dormait paisiblement, sain et sauf.

– Le ciel soit loué, soupira Santo avec soulagement.

C'était sans doute la lumière bleue émanant de la prisonnière qui avait achevé son travail de guérison. Santo se rappela alors la terreur de Yanné lorsqu'il l'avait laissée dans la maison de ses parents, tandis que le dragon tentait d'y entrer. Combien de temps s'était-il écoulé depuis ? Il se leva et croisa ses bracelets. Son vortex le transporta instantanément dans la ferme de Sutton à l'extrême sud d'Émeraude.

Santo venait à peine de sortir du tourbillon lumineux qu'il assistait à un bien curieux spectacle : on avait planté des flambeaux autour du corps du monstre décapité et les paysans de la région s'y étaient rassemblés. Ils l'examinaient en se demandant comment s'en débarrasser et tentaient de déterminer si c'était Leomphe ou Sutton qui devait prendre cette décision.

— Pouvez-vous nous aider, sire Santo ? demanda un homme.

Avant qu'il ne puisse leur dire qu'il avait perdu beaucoup de force, le reptile s'éleva dans les airs.

— Votre magie est étonnante !

Santo ouvrit la bouche pour dire qu'il n'était nullement responsable de cette lévitation. *Dites-leur que ce sont les Fées*, fit une voix féminine dans sa tête.

— Qu'allez-vous faire de la carcasse ? voulut savoir une adolescente.

Les Fées vont la rejeter à la mer pour qu'elle nourrisse les créatures marines, répondit l'inconnue. Santo transmit cette explication aux curieux en tâchant de ne pas avoir l'air trop surpris. Il ne suivit pas la course du cadavre dans le ciel. Il chercha plutôt à savoir si le dragon avait ravagé des fermes ou tué des gens sur son passage. Les fermiers lui apprirent qu'on avait déjà envoyé du secours au village. Ils ignoraient cependant si d'autres hameaux avaient été dévastés.

Perplexe, Santo marcha vers la demeure de Sutton. *Qui êtes-vous ?* demanda-t-il, à tout hasard, dans son esprit. Ce furent ses frères d'armes qui lui répondirent. Santo les rassura sur son état de santé et leur dit où il se trouvait. La voix de l'étrangère ne se manifesta plus.

Il trouva la famille rassemblée devant la maison en bien piètre état. Toute la maisonnée tentait de consoler Yanné. Pâle comme la mort, l'Espéritienne était assise entre sa mère et sa sœur et pleurait toutes les larmes de son corps. Galli fut la première à apercevoir le soldat.

– Sire Santo ! Vous êtes vivant ! s'exclama-t-elle.

Yanné se releva en tremblant. Elle faillit s'évanouir en voyant le guérisseur s'avancer vers elle.

– Il y avait du sang partout..., hoqueta-t-elle. Et vous n'étiez plus là...

– Ce n'était pas le mien, chuchota Santo en l'enlaçant. J'ai été blessé au talon, rien de grave.

Sutton s'approcha des amoureux enlacés et posa la main sur l'épaule du Chevalier.

– Vous nous avez sauvés d'une mort certaine, lui dit-il au nom de tous ses gens. Comment pourrais-je vous remercier ?

– Accordez-moi la main de votre fille, réclama Santo qui étreignait Yanné de toutes ses forces.

– Il était temps que vous lui fassiez cette demande, reprocha Payla.

Le père fit aussitôt taire sa fille aînée. Il accepta cette union et voulut savoir quand le guérisseur voulait procéder à la cérémonie.

– Il y a encore des hommes-insectes à combattre partout sur le continent, se rappela Santo, découragé.

– Vous savez bien que je vous attendrai toute une année si c'est nécessaire, susurra Yanné, blottie contre lui.

– Je ne sais pas ce qui se passera dans les prochains jours, mais dès que nous aurons une trêve, vous deviendrez ma femme, si cela vous convient, bien sûr ?

Ils s'embrassèrent longuement, sans se soucier des sourires qu'ils faisaient naître sur les lèvres de tout le monde.

– Voulez-vous procéder à cette cérémonie au Château d'Émeraude ? demanda Sutton.

– À mon avis, un mariage ici même achèverait de rassurer le peuple.

– Oui, vous avez raison.

Sutton chassa discrètement l'assemblée, laissant les tourtereaux en tête à tête. Santo l'entendit donner des ordres aux ouvriers. Yanné demeura en sûreté dans les bras de son futur époux. Santo ne la pressa d'aucune manière.

– Où devrai-je vivre ensuite ? s'enquit-elle, au bout d'un moment.

– Ce sera votre décision. Je vous rejoindrai où que vous soyez.

– Vous accepteriez de vous établir ici ?

– Bien sûr.

– Vous seriez à des lieues de vos compagnons.

– Je possède des bracelets magiques, ne l'oubliez pas. Nous pourrions habiter aussi loin que Béryl que cela n'y changerait rien. J'aurais l'esprit plus tranquille si vous restiez avec votre famille plutôt que de tenir notre maison toute seule.

Il pensait évidemment au danger qui avait menacé les épouses de Jasson et de Bergeau lorsque l'ennemi avait atteint Émeraude. Il ne voulait surtout pas voir mourir la première femme pour qui il éprouvait de tendres sentiments, après avoir perdu Bridgess aux mains de Wellan. Lorsqu'il sentit Yanné se détendre, il l'emmena s'asseoir devant le feu.

– Vous comprendrez que je ne serai pas souvent chez nous, la mit-il en garde.

– Je sais ce qui m'attend.

Elle faisait de gros efforts pour se montrer brave, mais le guérisseur capta aisément ses craintes.

– Je vous jure de ne plus ramener de dragon à la maison, promit-il pour la faire sourire.

– J'ai du mal à croire que vous affrontez volontairement des monstres semblables.

– C'est notre devoir. Nous avons été choisis et entraînés pour protéger ces terres que nous aimons. Et comme vous l'avez constaté aujourd'hui, nous faisons de l'excellent travail.

– On m'a raconté une histoire fort différente tout à l'heure, protesta Yanné. Un de nos jeunes serviteurs a grimpé à un arbre en voyant arriver la bête. Il l'a vu vous mordre et tuer un de vos compagnons.

Santo l'assura que Derek était vivant et lui montra les marques de crocs sur son propre pied.

– Il me faudra d'autres bottes, plaisanta-t-il.

– Et si le dragon vous avait arraché le cœur ?

– Jamais mes compagnons ne l'auraient laissé m'enlever la vie. Je vous en conjure, Yanné, ayez foi en nos talents.

Elle chercha ses lèvres et ils échangèrent de tendres baisers. Santo en oublia presque la guerre. Il était si bon de se laisser cajoler ainsi, loin de toute menace. Le guérisseur comprit qu'il aimerait sa nouvelle vie d'homme marié. Pourtant, avant le lever du soleil, il lui faudrait retourner auprès de ses frères d'armes et faire son travail de Chevalier.

21

LA DURE RÉALITÉ

Sous les sables chauds du Désert, dans un dédale de tunnels et de petites grottes, un dieu déchu avait établi ses nouveaux quartiers. Il avait choisi cet endroit avec le plus grand soin. Les murs et les plafonds de ces galeries étaient tapissés de cristal, le seul minéral capable d'empêcher un Immortel de s'échapper ou de communiquer avec ses maîtres. Akuretari savait qu'il ne pouvait pas détruire Abnar sans éliminer en même temps le fil d'argent qui reliait ce demi-dieu à Parandar. Tout le panthéon se mettrait à ses trousses avant qu'il n'ait pu assouvir sa vengeance. Il était préférable de retenir Abnar prisonnier, pour l'instant.

La griffe de toute-puissance que possédait désormais Onyx représentait un grave danger pour le gavial. Danalieth lui avait conféré suffisamment de pouvoir pour anéantir un dieu. Comment ce paysan d'Émeraude, à qui il avait enseigné si peu de choses, avait-il su où trouver cette arme terrifiante ?

Ruminant sa colère, Akuretari s'était réfugié dans l'étang de son antre. Très peu de mortels et de magiciens savaient vraiment ce qui se cachait sous sa surface tranquille. Ces mares étaient en réalité des formations plus vieilles que le monde. Tout comme les Immortels, ces démons étaient assujettis aux dieux. Mais ces derniers ne se souciaient plus de leur existence depuis fort longtemps.

Ces créatures n'avaient pas de noms. On prétendait qu'elles provenaient de Jérianeth, une contrée lointaine. À moitié liquides et à moitié gazeuses, elles préféraient l'obscurité à la lumière. Leur absence d'ossature et d'articulations les rendait peu mobiles. Toutefois, il arrivait que certaines d'entre elles soient forcées de se déplacer au moins une fois durant leur existence. Elles possédaient plusieurs dons. On pouvait s'en servir pour voir le passé, le présent ou l'avenir, ou on les utilisait pour soigner de graves blessures magiques. C'est ce que le dieu déchu cherchait à faire depuis son retour dans la grotte.

Akuretari descendit jusqu'au cœur du démon pour que sa substance visqueuse le soulage et referme sa plaie. Immobile, flottant dans ce bassin envoûté, il sentait l'énergie de la créature enrober son corps de reptile. Il n'entendait même pas les pleurs du petit garçon qu'il avait abandonné dans son Royaume de Zircon.

Au-delà de la caverne, où se trouvaient l'étang et la prison d'Abnar, se répandait une multitude de couloirs arrondis, éclairés par des pierres lumineuses. L'un d'eux aboutissait dans une grotte funéraire. Sur cinq autels de cristal reposaient les corps des derniers hybrides que le traître Nomar avait retrouvés sur Enkidiev. Conscient des terribles facultés que possédaient ces êtres à demi-insectes, Akuretari les avait prestement neutralisés. Immobilisés par le pouvoir d'attraction du lieu, les rejetons d'Amecareth étaient morts de faim, sauf un.

Les sanglots d'Atlance insufflèrent à Jahonne une force que seules possèdent les mères. Considérablement affaiblie, elle parvint toutefois à ouvrir les yeux. Elle ne se rappela pas tout de suite qu'elle était entre les mains de Nomar. Ses souvenirs remontèrent beaucoup plus loin... Sans aide aucune, elle venait de mettre au monde un magnifique garçon à la peau aussi blanche que la neige. Jamais le maître du Royaume des Ombres n'accepterait de l'intégrer aux autres hybrides, parce qu'il était trop humain. Elle le remettrait à son père pour qu'il grandisse à l'air libre, comme les Espéritiens.

– Sage..., murmura-t-elle en luttant contre le sommeil.

Sutton avait emmené son fils dans le long tunnel qui menait à son village. Séparé de sa mère, le poupon s'était mis à pleurer...

Jahonne utilisa le peu d'énergie qui lui restait pour s'asseoir. Elle remua les jambes, et elles tombèrent dans le vide, l'entraînant sur le sol. Une fois libérée de la table de cristal, elle reprit lentement ses esprits. Ses pensées se remirent en ordre. Elle avait quitté Espérita avec Nomar après que l'empereur eut détruit leur sanctuaire. L'Immortel l'avait emmenée dans un autre monde souterrain bien différent de celui qu'elle avait connu toute sa vie. Dès leur apparition dans cet endroit, elle s'était sentie lasse. Sans poser de questions, elle s'était allongée là où l'avait indiqué Nomar.

Jahonne approcha doucement la main de la surface transparente de ce curieux lit.

– Il est ensorcelé, comprit-elle. Pourquoi m'a-t-il demandé de me coucher là ?

Elle se traîna loin de l'autel cristallin. Les vapeurs qui embuaient son cerveau se dissipèrent. Quelques minutes plus tard, elle sentit une douce chaleur parcourir son corps.

Elle reprenait vie. Lorsqu'elle s'en sentit capable, elle se releva. Ses jambes étaient chancelantes. Des grondements sourds la firent sursauter, mais ils provenaient de son estomac.

– Depuis combien de temps suis-je ici ? s'alarma-t-elle.

Jahonne examina la pièce circulaire. Quatre hybrides reposaient sur des tables semblables à la sienne. Tout comme elle, ils avaient une apparence humaine. Elle s'approcha d'eux et constata qu'ils ne respiraient plus. « Pourquoi ? » s'attrista la femme mauve. Elle connaissait Nomar depuis son enfance. Il avait pourtant toujours protégé les enfants de l'empereur... sauf le jour de l'incendie.

– Il a dû lui arriver quelque chose, décida-t-elle.

Les pleurs de l'enfant firent dresser ses oreilles pointues. Jahonne ne comprenait pas ce qui lui arrivait. Elle ne savait pas où elle était, mais un petit innocent avait besoin d'elle. Malgré sa faiblesse, elle atteignit l'entrée de la grotte. Le couloir qui s'ouvrait devant elle semblait interminable.

– Papa ! appela le bambin, effrayé.

L'hybride poursuivit sa route, incapable de chasser de son esprit le doux visage du bébé qu'elle avait jadis confié à Sutton. Au bout d'un moment, elle vit trottiner le petit garçon égaré. Il venait à sa rencontre.

– Kira ! s'égaya-t-il.

Il accéléra le pas et sauta dans les bras de Jahonne. L'impact la fit tomber sur le sol vitreux.

– Je veux papa, se mit à sangloter l'enfant en passant ses bras autour de son cou.

« Il connaît l'épouse de Sage, il appartient donc au château », déduisit-elle. Elle commença par le réconforter en lui frottant le dos, puis l'éloigna doucement d'elle. Ses traits lui donnèrent un choc : il ressemblait à son fils ! Elle replaça ses cheveux noirs et essuya ses larmes.

– Est-ce que tout ceci n'est qu'un rêve ? s'effraya-t-elle.

– J'ai faim...

La requête du bambin la ramena à la réalité.

– Comment t'appelles-tu ?

– Atlance.

– Qui est ton papa ?

– C'est Farrell.

Elle ne savait pas de qui il s'agissait, ce qui était normal, puisqu'elle avait été coupée de Sage depuis son départ d'Espérita. Sans doute était-il Chevalier.

– Je ne sais pas où trouver de la nourriture, Atlance, déplora-t-elle.

– C'est ici.

Il prit sa main mauve et tira de toutes ses forces pour la remettre sur pieds. Jahonne apprécia son aide. Elle le laissa la guider dans les tunnels jusqu'à ce qu'ils arrivent à une niche remplie de victuailles. Le problème, c'est qu'elles se trouvaient sur une haute table que le petit ne pouvait pas atteindre. L'odeur des aliments était bien réelle. Jahonne prit une profonde inspiration pour rassembler ses forces et souleva l'enfant. Atlance sauta au milieu des innombrables plats.

L'hybride le laissa plonger les mains dans les tranches de volaille présentées sur un plateau d'argent. Nomar avait dû l'emprunter à un grand seigneur. La viande était froide, mais Atlance ne s'en plaignit pas. Jahonne choisit des fruits qui semblaient encore frais. Ce festin avait été matérialisé tout au plus un ou deux jours auparavant. Cependant, personne n'y avait touché.

L'enfant s'arrêta de manger et réclama du lait. Il n'y avait que du vin et de l'eau au menu. Jahonne finit par le persuader de boire de cette dernière en la servant dans un hanap orné de pierres précieuses.

– Comme un petit roi, précisa-t-elle.

Heureux de faire partie de la monarchie, Atlance but d'un seul trait l'eau sans rechigner. Jahonne sentait revenir ses forces physiques et magiques. Tandis qu'elle essuyait les mains de son protégé, elle sonda son environnement. Il s'agissait d'un immense royaume souterrain, bien plus vaste que celui d'Alombria. Soudain, elle capta un puissant tourbillon d'énergie. « Ce doit être le maître », conclut-elle.

– Viens, mon petit. Je vais enfin recevoir des réponses à toutes mes questions.

– Je veux papa...

– Je suis certaine que nous le retrouverons, lui aussi.

Elle le déposa sur le sol et prit sa main. À l'aide de ses sens magiques, elle marcha dans ce labyrinthe de galeries jusqu'à ce qu'elle débouche dans une caverne où flottait une curieuse lumière bleue. « Comme le bassin d'Alombria », se rappela-t-elle. Jadis, Nomar lui avait montré une mare qui formait une curieuse cheminée liquide entre plusieurs étages, sans jamais perdre son eau.

Effrayé, Atlance refusa d'avancer. Il pointait la surface azurée en marmonnant ses craintes dans une langue inintelligible. Il se souvenait d'y avoir vu plonger un horrible monstre.

– Qui êtes-vous ? demanda une voix inconnue.

Jahonne fit volte-face. Un homme portant la tunique blanche d'un magicien se tenait à l'entrée d'une alvéole. Ce n'était pas le seigneur du Royaume des Ombres, ni l'un des maîtres magiciens de Shola. Pourtant, il leur ressemblait.

– Je suis une hybride, rétorqua-t-elle fièrement.

– Êtes-vous au service de Nomar ?

– Il s'occupe de moi... enfin, je crois.

– Le connaissez-vous bien ?

– Nomar est un Immortel qui a reçu des dieux la mission de protéger les enfants de l'Empereur Noir. Il m'a recueillie quand j'étais toute petite.

– C'est ce qu'il prétend, mais rien n'est plus faux. Cette créature est un dieu déchu qui nous a tous bernés.

La femme mauve hésita. Elle ne savait pas très bien qui étaient ces divinités détrônées. Pourtant, son intuition lui recommandait d'écouter ce mage. Elle ne sentit même pas que le fils de Swan venait de lui échapper. Atlance courut se dissimuler derrière une stalagmite, jetant des regards furtifs à la mare.

– Il ne cachait pas les rejetons d'Amecareth, poursuivit Abnar. Il cherchait Kira. Vous savez qui elle est, n'est-ce pas ?

– Elle a épousé mon fils.

– Vous êtes Jahonne, comprit-il, la seule survivante de l'incendie du royaume souterrain.

– Vous me connaissez, mais moi, je ne sais rien de vous.

– Je suis le Magicien de Cristal, l'Immortel qui veille sur les humains à la demande des dieux.

Il lui raconta les circonstances de son emprisonnement ainsi que les plans de destruction d'Akuretari. L'hybride prêta attention à tous les détails de son récit. Elle ressemblait beaucoup à la Princesse d'Émeraude... D'une certaine façon, n'étaient-elles pas sœurs ?

– Comment puis-je vous aider à sortir d'ici ? offrit-elle.

– Seul un dieu ou Nomar pourrait me libérer de cette prison. Tout ce cristal m'alimente, mais en même temps, il m'empêche de communiquer avec mes maîtres. Votre énergie magique est trop faible pour que vous puissiez le faire pour moi.

– Je peux quitter ce sanctuaire et alerter les Chevaliers.

Abnar éplucha toutes les solutions et dut admettre que les pouvoirs de l'hybride ne leur seraient d'aucun secours dans ces tunnels. Elle devait s'échapper de la façon la plus conventionnelle et dénoncer le traître.

L'eau se mit à bouillonner à la surface de l'étang, d'abord doucement, puis avec plus de fureur. Atlance poussa un cri d'effroi en revoyant dans son esprit le tentacule qui l'avait déposé dans la gueule d'Akuretari !

– Fuyez ! les pressa le captif.

Jahonne cueillit l'enfant dans ses bras. Il s'accrocha à elle en pleurant. Elle ne savait pas ce qui se cachait dans ce bassin, mais la terreur du bambin lui fit comprendre qu'ils couraient un grand danger. Les jambes de l'hybride tremblaient sous elle. Elle avança le plus rapidement possible. Elle se rappela alors comment, à Alombria, elle avait découvert la seule galerie qui menait à l'air libre. Elle se concentra intensément tout en progressant dans le couloir arrondi. Une carte en trois dimensions se créa dans son esprit : elle sut sur-le-champ où elle devait aller.

Au même moment, la tête hideuse de l'alligator faisait surface dans la mare. Abnar évacua ses pensées, offrant un vide désarmant à son geôlier.

– À qui parliez-vous ? grommela-t-il.

– J'ai tenté de rassurer l'enfant, mais il est parti, mentit habilement l'Immortel.

– Je vous ai averti de ne pas lui adresser la parole.

– Mon devoir est de secourir les hommes. Je ne fais que suivre mon instinct.

Le Magicien de Cristal constata que la blessure du gavial n'avait guère pris du mieux. Sans doute cela nécessiterait-il une plus longue immersion.

– Ne doutez pas un instant de la puissance du démon ! précisa Akuretari, agacé. Il me rendra mes forces et le Chevalier renégat regrettera le jour où il est né !

– J'ignorais que les dieux étaient à ce point vulnérables.

Les yeux rouges du félon étincelèrent de colère.

– Quand j'aurai détruit ce monde, je prendrai plaisir à vous faire souffrir, Abnar.

La divinité offensée replongea dans l'étang où coururent des centaines de petits éclairs. Abnar observa ce phénomène fascinant. Il n'arrivait pas souvent qu'un Immortel puisse vexer un dieu sans compromettre sa perennité.

22

Les mangeurs de dragons

Il était tard lorsque les Chevaliers d'Émeraude se réunirent sur la rive de la rivière Mardall, au Royaume de Perle, après la crémation de tous les insectes. Bergeau se sentait coupable d'en avoir laissé s'enfuir autant de la gorge. Il se parlait tout seul, assis près du grand feu qui les éclairait et qui les réchauffait. Lianan, son Écuyer, ne savait pas quoi lui dire pour l'apaiser. Jasson lui vint donc en aide.

– Arrête de te traiter de tous les noms, le pria-t-il.

Nikelai, son apprenti, frictionna le dos de Lianan pour lui redonner du courage.

– À mon avis, nous avons fait un sacré bon boulot, poursuivit Jasson. Il n'y a plus rien qui remue dans les environs, même pas sous terre !

Ce qui tracassait justement Dempsey... Il était revenu avec leur souverain et les Chevaliers qui s'étaient lancés à la poursuite du dragon. Rassuré sur le sort de Derek, Dempsey analysait les événements de la journée. Appuyé contre sa selle, en compagnie de Chloé et de leurs apprentis, il contemplait les flammes en réfléchissant. Un grand nombre de larves avaient filé. Pendant que ses compagnons s'installaient autour de lui, le Bérylois scruta le terrain. Il ne détectait aucun signe de vie. Les scarabées pouvaient fort bien avoir succombé à des blessures, mais en si grand nombre ?

– Combien ont échappé à nos épées et à notre magie, selon toi ? voulut savoir Dempsey.

Jasson, qui était parvenu à réconforter l'homme du Désert, lui décocha un regard aigu.

– Des centaines, déplora Bergeau.

– La même chose est arrivée sur tous les champs de bataille, vrai ?

– Chez les Elfes, les insectes ont refait surface un peu partout après s'être cachés dans la terre, se rappela Jasson.

– Ce qui me fait penser à un cours qu'Élund nous a donné sur les petits insectes, il y a fort longtemps, intervint Chloé. Il disait que certaines espèces enfouissaient leurs larves dans le sol où elles devenaient léthargiques pendant que leur corps continuait de grandir.

– Je pense qu'il est grand temps de questionner notre nouveau monarque au sujet des guerriers d'élite de l'empereur, maugréa Falcon.

Ils se tournèrent tous vers Onyx, qui tenait compagnie au Roi de Perle et au Prince Xavier, comme le voulait le protocole. Mais le renégat était loin d'avoir la prestance de ce souverain. Tout en l'écoutant lui raconter les combats de ses soldats, Onyx observait plutôt sa femme du coin de l'œil. Swan était profondément inquiète du sort de son cadet. Elle faisait de gros efforts pour ne pas pleurer. Onyx se jura de partir à la recherche de l'enfant dès qu'il se serait débarrassé de ses invités.

– On raconte des choses étranges à votre sujet, Majesté, lança l'adolescent perlois.

– Que dit-on ? le questionna le Roi d'Émeraude.

– Les hommes prétendent que vous avez cinq cents ans et que vous avez participé à la première guerre.

– Xavier ! désapprouva son père.

– Non, Giller, laissez-le s'exprimer.

– Sûrement, ils ont tort, poursuivit le prince. Comment un homme pourrait-il être si vieux ?

– Il pourrait avoir appris à transporter son âme d'un corps à un autre, répliqua Onyx pour le faire réagir.

– Les anciens Chevaliers n'étaient pas des mages noirs.

– Nos pas nous conduisent parfois dans de bien sombres endroits.

Les Écuyers avaient cessé de prêter attention aux propos de leurs maîtres pour écouter ce que leur roi allait révéler.

– Et où vous ont conduit les vôtres ? s'enquit Xavier en faisant bien attention de ne pas se montrer trop curieux.

– Dans une prison de glace créée par une créature qui disait être un Immortel. Il m'a transmis un savoir occulte qui m'a permis de garder ma conscience en vie. Il m'a ensuite suffi de trouver un corps.

Assis près de Kira, Sage sentit l'air se comprimer dans ses poumons. Jamais il ne pourrait oublier les affreuses années qu'il avait passées dans le néant parce que le renégat avait choisi de poursuivre sa vie en lui. La Sholienne prit sa main et l'embrassa pour l'apaiser.

– Alors, vous êtes bien le Chevalier Onyx qui a échappé au Magicien de Cristal ! se réjouit Xavier.

– Le seul et unique.

– Vous êtes resté, car vous saviez que l'Empereur Noir ferait une nouvelle tentative ?

– Pas tout à fait, mais mes connaissances vous seront en effet fort utiles.

– Est-il vrai que vous mangiez les dragons ? le questionna alors Liam.

Kevin l'admonesta, car un Écuyer devait toujours demander la permission avant de parler, surtout à son roi. L'enfant baissa les yeux avec soumission.

– Nous apprêtions tout ce que nous avions tué durant la journée, l'informa Onyx sans se formaliser de son manque de respect.

Les apprentis firent la grimace.

– Une fois bouillie, la carapace des soldats-insectes s'enlève sans difficulté, les taquina le roi.

– Vous ne pouviez pas manger autre chose ? s'offensa Xavier.

— Nous n'étions pas des centaines, mais des milliers à nous démener comme des forcenés contre des armées de scarabées. Il n'est pas facile de sustenter autant d'hommes.

— Cette guerre, la première, a-t-elle duré longtemps ?

— Quelques mois, qui nous ont paru des siècles.

— Celle-ci dure depuis plus de vingt ans, nota Giller.

— Amecareth a tenté de reprendre son héritière en douce, cette fois, les informa Onyx en jetant un coup d'œil à Kira. Son cerveau est lent, mais il est rusé. Maintenant qu'il a compris que cette façon d'agir ne le mène nulle part, il va essayer de nous intimider.

— Chloé a une théorie intéressante à ce sujet, lança Falcon.

Toutes les têtes se tournèrent vers elle, ce qui ne l'intimida d'aucune manière. Même Wellan, qui était perdu dans ses pensées, sembla revenir à la vie.

— Ces insectes brunâtres sont des larves de futurs guerriers noirs, avança-t-elle. Contrairement à ce que nous croyons, elles n'ont pas suffoqué sous terre. Elles s'apprêtent à se métamorphoser.

— D'où tiens-tu cette information ? voulut savoir Wellan.

— D'Élund. Rappelle-toi ce qu'il nous a raconté sur les hannetons.

L'esprit du grand Chevalier rappela instantanément cette information à sa mémoire.

– Je suis d'accord avec elle, trancha Onyx avant que Wellan puisse répondre.

– Dans combien de temps cette transformation sera-t-elle complète ? demanda Bailey.

– Élund parlait de quelques mois dans le cas des hannetons, déclara Wellan. Mais nous n'avons aucun moyen de le savoir dans le cas de cette espèce géante.

– Sa Majesté pourrait sans doute nous éclairer, suggéra Falcon sur un ton accusateur.

Onyx comprenait que l'accident de son petit garçon rendait ce vétéran plus agressif et il ne lui en tint pas rigueur.

– Ce n'est pas moi, mais Hadrian qui s'intéressait à ce genre de détail, avoua-t-il. Mon rôle consistait à empêcher ces scarabées de dévaster les villages, pas d'étudier leurs mœurs.

– C'est peut-être écrit dans ses notes, suggéra Bridgess.

– J'ai parcouru les écrits du Roi d'Argent à maintes reprises, les renseigna Wellan, et je m'en souviendrais si j'avais lu quelque chose à cet égard.

Une Fée d'une grande beauté se matérialisa au milieu du campement. Son arrivée fut si soudaine que personne n'eut le temps de réagir. Wellan reconnut les traits de la Reine Calva. Sans se préoccuper des soldats, elle marcha vers l'énorme chêne au pied duquel Ariane était assise en boule, le cœur en pièces. La Fée s'accroupit devant la femme Chevalier et caressa ses cheveux d'ébène.

– Nous comprenons ton chagrin, assura-t-elle de sa voix musicale.

– Comment le pourriez-vous ? répliqua Ariane. Vous n'avez pas perdu votre époux.

– Les Fées vivent longtemps, mais elle ne sont pas éternelles. Nous connaissons la tristesse de la séparation.

Calva essuya une larme sur les joues de sa fille.

– Ton père a décidé d'exposer le corps de Kardey dans la salle des regrettés. C'est un honneur qui n'a jamais été rendu à un humain. Il veut que tu saches qu'il y restera jusqu'à ce que tu viennes lui rendre les derniers hommages.

– Remerciez-le pour moi, sanglota Ariane.

Yamina passa le bras autour des épaules de sa sœur d'armes éplorée pour la réconforter.

– Que mange-t-on ce soir, Majesté Onyx ? lança alors Keiko, sans délicatesse.

Kira se redressa avec l'intention de l'étouffer. Onyx éclata de rire, arrêtant son geste. La Reine des Fées se leva et contempla le rassemblement comme si elle le voyait pour la première fois. Des plats de tous les coins d'Enkidiev apparurent soudainement devant les soldats affamés.

– Vous êtes rapide, dites donc ! s'émerveilla l'apprentie.

– Keiko, un autre mot et je te paralyse la langue ! la menaça Kira.

– Ce n'est pas moi qu'il faut remercier, répliqua Onyx en s'inclinant devant la Fée.

— Sire Giller, sire Xavier, les salua Calva.

Elle s'approcha ensuite du nouveau souverain d'Émeraude en l'observant froidement.

— Sire Onyx, nous respectons la volonté du peuple de votre pays de faire de vous son roi, mais nous ne comprenons pas vos intentions.

— Elles sont nouvelles pour moi aussi, répondit le renégat. Je n'ai pas vraiment eu le temps d'apprendre le protocole, pardonnez-moi.

— Nous vous suggérons de vous y mettre.

Calva s'évapora sans le saluer.

— Ces créatures ne comprennent rien à la guerre, commenta Giller pour détendre l'atmosphère, mais leurs talents culinaires sont indiscutables.

Les guerriers et les enfants plongèrent dans les plats. Wellan dégusta la viande de sanglier rôtie en se rappelant ses parties de chasse au Royaume de Rubis. Voyant qu'il était une fois de plus replié sur lui-même, Bridgess en profita pour rejoindre son père et son jeune frère. Le prince était encore tout émerveillé d'avoir rencontré un être magique.

— Je suis bien contente de te revoir, Xavier, le salua la femme Chevalier.

— C'est un grand bonheur pour moi de participer au même combat que toi, affirma-t-il.

— Tu te défends très bien.

Aucun compliment ne lui fit autant plaisir. L'adolescent lui relata avec enthousiasme tous ses bons coups de la journée. Giller l'écoutait en secouant légèrement la tête : décidément, il serait un roi beaucoup moins modeste que lui.

– Que va-t-il falloir que je fasse pour que tu me présentes ma petite-fille ? s'impatienta-t-il.

Bridgess chercha la jeune déesse des yeux. Jenifael était assise près de Swan.

– Jeni, l'appela-t-elle.

L'enfant consulta son maître et obtint sa permission de la quitter quelques minutes. Elle se dirigea vers sa mère en faisant bien attention de marcher lentement. C'était sans doute pour lui présenter sa famille qu'elle lui demandait d'approcher.

– Jenifael, voici mon père, le Roi Giller de Perle, et mon frère, le Prince Xavier.

– Je suis enchantée de faire enfin votre connaissance.

– Tu es aussi belle que ta mère ! la complimenta le souverain, déjà sous son charme.

Ne sachant si Bridgess lui avait révélé ses véritables origines, Jenifael se contenta de rougir.

– Et, comme elle, tu as choisi de devenir soldat.

– En fait, ce n'est pas l'attrait du combat qui m'attire, mais l'urgence de débarrasser le peuple d'Enkidiev de la menace de l'Empereur Noir.

– Et diplomate, en plus. Une fois la guerre terminée, j'aimerais bien que tu viennes passer quelque temps sur la terre de tes ancêtres.

– Avec plaisir, Majesté.

Jenifael jeta un coup d'œil à son oncle qui avait presque son âge.

– Nous rassemblerons les chevaux sauvages et nous participerons à leur dressage, suggéra-t-il.

Bridgess n'était pas certaine que cette activité convienne à sa fille, mais elle décida de ne pas briser l'emballement de son frère.

Wellan termina son repas en étudiant subtilement ses hommes. Il déposa son assiette et se mit à circuler parmi eux pour s'assurer qu'ils allaient bien. Il s'accroupit finalement près de Kevin, qui avait choisi de se mettre à l'écart, afin de ne pas être ébloui par le feu. On distinguait ses pupilles verticales dans la demi-obscurité. Il déchiquetait lentement des lambeaux de viande sanguinolente. La Fée avait su lui donner, à lui aussi, exactement ce qu'il pouvait manger.

– Est-ce que tu entends quelque chose ? voulut savoir Wellan.

– Rien du tout et c'est plutôt inquiétant, avoua Kevin. J'ai beau me torturer les méninges, je ne saisis pas la stratégie de l'empereur.

– Il sème ses guerriers chez nous, apparemment.

– Pour nous surprendre ? L'ennui, c'est qu'ils pourraient tout aussi bien sortir de l'obscurité demain que dans deux ans.

– Nous allons tenter d'en apprendre davantage là-dessus.

Pendant que Kevin s'entretenait avec Wellan, Liam se faufila jusqu'à son roi.

– Et le dragon, quel goût ça peut avoir ? chuchota le gamin.

– La texture de cette viande ressemble à celle du bœuf, mais son goût rappelle celui de la langouste, le renseigna Onyx.

– Je n'ai jamais mangé quelque chose qui porte un nom pareil.

– C'est une petite créature qui vit dans l'océan. Les habitants du Royaume d'Argent en raffolent.

– J'imagine qu'un seul dragon devait nourrir beaucoup d'hommes.

– En effet.

– Vous connaissez l'ennemi mieux que quiconque. Est-ce que vous nous aiderez à gagner cette guerre ?

– Je t'en fais la promesse, Liam. Et un jour, je te préparerai un filet de dragon.

Les soldats de Perle, les Chevaliers et les apprentis terminèrent le festin en bavardant, puis s'enroulèrent dans leurs couvertures. Les jeunes réclamèrent une histoire. Bergeau se rembrunit, toujours furieux contre lui-même. Les Écuyers harcelèrent donc Wellan, qui en connaissait des centaines.

– Si nous le demandions plutôt à notre nouveau roi ? suggéra Jasson.

– Quelque chose de très vieux ! précisa Cyril, l'Écuyer de Volpel.

Onyx fronça les sourcils.

– Ce n'est pas ma spécialité, commença-t-il, mais je me souviens d'une légende que mon ami Hadrian racontait à son fils.

Les apprentis le supplièrent de leur en faire part. Le renégat se laissa convaincre et leur parla de Vinciane, une Immortelle, chargée jadis d'aider les mortels à refouler les hordes de dragons au sud du continent où les dieux viendraient les chercher.

– Il n'y a jamais eu de dragons par ici ! protesta Keiko.

– Si on n'avait pas fait disparaître la moitié des livres d'histoire, vous sauriez que ces bêtes créées par Parandar occupaient à l'origine tous les territoires de ce monde, expliqua patiemment le monarque.

– Pourquoi aurait-il donné la vie à des monstres qui arrachent le cœur de leurs victimes ? demanda Cassildey.

– Au début, c'était des prédateurs comme les grands chats sauvages. Leur conditionnement sur le continent de l'empereur a changé leurs habitudes alimentaires.

– Pourquoi Vinciane devait-elle les repousser ailleurs alors ? s'enquit Nikelai.

– Parce qu'ils commençaient à subir l'influence néfaste des sorciers d'Amecareth.

Même les Chevaliers parurent surpris par cette affirmation. Onyx capta l'interrogation dans leurs yeux.

– Grâce à des incantations et des sacrifices, ils sont parvenus à modifier les instincts de ces bêtes, expliqua-t-il. Ne me dites pas que vous ne connaissez pas ces vieux trucs.

– Les Chevaliers d'Émeraude de votre époque les pratiquaient-ils ? s'inquiéta Chloé.

– Hadrian ne l'aurait jamais permis et, de toute façon, nous n'étions pas des mages noirs.

Onyx termina son récit en disant aux enfants que Vinciane avait finalement accompli sa mission en ramenant un bon nombre de dragons avec elle dans les mondes célestes mais que, malheureusement, ceux qui avaient été contaminés par l'obscurité avaient refusé de la suivre.

Les soldats exigèrent ensuite que les Écuyers reviennent près d'eux. Santo et Kerns jouèrent un duo de harpe qui calma tous les esprits. Wellan n'arriva pas à fermer l'œil, car son protégé n'était pas encore rentré au bercail.

23

ÐES OMBRES

Lorsque tous furent endormis, Wellan quitta la chaleur de sa couverture et marcha jusqu'à la rivière avec l'intention d'appeler son fils de lumière. Il fut bien surpris d'y trouver le Roi Onyx. Son cœur était infiniment triste. Wellan n'eut pas le temps de le questionner.

– J'ai besoin de votre aide, le devança le souverain. Vous êtes la seule personne sur ce continent capable de retrouver mon fils.

– Moi ?

– Vous possédez un bijou magique doté de ce pouvoir.

– Je vous en ferais volontiers cadeau, mais je l'ai laissé à Émeraude.

Le nouveau monarque exigea qu'il tende le bras, puis il ferma les yeux. Le médaillon de Danalieth se matérialisa sur la paume du grand Chevalier.

– Comment avez-vous su où je l'avais caché ?

– J'ai regardé dans votre tête.

Wellan voulut lui remettre le joyau. Curieusement, Onyx recula.

– Un mortel ne peut utiliser un instrument de pouvoir lorsqu'il en possède déjà un, expliqua-t-il. Comme vous le savez, je ne peux pas me défaire de la griffe.

– Il est impossible de se servir de ce bijou sans savoir où l'on veut se diriger. C'est écrit dans le livre des Elfes.

– Il y a plusieurs façons d'en tirer profit. Venez.

Onyx l'emmena plus loin, dans une petite clairière au sol rocailleux. Il avait sans doute choisi cet endroit, car les larves n'arriveraient pas à défoncer les pierres. Ils y seraient donc tranquilles. Le père désespéré fit asseoir le Chevalier, puis lui expliqua la nouvelle méthode de recherche. Il déroula une minuscule tunique beige qu'il gardait accrochée à sa ceinture, puis la tendit à Wellan.

– Elle appartient à Atlance, l'informa Onyx. Frottez le bijou sur le tissu et appuyez-le ensuite sur votre front.

Wellan était un homme bien trop curieux pour ne pas tenter l'expérience. Il fit ce que son roi lui demandait.

– Vous pourrez revenir de ce voyage avec l'incantation des Elfes, précisa le renégat. Pour partir, prononcez ces mots : *tnafnel evuorter*. Observez autant de détails que vous le pourrez. Choisissez des repères qui me permettront de retrouver Atlance.

Le regard suppliant d'Onyx acheva de convaincre le Chevalier. Ayant déjà effectué un déplacement à l'aide du bijou divin, Wellan se sentait plus rassuré. Il récita la formule. Son envolée fut vertigineuse. Il parcourut tout le continent en quelques minutes à peine. Son corps n'était plus celui d'un homme, mais celui d'un oiseau aux ailes puissantes. Le terrain défilait à une vitesse folle sous lui. Il ne pouvait en distinguer les détails. Il sentait cependant que cela n'avait aucune importance. Lorsqu'il atteindrait enfin son but, le médaillon le lui ferait savoir.

Il arriva au-dessus de l'immensité du Désert. Il était presque aussi grand que le continent d'Enkidiev, mais à peine peuplé. Wellan volait trop haut pour repérer les oasis où vivaient les petites tribus nomades. S'il ne trouvait pas bientôt l'enfant, il déboucherait sur l'océan. Personne ne savait s'il y avait d'autres terres plus au sud, car les cartes géographiques étaient incomplètes.

Une lueur rouge se détacha alors sur le sable, semblable au cratère enflammé d'un volcan. Pourtant, aucune faille n'avait été décelée dans cette partie du monde. Wellan se sentit aspiré vers le sol. S'il poursuivait sa descente à cette allure, il ne pourrait jamais s'arrêter à temps. Toutefois, l'utilisateur du joyau de Danalieth voyageait avec son esprit, même si ses sensations physiques lui paraissaient réelles. Le Chevalier plongea dans une dune et fut accueilli par la fraîcheur d'un étrange monde souterrain. Il visita de nombreuses grottes où brillaient sur le plancher vitreux des traces de pas écarlates.

Il aboutit à la croisée de plusieurs galeries. Ce ne fut pas un, mais deux battements de cœur qu'il perçut. Le médaillon l'entraîna vers la gauche. Il aperçut au loin une silhouette qui semblait fuir. Ce n'était pas celle d'un bambin pourtant. Le grand chef allait enfin s'en approcher lorsqu'un éclair éblouissant le frappa de plein fouet.

Le Chevalier réintégra son corps avec une telle brutalité qu'il s'écrasa sur le dos. Onyx ne fut pas assez rapide pour amortir sa chute. Il posa les mains sur sa poitrine pour apaiser sa respiration. Wellan ouvrit les yeux.

– Que s'est-il passé ? s'énerva le souverain. Je n'ai jamais vu Hadrian revenir ainsi d'une de ses excursions.

– Je n'en sais rien. Une force m'a empêché d'identifier la personne qui filait dans le couloir. Je n'ai vu qu'une ombre.

Onyx l'aida à s'asseoir. Il fit apparaître dans sa main un gobelet de vin chaud et le tendit à Wellan.

– Buvez et racontez-moi ce que vous avez vu.

Wellan avala lentement la boisson en rassemblant ses observations.

– Il s'agit d'un labyrinthe de cavernes et de tunnels sous le Désert.

– Le Désert ? s'étonna Onyx. Je croyais qu'un dieu déchu aurait emmené son prisonnier dans un monde bien moins accessible.

– Mon esprit a traversé le sable pour y accéder. Je ne suis pas certain qu'il y ait une véritable entrée.

Le renégat jugea que ce n'était pas un problème. En utilisant les pouvoirs de forage de Farrell en plus de sa magie à lui, il arriverait bien à ouvrir une brèche dans le sol.

– J'ai vu des pierres lumineuses et des galeries arrondies semblables à celles que Nomar a creusées à Alombria, poursuivit Wellan.

– Qu'il a copiées de celles de la ruche de l'empereur, maugréa Onyx. Avez-vous vu mon fils ?

– J'ai vu un adulte tenter de s'échapper. Pourtant, le médaillon me conduisait vers cette personne.

« Le dieu déchu a-t-il fait vieillir mon fils ? » se demanda le Roi d'Émeraude. Pire encore, ces créatures toutes-puissantes pouvaient aussi corrompre l'âme humaine.

– Au moment où j'allais devancer la silhouette pour l'identifier, quelque chose m'a attaqué, termina Wellan. Je suis vraiment désolé.

– Surtout, ne le soyez pas. Vous m'avez rendu un grand service cette nuit. Maintenant, je sais où Akuretari retient Atlance.

– Ne partez pas seul à sa recherche.

– Je possède la griffe de Danalieth, rappelez-vous. Elle seule vaut toute une armée. J'ai une dernière faveur à vous demander, mon ami.

Le grand Chevalier fronça les sourcils avec inquiétude. Il n'avait certes pas envie d'une seconde balade au moyen du médaillon.

– Lorsque Swan se réveillera, ne lui dites pas où je suis parti.

– Elle est la mère de cet enfant, protesta Wellan.

– C'est trop dangereux. S'il devait m'arriver quelque chose, au moins mes fils auront toujours un de leurs parents.

– Dans ce cas, laissez-moi vous accompagner. J'ai reçu un entraînement différent grâce à Nomar. Je pourrais vous aider.

– Mon pauvre Wellan. Ce traître ne vous a rien montré d'important. Il a fait semblant de vous former afin d'étudier votre cerveau. C'est ainsi qu'il procède. Si je ne suis pas de retour avant la tombée de la nuit, demain, choisissez un nouveau roi. Personnellement, je suggère que ce soit vous.

Onyx se releva et inspira profondément. Malgré sa tête qui continuait de tourner, Wellan fit de même, avec l'intention de le dissuader de partir seul. Un éclatant vortex doré se créa à quelques pas d'eux. Les deux soldats chargèrent leurs mains d'énergie, prêts à repousser le nouvel arrivant. Quelle ne fut pas leur surprise de voir sortir du maelström une hybride tenant un petit garçon effrayé dans les bras !

– Aidez-moi, hoqueta la femme.

Wellan l'attrapa avant qu'elle ne s'effondre. Quant à Onyx, il saisit par la taille le bambin qu'il avait reconnu.

– Papa ! s'exclama Atlance en le serrant à lui rompre le cou.

Le roi frictionna le dos de son fils en pleurant de joie. Tenant Jahonne contre lui, Wellan inspecta rapidement les alentours. Si le dieu déchu avait découvert l'évasion de son prisonnier, il ne tarderait pas à se pointer. Le Chevalier aurait bien aimé recevoir de son souverain encore plus puissant que lui en magie la confirmation qu'Akuretari n'était pas déjà sur les talons d'Atlance, mais Onyx ne prêtait attention à rien.

Sans même remercier celle qui avait sauvé le garçon, il fila vers le campement. Wellan le suivit en marchant plus lentement. Jahonne ne pesait presque rien. Cependant, les jambes du grand chef étaient encore chancelantes. Perdant l'équilibre, il déposa son fardeau plutôt brutalement sur la couverture. Son geste réveilla Bridgess.

– Que se passe-t-il ? s'étonna-t-elle.

– C'est une longue histoire, soupira Wellan. Je t'en prie, aide-moi.

– Pourquoi es-tu si faible ? voulut-elle savoir en se mettant à genoux.

– Je te le raconterai plus tard. Je veux connaître son état.

Constatant qu'il ne pouvait procéder à cet examen lui-même, Bridgess le fit pour lui. Jahonne souffrait de malnutrition et était atteinte d'ankylose. Sa force vitale s'amenuisait rapidement.

– Si nous n'élevons pas son niveau d'énergie maintenant, elle ne passera pas la nuit, diagnostiqua la femme Chevalier. Donne-moi un peu d'espace.

Wellan lui obéit. Il observa avec admiration le travail de guérison de sa femme. Une douce lumière lilas s'échappa de ses paumes et enveloppa complètement l'hybride. Lorsque le cocon fut complètement formé, Bridgess recula.

– Je pense que cela suffira, annonça-t-elle.

– Tu n'es même pas épuisée, constata Wellan, étonné.

– Je ne me sers pas souvent de cette faculté, mais je pense que je la tiens de Kira. Elle ne fonctionne pas comme notre aura blanche. On dirait que je puise cette force ailleurs qu'en moi-même. C'est difficile à expliquer. C'est à ton tour, maintenant.

Bridgess appuya ses paumes sur la poitrine de Wellan, un peu plus bas que son cœur, et laissa s'échapper un rayon bienfaisant. Son mari éprouva une curieuse sensation, comme si un jet d'eau froide pénétrait dans son corps. L'opération ne dura qu'un instant. Il se sentit soudain très fort. Il embrassa tendrement sa femme sur les lèvres pour la remercier.

Le gémissement de Jahonne mit fin à leur étreinte. Les deux Chevaliers se penchèrent sur elle. La luminosité régénératrice s'amenuisait. Bridgess s'empara de sa gourde. Dès que l'hybride reprit ses sens, elle lui souleva doucement les épaules et lui donna à boire.

– Où as-tu trouvé Atlance ? ne put s'empêcher de demander Wellan.

– Il était dans cet étrange monde souterrain lui aussi, murmura Jahonne en reprenant graduellement des forces.

Elle lui raconta son réveil dans la grotte où les autres rejetons d'Amecareth n'avaient pas eu autant de chance. Elle se souvenait de son départ d'Espérita avec Nomar, puis plus rien.

– Pourquoi a-t-il déployé autant d'efforts pour récupérer les derniers hybrides s'il désirait les mettre à mort ? s'inquiéta Bridgess.

– Il est impossible de lire les pensées du maître, répondit innocemment Jahonne.

– Nomar se trouvait-il avec l'enfant ?

– Non, mais j'ai vu un autre Immortel qui porte le nom de Magicien de Cristal. Il est captif dans une grotte.

Le Roi Onyx serait désormais forcé d'emmener tous ses Chevaliers avec lui, car c'était leur devoir de délivrer le demi-dieu qui veillait sur l'humanité. Wellan aurait aimé interroger Jahonne toute la nuit, mais la pauvre femme avait du mal à garder les yeux ouverts. Bridgess l'y fit renoncer. Jahonne avait besoin de repos. Elle répondrait à ses questions au matin. Le grand chef obtempéra. Il couvrit sa bonne amie d'une chaude couverture et s'éloigna pour surveiller le campement, car il craignait qu'Akuretari ne revienne chercher ses prisonniers. L'arrivée de la femme mauve n'avait réveillé personne. Seules les sentinelles en avaient été témoins de loin et elles n'avaient pas quitté leurs postes pour autant. Les Chevaliers ne devaient surtout pas être surpris par un retour subit des larves.

24

UN PETIT SAUT

Onyx marcha à travers les dormeurs sans les réveiller. Il serrait l'enfant si fort contre lui qu'il risquait de lui broyer tous les os. Cependant, Atlance ne s'en plaignait pas. Il se sentait en sécurité, comprimé contre la poitrine de son père. Ce dernier se laissa tomber sur les genoux aux côtés de son épouse. Swan sursauta.

– Maman, pleurnicha Atlance.

La femme Chevalier se défit aussitôt de sa couverture et arracha le petit de l'étreinte d'Onyx.

– J'ai peur...

– Tu n'as plus rien à craindre, mon chéri. Papa est là et tous les Chevaliers aussi.

Le gamin se pressa contre elle en tremblant. Si Akuretari ressemblait à un gavial, comme le prétendait Sage, il n'était pas étonnant qu'il soit si effrayé. Swan leva sur Onyx un regard brillant de reconnaissance.

– Tu as tenu parole, souffla-t-elle, émue.

– Ce n'est pas moi qu'il faut remercier, répliqua son époux. Je m'apprêtais à partir à sa recherche lorsqu'il est sorti d'un vortex avec une hybride qui s'est échappée de l'antre du dieu déchu.

Le souverain s'allongea près de Swan. Cette dernière déposa leur enfant entre eux et passa une main lumineuse sur son petit corps.

– Il est mort de peur, mais il n'a pas une égratignure, annonça la mère, soulagée.

Connaissant les goûts et les habitudes de chacun de ses fils, le mage fit apparaître trois dattes au creux de sa main. Il savait que cette friandise parvenait toujours à réconforter le cadet. Atlance s'en empara et les avala presque tout rond. Puis, ce fut un gobelet de lait que le roi subtilisa aux cuisinières d'un royaume voisin. Le petit garçon but la chaude boisson jusqu'à la dernière goutte. Il redonna le récipient vide à son père et se coucha contre Swan. En l'espace de quelques secondes, il s'endormit. La guerrière vit que son mari épiait les alentours avec ses sens magiques.

– Tu dis qu'une femme nous l'a ramené en fuyant, chuchota Swan. Le dieu déchu suit peut-être sa trace à l'heure qu'il est.

– J'y compte bien.

– Tu n'y penses pas ! se fâcha-t-elle. Tu as des pouvoirs que nous n'avons pas, mais ton corps n'en demeure pas moins mortel !

Pour toute réponse, Onyx lui montra son doigt armé de la griffe de toute-puissance.

– Le monstre a failli te tuer lorsque tu l'as utilisée contre lui !

– C'était avant que je mette la main sur un livre expliquant son fonctionnement, assura le renégat.

Les yeux de Swan étincelèrent de colère.

– Tu es l'homme le plus imprudent que je connaisse.

– Mais tu m'adores.

– Je ne sais pas ce que je ressens exactement pour toi. Chaque fois que je choisis une émotion, tu changes de visage.

– Dis-moi celui que tu préfères et je me ferai un devoir de toujours te présenter le même.

– Tu es impossible.

Onyx caressa les cheveux noirs de l'enfant. Il était l'un des plus redoutables guerriers de la première invasion et pourtant, dans ce coin reculé de la forêt de Perle, au milieu de la nouvelle version de l'Ordre, il n'émanait de lui que tendresse et amour. Pendant qu'il cajolait leur fils, Swan scruta les lieux : aucun signe du ravisseur.

– Je le sentirais, voulut la rassurer le roi. Tu peux fermer les yeux toi aussi.

En faisant bien attention de ne pas écraser leur fils, la femme Chevalier déposa un baiser sur les lèvres de son époux.

– Je ne sais pas pourquoi je t'adore quand même...

Ils échangèrent de longs baisers. Swan trouva le sommeil quelques minutes plus tard, persuadée que rien ne leur arriverait cette nuit-là. Quant à lui, le Roi d'Émeraude choisit de veiller sur ceux qu'il aimait. Il écouta la douce respiration de son fils et de sa femme, puis porta son attention sur les pays voisins. Il n'y trouva aucune magie, bonne ou mauvaise. Sans doute Akurateri était-il trop occupé pour s'apercevoir que ses captifs avaient pris le large. L'ancien Chevalier se jura de venger cet affront.

Avant le lever du soleil, Onyx cueillit Atlance dans ses bras et disparut. Il importait de le mettre en sûreté avant de partir à la recherche du dieu déchu qui avait osé lever la main sur lui. En quelques secondes, il aboutit à l'étage inférieur de la tour d'Armène. La gouvernante venait d'entrer dans le bâtiment, transportant une caisse de bois remplie de victuailles.

— Majesté ! s'exclama-t-elle, surprise.

Elle vit l'enfant dans les bras du monarque et laissa échapper une plainte de soulagement. Elle déposa les provisions sur la table, puis se jeta aux pieds d'Onyx.

— Que tous les dieux soient loués ! pleura Armène. Ils vous ont permis de le retrouver !

— Ils n'ont rien à voir là-dedans.

Les voix des adultes réveillèrent le petit.

— Mène ! s'exclama-t-il joyeusement.

Onyx le déposa sur le sol. Atlance sauta dans les bras de la servante qui le serra avec bonheur.

– Où est Nartrach ? voulut savoir l'enfant.

– Il dort encore, mon poussin.

Elle capta alors l'air contrarié du père.

– Mes enfants ne devront plus quitter cette tour magique, ordonna-t-il.

– Je ne les laisserai pas sortir, jura Armène.

Satisfait, Onyx se volatilisa. Gardant l'enfant contre elle, la servante se leva et l'emmena à l'étage supérieur pour qu'il y attende le réveil de ses frères.

Les conseillers du Royaume d'Émeraude s'étaient réunis dans le hall du roi, pour prendre ensemble le premier repas de la journée, avant l'arrivée des élèves. Ils discutaient gaiement de leurs bons coups lorsque leur roi se matérialisa au bout de la table.

– Bien le bonjour, messieurs, lança Onyx.

Les pauvres hommes faillirent mourir d'une crise cardiaque.

– Il faudra pourtant vous habituer à ma magie, railla le monarque habillé en Chevalier. Alors, quoi de neuf ?

Le premier qui parvint à calmer sa respiration lui dressa la liste des questions réglées depuis son départ. Un large sourire éclaira le visage de leur roi.

– Vous voyez bien que vous pouvez vous débrouiller sans moi ! lâcha-t-il, content.

– Cependant, un dragon a causé des dégâts dans la partie méridionale du pays.

– Préparez-moi un rapport. Je m'en occuperai à mon retour.

– Sauf le respect que je vous dois, les rois sont censés vivre dans leur palais, Altesse, lui rappela un dignitaire.

– C'est écrit où ?

– Les coutumes ne sont pas nécessairement consignées.

– Si je ne m'abuse, les coutumes changent occasionnellement. C'est ce qu'on appelle le progrès.

L'homme ne sut quoi répliquer.

– Êtes-vous revenu à Émeraude pour de bon ? voulut savoir un autre conseiller.

– Non, indiqua Onyx. Mais je compte vous surprendre, à l'occasion. Alors, je vous suggère de ne pas roupiller.

Théoriquement, il aurait dû s'occuper des dommages occasionnés par le dragon, mais Onyx choisit de retourner sur le front. Sa priorité était de stopper toute autre tentative d'invasion. Il se dématérialisa, un sourire mystérieux sur le visage.

25

Le vortex doré

La présence de Jahonne au campement créa tout un émoi parmi les plus jeunes Chevaliers et les apprentis. Tout comme le Roi Giller, son fils et leurs soldats, ils n'avaient jamais vu une autre personne mauve à part Kira. En apprenant la nouvelle, Sage fonça à travers ses compagnons, laissant Cassildey derrière lui. Le garçon releva sa tête ébouriffée.

– Maître ! s'énerva-t-il.

Il vit Kira s'élancer quelques secondes après l'Espéritien et crut que les larves se décidaient à les attaquer. Il se dépêtra en vitesse de sa couverture afin de venir en aide aux soldats.

Sage vit sa mère assise entre Wellan et Bridgess, buvant un thé réconfortant. Les plus âgés des guerriers l'entouraient déjà pour la questionner. L'hybride se fraya un chemin entre eux et s'agenouilla devant sa mère. Les yeux violets de Jahonne se remplirent de larmes de joie. Elle tendit les bras. Son fils s'y réfugia sans hésitation.

– Je ne pensais plus jamais te revoir, sanglota Jahonne.

– Où étiez-vous ? Que s'est-il passé ? Nomar n'a pas voulu me le dire.

– Je ne sais pas comment s'appelle cet endroit, Sage. Je ne connais pas vraiment ce monde.

– En toute vraisemblance, cet imposteur te retenait prisonnière sous les sables du Désert, expliqua Wellan.

– Je regrette, mais ce nom ne m'est pas familier.

– C'est le pays le plus éloigné d'Espérita, vers le sud, ajouta Kira.

– Je n'ai malheureusement aucune notion de géographie.

– Ce n'est pas important, la rassura le grand chef. Raconte-nous plutôt ce qui t'est arrivé depuis le début.

– Nomar m'a emmenée dans un autre univers souterrain après votre intervention à Espérita. Il m'a demandé de me coucher sur une étrange table de verre. Je ne sais pas combien de temps j'ai dormi.

– Longtemps..., commenta Falcon, déconcerté.

– Ce sont les pleurs du petit garçon qui m'ont réveillée.

Jahonne chercha l'enfant des yeux parmi la troupe.

– Son père l'a ramené à la maison, annonça Swan en s'approchant, Jenifael sur les talons.

La femme Chevalier s'accroupit près de Sage et serra les mains de celle qui lui avait rendu son cadet.

– Je vous remercie de tout mon cœur. Je suis Swan et c'est mon fils que vous avez sauvé.

– Vous n'avez pas à me témoigner de la reconnaissance. J'ai seulement fait ce qu'une Espéritienne a fait pour moi, jadis.

La scène était touchante, mais Wellan avait besoin de connaître le reste de l'histoire. Jahonne leur parla des autres hybrides qui n'avaient pas eu autant de chance qu'elle et des couloirs recouverts de cristal. Elle relata en détail sa courte conversation avec Abnar, emprisonné dans une alvéole ensorcelée.

– Comment vous êtes-vous échappée ? demanda Dempsey.

– J'ai utilisé un pouvoir que je possède sans bien le connaître. J'ai laissé mon esprit dessiner tous les tunnels dans ma tête et j'ai choisi celui où je voyais de la lumière. C'est aussi de cette façon que j'ai trouvé la galerie qui menait à Espérita, autrefois.

– J'ai vu un vortex, se rappela Wellan. Quand as-tu appris à utiliser ce type d'énergie ?

– Je ne sais pas ce qui s'est passé, avoua Jahonne. Nomar m'a jadis enseigné à me déplacer instantanément d'un endroit à un autre, mais quand je suis arrivée au bout du tunnel, cette faculté m'a abandonnée. Désemparée, je me suis appuyée contre le mur en serrant le petit contre moi. C'est alors qu'une belle lumière nous a enveloppés. Nous avons abouti ici, dans votre campement.

– La même chose est arrivée à Sanya et à Catania ! s'exclama Jasson.

— C'est vrai, l'appuya Bergeau. La lumière est arrivée de nulle part et elles se sont retrouvées sur la route qui mène au château.

— Quelqu'un utilise-t-il sa magie pour sauver des femmes sans nous en parler ? questionna Bailey.

Ceux qui portaient des bracelets ensorcelés échangèrent un regard inquisiteur.

— Nous ne sommes pas ce bienfaiteur, affirma Chloé. À chacune de ces occasions, nous étions occupés sur des champs de bataille.

— Et il y a plus encore, s'en mêla Santo. Lorsqu'il est venu à notre secours, le Prince Humey nous a dit qu'une jeune fille vêtue de vert s'était présentée à son château pour lui demander de nous secourir.

— Une de nos apprenties ? s'étonna Dempsey.

— C'est ce qu'il a cru.

— Pouvait-il s'agir de ta mère ? demanda Bridgess à Kira.

Avant que la Sholienne ne puisse répondre, Dylan apparut, tenant Lassa par la main. Derrière eux, le cheval effrayé se cabra. Liam se précipita pour le calmer.

— Non, ce n'était pas maître Fan, soutint l'adolescent immortel. Je ne connais pas cette énergie et, de toute façon, ma mère n'a pas reçu des dieux la permission d'intervenir de cette façon.

— Alors, qui ? s'énerva Falcon.

Le Roi Giller et le Prince Xavier fixaient Wellan comme si la réponse devait venir de lui. Cependant, le grand Chevalier demeura muet.

– On dirait bien que vous avez une autre protectrice, fit alors remarquer le monarque de Perle.

– Il ne s'agit pas de Theandras, non plus, affirma Dylan.

Wellan soupira avec découragement. Il appréciait bien sûr cette aide surnaturelle, mais il aurait préféré savoir qui la lui procurait.

– J'aimerais aussi connaître son identité pour la remercier d'avoir soustrait ma famille à une mort certaine, fit Jasson.

– Étant donné que tu vis dans le monde des dieux, tu pourrais enquêter là-dessus, non ? s'informa Bergeau en fixant Dylan.

– Est-ce possible ? insista Wellan.

– Je résoudrai ce mystère pour vous.

Dylan salua les Chevaliers et les personnages royaux avant de se volatiliser.

– Je ne m'habituerai jamais à toute cette magie, soupira le Roi Giller.

– Moi, je trouve cela fascinant, confia le prince.

– Lassa, ramène ton cheval avec les autres, ordonna Wellan. Liam, accompagne-le.

L'Écuyer s'empressa d'obéir. Il savait que les larves pouvaient revenir n'importe quand et que quelqu'un devait protéger le porteur de lumière. Il était fier d'avoir été choisi. Jenifael aurait bien aimé les suivre afin de questionner Lassa sur ce qu'il avait vu durant son absence, mais elle ne pouvait pas quitter son maître.

– Il ne faut pas laisser ces événements nous distraire de notre tâche, déclara Wellan d'une voix forte pour que ses hommes et ceux de Giller l'entendent.

– Le Roi Onyx sera d'un autre avis quand il apprendra où se situe la prison d'Abnar, lui fit remarquer Jasson.

– Jahonne dit qu'elle est ensorcelée, lui rappela Bridgess. Si le Magicien de Cristal ne peut pas en sortir par lui-même, je vois mal comment qui que ce soit pourra l'atteindre.

– Je préférerais que nous nous concentrions sur la menace que représentent les larves, les pria Wellan.

Swan l'approuva, car l'idée que son époux se mesure au dieu qui emprisonnait le Magicien de Cristal lui donnait la chair de poule.

– Nous savons qu'il est inutile de patrouiller la côte, puisque l'ennemi est désormais sur nos terres, fit Bergeau.

– *Dans* nos terres, tu veux dire, le corrigea Nogait, moqueur.

– Ce que nous ignorons, c'est la durée de leur transformation, poursuivit Chloé.

– Et puisque ce n'est pas écrit où que ce soit..., soupira Jasson.

– J'ai lu presque tous les journaux des anciens Chevaliers sans rien trouver à ce sujet, s'excusa Wellan.

– Nous pourrions extrapoler, suggéra Bridgess.

– Elle a raison ! renchérit Volpel. Prenons le cycle d'évolution de nos hannetons et établissons une relation avec leurs cousins géants.

– Je ne connais pas grand-chose à ces bestioles, s'affligea Bergeau, qui n'avait pas été le plus studieux des Chevaliers.

Les têtes se tournèrent vers Wellan.

– Ce n'est pas une matière qui m'intéressait particulièrement, mais je sais dans quelle section de la bibliothèque ces livres sont rangés, confirma-t-il.

Ses yeux bleus se posèrent sur Jahonne, qui s'accrochait à son gobelet de thé comme si sa vie en dépendait. Il la reconduirait au Château d'Émeraude où elle serait hors de danger, puis irait se renseigner sur le cycle de vie des coléoptères.

– Au lieu de surveiller la côte, divisons-nous dans les royaumes où nous avons perdu les larves de vue, suggéra Maïwen.

Même s'il ne pouvait pas la voir, Kevin tourna la tête vers son épouse. Ils faisaient tous les deux partie du même groupe, sous le commandement de Falcon. Ce dernier ne les affectait jamais aux mêmes tâches.

– Nous ne ressentons pas leur présence, protesta Gabrelle.

– Seulement parce qu'elles sont en léthargie, précisa Kagan.

– Nous le saurions tout de suite si elles se déplaçaient, ajouta Mann. Nous avons capté leur mouvement dans le sol lorsque nous étions chez les Elfes.

Wellan écouta tous leurs arguments et trancha en faveur d'une étroite inspection des berges de la rivière Mardall. Il s'entretint ensuite avec Bridgess, qui le remplacerait durant sa courte visite au palais. Elle approuva sa décision de confier Jahonne aux femmes du château, mais le pria de lui donner le temps de rassurer Sage. Wellan jeta un coup d'œil de leur côté. L'hybride bavardait à voix basse avec son fils.

– Tu emmènes Lassa avec toi ? voulut savoir Bridgess.

– Évidemment, répondit le grand chef.

– Tu veux que je dépêche les groupes à différents endroits à ta place ?

– Cela m'épargnerait du temps.

– Je les posterai aux frontières où les larves ont disparu.

– Je te fais confiance. Avant de partir, je vais aller saluer ton père et ton frère.

– C'est une bonne idée, approuva Bridgess.

Elle l'embrassa sur les lèvres et poursuivit sa route. Wellan la regarda s'éloigner en pensant qu'il aurait adoré vivre avec elle dans une petite ferme d'Émeraude. Mais il était le chef des Chevaliers et l'ennemi n'était pas encore défait. Il rejoignit le Roi Giller, qui attendait qu'on prépare son cheval.

Sage savait que sa mère ne pouvait pas rester plus longtemps au campement, car Nomar ne tarderait pas à la traquer. Lorsque la femme mauve déposa finalement son gobelet, le Chevalier lui saisit les mains. Ils s'observèrent un instant. Kira comprenait que son mari avait besoin de tisser de nouveaux liens avec sa mère biologique. Elle sentit Keiko remuer près d'elle et lui adressa un air sévère. Ce n'était pas le moment de leur poser une question indiscrète ou de faire un commentaire sur les hybrides. La petite Jadoise n'en fit rien. Tout comme sa maîtresse, elle était émue par cette scène de tendresse. Aux côtés de Sage, Cassildey était immobile comme une statue.

— Nous aurions dû vous ramener avec nous au lieu de vous laisser partir avec Nomar, se troubla le fils.

— Tu ne savais pas plus que moi, à l'époque, que c'était un imposteur, répliqua-t-elle, tristement.

— Je n'arrive pas à comprendre pourquoi il vous a recueillie et protégée s'il avait l'intention de vous tuer.

— Il est impossible de lire ses pensées.

— Je serai votre protecteur, désormais, promit-il. Je vous en prie, ne quittez pas le château jusqu'à mon retour.

— Je ferai ce que tu me demandes.

Wellan s'avança et tendit la main à sa bonne amie. Jahonne embrassa Sage sur le front, puis laissa le grand chef l'aider à se lever.

— Devons-nous prendre les chevaux ? voulut savoir le porteur de lumière qui se faisait discret dans l'ombre de son maître.

— Non, Lassa. Nous ne serons pas partis suffisamment longtemps.

Le Chevalier créa son vortex et demanda à son apprenti de l'y précéder, question de ne pas le perdre de vue. Dès qu'ils eurent disparu, Kira se tourna vers Keiko.

– À l'entraînement, mademoiselle, exigea-t-elle.

L'adolescente aux longs cheveux noirs poussa un cri de joie.

26

UN CHEF INDÉCIS

La cour du Château d'Émeraude bourdonnait d'activité. Ayant perdu une bonne partie de leurs récoltes, les Émériens s'étaient tournés vers leurs voisins pour obtenir de la nourriture. Des paysans de Jade et de Diamant faisaient donc entrer leurs charrettes chargées de fruits et de légumes dans la forteresse. Les cuisinières quittaient momentanément le palais pour inspecter leur marchandise, car elles ne choisissaient que les meilleurs aliments pour les habitants de la forteresse. Quant à elles, les couturières exploraient les montagnes de tissus que des marchands avaient rapportés de leur pays. Parmi tout ce beau monde, les serviteurs puisaient de l'eau dans le puits et les palefreniers entraînaient les jeunes chevaux qui deviendraient un jour les montures des élèves. Il était difficile de croire, en contemplant ce tableau animé, que le continent était en guerre.

Jahonne s'accrocha au bras de Wellan dès sa sortie du maelström. Elle ne connaissait pas les coutumes des humains, ayant passé toute sa vie dans une immense caverne, comme les autres hybrides. Le grand Chevalier lui avait brièvement parlé de son monde, mais il s'était surtout montré curieux au sujet du sien.

– Bienvenue à Émeraude, lui dit Wellan.

Jahonne força un sourire, pour se montrer brave.

– C'est ici que vivait mon fils ?

– Dans ce bâtiment là-bas, indiqua le Chevalier en le pointant du doigt. C'est le palais du roi. Sage ayant épousé la pupille d'Émeraude Ier, il a reçu le privilège d'y loger avec elle.

– Tout cela est si étrange.

– J'ai pensé la même chose en mettant le pied à Alombria, répliqua moqueusement Wellan.

Silencieux et attentif, Lassa les écoutait. C'était, à son avis, la meilleure façon de devenir lui-même un adulte, un jour.

– C'est également ici que tu as grandi, n'est-ce pas ? voulut savoir Jahonne.

– Je suis arrivé dans cette cour à l'âge de cinq ans, afin de recevoir l'enseignement du magicien Élund et des gardes du roi, l'informa Wellan.

Il la laissa promener son regard sur toutes les constructions, puis l'incita doucement à le suivre vers le porche du palais. Elle grimpa les marches en contemplant les portes ouvrées en bois vert.

– Tu crois vraiment que ces gens voudront de moi ? s'inquiéta-t-elle.

– Kira a vécu ici, lui rappela le soldat. Tout le monde est habitué à la couleur de sa peau. En fait, ce que tu risques le plus, c'est qu'on te prenne pour elle.

Il poussa l'une des portes et laissa Jahonne entrer dans le vestibule. Lassa se faufila derrière eux. Ils gravirent l'escalier jusqu'à l'étage des appartements royaux. Wellan frappa à l'entrée de celui de la Princesse des Elfes. Amayelle leur ouvrit et parut d'abord surprise de voir le grand chef en compagnie de la femme mauve. Son visage passa aussitôt de l'étonnement à la frayeur.

– Que se passe-t-il ? s'alarma-t-elle, craignant qu'il ne soit arrivé malheur à Nogait.

– J'aimerais te confier une réfugiée, répondit calmement Wellan.

Amayelle sentit le soulagement traverser tout son corps.

– Une réfugiée ? répéta-t-elle.

– Je sais qu'elle ressemble à Kira, mais ce n'est pas elle.

– Entrez, je vous prie.

Ils suivirent l'Elfe jusqu'au salon où l'attendaient Wanda, Sanya et Catania. Leurs enfants jouaient ensemble sur un immense tapis de laine avec Ambre, l'apprentie de Wanda.

– Êtes-vous de retour ? espéra Wanda.

– Non, soupira Wellan. Je reconduis Jahonne à Émeraude et je viens chercher des renseignements.

Les femmes étudièrent la nouvelle venue.

– Jahonne est la mère de Sage, expliqua le Chevalier. Nomar l'a longtemps retenue prisonnière.

– C'est celui qui est en réalité un dieu déchu ? paniqua Sanya.

– Vous n'avez rien à craindre. C'est à nous qu'il s'en prendra lorsqu'il s'apercevra qu'elle s'est enfuie.

« À moins que ne ce soit un geste délibéré », ne put s'empêcher de penser Wellan. Catania prit la main de Jahonne et l'emmena s'asseoir sur le confortable canapé du salon.

– Nous nous occuperons d'elle, assura l'épouse de Bergeau.

– Tu ne pouvais pas trouver un meilleur abri pour cette parente du couple princier, ajouta Amayelle.

– Merci, s'égaya Wellan.

Il fit demi-tour, laissant l'hybride entre bonnes mains. Avant d'obliquer vers la bibliothèque, il voulait s'assurer que Derek se portait bien. Lassa sortit en refermant la porte des appartements d'Amayelle.

– Je suis Catania, se présenta la paysanne à la longue chevelure rousse. Mon mari est le Chevalier Bergeau.

– Le mien, c'est le Chevalier Jasson. Je m'appelle Sanya. Catania et moi habitions des fermes qui ont été incendiées lors d'une attaque.

Le monde de Jahonne avait aussi été détruit par le feu. Elle comprenait ce que ces femmes ressentaient.

– Moi, c'est Wanda, annonça celle qui portait ses cheveux noirs très courts. Mon époux est le Chevalier Falcon, mais je sers aussi l'Ordre en tant que soldat. Je suis restée au château pour soigner notre petit garçon.

Jahonne vit que l'enfant n'avait qu'un seul bras. Cependant, cela ne l'empêchait pas d'avoir autant de plaisir que les autres au milieu de la horde de petites figurines de bois avec lesquelles ils jouaient.

– Et vous ? demanda l'hybride à la femme blonde.

– Je suis Amayelle, l'épouse du Chevalier Nogait.

– Vos oreilles ressemblent aux miennes, s'étonna Jahonne. J'ignorais que certains humains partageaient des traits physiques avec les rejetons de l'empereur.

– Je suis une Elfe, rectifia Amayelle. Mon peuple vit dans les forêts du nord. C'est d'ailleurs dans notre merveilleux royaume que j'ai rencontré mon mari.

Bientôt, les quatre femmes lui racontèrent leur vie. Jahonne se sentit acceptée par ces mères courageuses et elle leur ouvrit aussi son cœur.

Après un entretien rassurant avec Derek, Wellan se rendit à la bibliothèque. Lassa allait enfin voir comment il s'y prenait pour trouver les documents dont il avait besoin. Il n'était pas facile de suivre la foulée de ce géant. L'enfant fut presque tenté d'utiliser sa magie pour y parvenir. La vaste salle baignait dans la lumière du matin. Personne ne consultait ses ouvrages, à cette heure. Le Chevalier s'immobilisa à quelques pas de l'entrée. Les Écuyers ne pouvaient pas sonder leurs maîtres, mais l'expression sur le visage de Wellan était indéchiffrable. Lassa n'avait qu'un seul recours : il mit un genou en terre. Le grand Chevalier capta son geste.

– Qu'y a-t-il, mon petit ?

– J'aimerais vous venir en aide.

– Tu as déjà consulté les traités sur les insectes ?

Le jeune prince secoua la tête. « Après tout, il n'a que douze ans, se rappela Wellan. Il n'a pas eu le temps d'ouvrir tous ces ouvrages. »

– Dans ce cas, profites-en pour apprendre quelque chose, observa le Chevalier. C'est le rôle d'un maître d'enseigner tout ce qu'il sait à son apprenti.

Lassa le fixait avec de grands yeux avides de connaissance. Wellan lui expliqua le système de classement de la bibliothèque. Les livres de science étaient regroupés près des tables de travail. Le gamin s'y rendit avec lui.

– Chaque tablette contient des ouvrages sur le même sujet. Ici, on trouve les observations célestes et juste au-dessous, ce sont les cartes de géographie.

Les joues de l'Écuyer prirent une légère coloration rosée.

– Donc, tu connais déjà cette section, déduisit le Chevalier.

– J'ai déjà emprunté quelques-uns de ces livres.

– Pour quelle raison ?

– Pour mieux connaître le monde. Je voulais savoir où se situait l'empire d'Amecareth. J'ignorais que ces cartes se trouvaient tout près des textes d'entomologie.

– Il n'y a pas beaucoup de traités sur les sciences de la nature et c'est dommage.

Wellan les dégagea des autres livres et les posa sur une table. Avec délicatesse, il tourna les pages flétries.

– S'il n'y avait pas cette guerre, vous pourriez aider tous ceux qui visitent la bibliothèque à trouver ce qu'ils cherchent, fit remarquer Lassa.

– Si j'en avais l'occasion, je remettrais de l'ordre dans tous ces écrits et j'y ajouterais ceux que le Roi des Elfes garde précieusement chez lui. Tiens, voilà ce que nous voulons savoir.

L'apprenti parcourut rapidement les quelques lignes sur la vie des hannetons.

– Trois ans ! s'exclama-t-il, stupéfait. Ceux d'Irianeth sont mille fois plus gros ! Cela signifie-t-il qu'ils mettent plus de temps à se transformer ?

– Je serais tenté de dire oui, soupira Wellan.

– Il est vraiment dommage que personne ne nous ait laissé cette information.

– En effet.

Le porteur de lumière fronça les sourcils.

– Il y a de fortes chances pour que je n'affronte pas d'autres soldats impériaux avant longtemps, conclut-il.

– Cela me donnera le temps de faire de toi un guerrier.

Lassa baissa la tête, en proie à une grande incertitude.

– Tu connais pourtant l'issue de la prophétie, voulut le rassurer Wellan.

– Oui, mais j'ai du mal à y croire, maître. Il n'y a en moi aucun désir de détruire la vie, même celle de nos ennemis.

– Tu les laisserais tous nous tuer ?

– Je préférerais leur faire comprendre qu'ils doivent rester de l'autre côté de l'océan.

– Tu as pourtant vu tous les combattants impitoyables que l'empereur envoie sans cesse contre nous.

Le gamin soupira avec accablement.

– Tu seras plus vieux et bien entraîné lorsque viendra le temps pour toi de lui régler son compte.

– Vous serez à mes côtés ? s'étrangla l'enfant.

– Si les dieux me prêtent vie, oui, je serai là.

– C'est encourageant.

Wellan lui ébouriffa les cheveux avec affection. Il lui proposa d'aller rendre visite à Armène avant de retourner au campement de la rivière Mardall. Un large sourire éclaira le visage du porteur de lumière. Il précéda le Chevalier vers la sortie et s'arrêta net : le Roi d'Émeraude les attendait, appuyé contre le chambranle de pierre.

– Majesté, le salua Lassa en s'inclinant.

– Il me semble vous avoir dit quelque chose à ce sujet, répliqua Onyx.

– Je peux comprendre votre besoin de familiarité avec vos frères d'armes, intervint Wellan, mais Lassa est un Écuyer et notre code recommande à ces enfants de faire preuve de respect envers leurs aînés.

– Alors, je préférerais sire.

– Cela me paraît acceptable.

Lassa approuva d'un rapide hochement de tête.

– Puis-je vous parler seul ? s'enquit Onyx sur un ton insistant.

– Nos règles prescrivent aussi que les Chevaliers soient tenus de garder leurs Écuyers avec eux durant tout leur apprentissage.

– Envisagent-elles la préséance du vœu de leur monarque de s'entretenir en privé avec leurs maîtres ?

– Nous sommes les serviteurs des rois, dut reconnaître Wellan.

– Je peux visiter Mène seul, suggéra Lassa.

– Utilise ta magie, ordonna Wellan. Je ne veux pas qu'il t'arrive malheur en chemin.

– D'accord. Appelez-moi lorsque vous serez prêt à partir.

Lassa se dématérialisa en un clin d'œil.

– C'est une remarquable faculté qui lui serait d'un grand secours s'il pouvait l'utiliser quand il a peur, souligna Onyx.

– Vous voulez m'entretenir de ses pouvoirs ?

– Non, des vôtres.

Wellan arqua un sourcil, ce qui parut plaire à Onyx.

– Venez vous asseoir, le convia ce dernier. Cela pourrait durer un moment.

Ils prirent place à la table la plus éloignée de l'entrée, au cas où un étudiant viendrait chercher un livre. Onyx se laissa tomber sur le banc de bois en souriant. Le grand Chevalier ne cessait de s'étonner de l'attitude désinvolte de son nouveau roi.

– Lorsque vous vous êtes aventuré seul au Royaume des Ombres, c'était pour obtenir une plus grande magie, n'est-ce pas ? le questionna Onyx.

– Je voulais devenir maître magicien, mais j'ai appris depuis qu'il s'agit d'un cadeau que les dieux font à un homme à sa naissance.

Le monarque le fixait maintenant avec un air intéressé.

– Vous connaissez l'histoire de Danalieth ? poursuivit-il.

– Je l'ai lue dans un livre de mythologie, autrefois.

– Donc, vous savez qu'il a fabriqué de terribles armes.

– Mon fils m'en a glissé un mot.

— Désirez-vous toujours cette puissance ? le tenta le renégat.

— Pas si je dois vendre mon âme pour l'obtenir.

— Vous croyez que ces instruments divins nous prennent en otage ?

Onyx posa la main sur la table. Wellan baissa les yeux sur la griffe argentée qui recouvrait tout son majeur. La petite tête du dragon métallique se tourna vers lui et lui montra les crocs.

— Regardez-la bien, exigea le souverain. Elle possède suffisamment d'énergie pour anéantir un dieu. Imaginez ce qu'elle ferait à Amecareth...

— Êtes-vous en train de m'offrir une telle arme ?

— Je peux vous accorder ce que vous avez toujours souhaité.

— Mais vous ne pouvez même plus retirer cette bague ensorcelée ! protesta le Chevalier.

— Pourquoi voudrais-je m'en séparer ?

— Parce qu'une fois la menace écartée, elle ne vous servira plus.

— Vous croyez vraiment que l'empereur est notre seul ennemi ?

Wellan se mordit la lèvre inférieure. Toute sa vie, il avait cherché des moyens de sauver l'humanité. Il avait harcelé le Magicien de Cristal pour obtenir des pouvoirs plus vastes.

À la suite de l'enlèvement de ce dernier par Akuretari, Wellan avait perdu tout espoir de repousser lui-même les forces d'Amecareth.

– Vous avez une famille, comme moi, le pressa Onyx. Que donneriez-vous pour sauver la vie de votre femme et de votre fille ?

Le grand chef se leva et fit quelques pas dans la pièce, déchiré entre son besoin de puissance et sa loyauté envers le code.

– Je ne comprends pas votre indécision, Wellan. Lorsque Kevin a été enlevé par les hommes-insectes, vous n'avez pas hésité une seconde à vous précipiter à son secours. Aujourd'hui, je vous donne la chance de soustraire tous vos hommes à une mort certaine et vous restez muet ?

– Ce n'est pas si simple que ça.

– Dans la vie, tout est noir ou blanc. Il n'y a pas de zone grise. Le choix est pourtant facile entre la vie et la mort.

Onyx lui donna encore quelques secondes pour se décider.

– Très bien, soupira-t-il. Retournez sur les berges de la rivière pour y attendre que les scarabées ressortent de terre. Quand vous aurez pris une décision, faites-le-moi savoir.

Le Roi d'Émeraude se volatilisa, laissant le Chevalier en proie à la plus cruelle incertitude. Alors, Wellan fit ce qu'il faisait toujours dans ses instants de doute : il se rendit à la chapelle. Il déposa ses armes à l'entrée du lieu sacré et se prosterna devant la statue de Theandras.

– Ô déesse bien-aimée, j'ai besoin de votre soutien. Je sais fort bien que les dieux ont condamné Danalieth lorsqu'ils ont appris ce qu'il avait fait. Je n'ignore pas qu'ils ont caché ce qu'il avait créé. Subirai-je le même sort si je m'en sers pour sauver les miens ?

Les yeux de grenat de la divinité semblaient le fixer avec indulgence. Theandras avait une fille, sa fille ! Elle comprendrait sûrement qu'un parent devait parfois défier le ciel pour assurer un avenir à ses enfants. Lorsque Wellan quitta enfin le temple, il avait pris sa décision. Il utilisa ses sens magiques pour retrouver Onyx : il se reposait dans ses nouveaux appartements. Le Chevalier grimpa l'escalier en vitesse. Il fut étonné de ne pas trouver de serviteurs devant l'entrée. Les portes s'ouvrirent comme par enchantement. Il pénétra dans les quartiers du roi. Onyx était assis dans un fauteuil de velours rouge, les pieds relevés sur un tabouret duveteux.

– Je n'ai pas vraiment besoin de gardes, expliqua-t-il en apercevant l'interrogation sur le visage du soldat.

– Vous êtes en train de changer tout le protocole, on dirait.

– N'est-ce pas le privilège accordé à celui qui accepte la couronne ?

– Sans doute...

– Vous n'êtes sûrement pas venu ici pour me parler des conventions.

Onyx sentit le grand chef rassembler son courage.

– Parlez-moi de cette arme que vous voulez souder à mon doigt, le pria Wellan.

– En réalité, il ne s'agit pas d'une griffe. Danalieth ne fabriquait jamais deux fois le même bijou. Si vous acceptiez ce merveilleux présent, ce pourrait être les spirales enflammées ou les bracelets de foudre.

– Je n'en ai jamais entendu parler.

– Alors, laissez-moi vous instruire.

Une reproduction diaphane du premier instrument de pouvoir apparut entre Onyx et le Chevalier. Il s'agissait d'une boîte apparemment métallique de bonne dimension. Deux tourbillons incandescents étaient sculptés sur ses côtés.

– Voici les spirales. Elles sont encore plus terribles que ma griffe, car on les porte aux deux mains.

– Comment les acquiert-on ? voulut savoir Wellan.

– Il suffit de retrouver le coffre et d'appliquer les paumes sur les glyphes.

– J'imagine que vous connaissez déjà son emplacement ?

– Je crois avoir réuni tous les morceaux du casse-tête, en effet.

L'image se transforma brusquement. Deux bracelets, semblables à ceux qu'on passait jadis aux prisonniers, remplacèrent la première arme.

– Tout comme la griffe et les spirales, une fois qu'on referme les bracelets, on ne peut plus les enlever. Je n'ai pas encore réussi à les repérer, mais je sais qu'ils existent.

Wellan était fasciné par cette découverte. Onyx savait qu'il le tenait.

– On ne peut obtenir ces merveilles qu'à certaines époques de l'année et, par le plus grand des hasards, elles seront vulnérables ce soir.

– En admettant que je puisse m'emparer de ces spirales, serai-je en mesure de les utiliser ?

– J'ai lu le manuel des Elfes à ce sujet. Je vous enseignerai ce que je sais.

Le Chevalier hocha doucement la tête, captivé par les anneaux qui flottaient devant ses yeux.

27

UN PRINCE CURIEUX

Au campement, Bridgess divisa les groupes entre les territoires infestés le long de la rivière. Tous les commandants se plièrent à ses ordres. Ils surveilleraient magiquement le sol jusqu'à ce que Wellan en apprenne davantage sur le cycle de croissance des larves d'Irianeth. Les Chevaliers se préparèrent à partir. Bridgess se fit un devoir de saluer son père et son frère avant qu'ils ne se mettent en route pour la forteresse de Perle. Elle capta tout de suite la fierté qui brillait dans les yeux de Giller.

– Je vous souhaite un retour sans incident, fit la femme Chevalier.

– Ta mère aurait aimé te voir dans cet uniforme.

– Elle aura ce plaisir lorsque nous nous reverrons sur les grandes plaines de lumière.

– Je suis content d'avoir enfin rencontré ma petite-fille, mais aussi fâché que vous ne me l'ayez pas présentée plus tôt.

– Lorsqu'elle était petite, nous étions presque continuel-lement attaqués sur la côte. Puis, elle a commencé à étudier auprès des magiciens à Émeraude. Wellan et moi savions que nous finirions par traverser votre royaume avec elle dès qu'elle serait Écuyer. Alors, nous avons attendu.

– Elle est magnifique, comme toi.

Bridgess fit un effort surhumain pour dissimuler sa tristesse à son père. Elle ne voulait pour rien au monde ternir le bonheur qui rayonnait sur le visage du monarque. Wellan avait accepté de révéler l'identité de Jenifael aux Chevaliers et aux apprentis. Il n'avait rien dit au reste des habitants d'Enkidiev.

Dans un rare geste de tendresse, le Roi de Perle attira sa fille dans ses bras et l'étreignit.

– Mes soldats seront toujours à votre disposition, chuchota-t-il à son oreille.

– Nous vous en sommes infiniment reconnaissants.

Un peu plus loin, le jeune Prince Xavier circulait parmi les Écuyers, occupés à ranger leurs affaires et celles de leurs maîtres. Le gamin aux boucles brunes, dont le maître portait un bandeau, avait retenu son attention. À la lumière du jour, ce Chevalier ne pouvait rien faire sans son apprenti.

– Vous partez aussi ? s'enquit le petit personnage royal.

– Lady Bridgess nous a demandé de patrouiller la portion du Royaume des Elfes qui touche à cette rivière, répondit Liam. Venez-vous avec nous ?

– Non. Il faut que je rentre chez moi avec l'armée.

– Ce doit être formidable de passer autant de temps avec son père.

– Et terrible de ne jamais voir le sien, déplora Xavier.

– Je le vois de temps en temps, quand nous retournons tous au château, ou lorsque mon maître est en mission avec son groupe. Mais il ne peut pas passer beaucoup de temps avec moi, parce qu'il a un Écuyer à former, lui aussi.

– Donc, c'est ce Chevalier aveugle qui le remplace, en quelque sorte.

Il pointait du doigt Kevin, assis au pied d'un arbre, les yeux bandés.

– D'une certaine façon. Il me donne beaucoup de conseils et il me rassure quand j'ai des doutes. Il répond à toutes mes questions avec franchise.

– J'aurais aimé naître avec des pouvoirs magiques. Je serais Écuyer aujourd'hui et je vous suivrais dans toutes vos aventures.

– Il est important que les Chevaliers aient aussi de bons rois à servir ! protesta Liam. Oh non... Je parle comme Jenifael !

Xavier la chercha du regard et la trouva près de son maître, la fougueuse Swan. Elles bavardaient en entassant leurs affaires dans les sacoches de cuir, mais il ne pouvait pas entendre ce qu'elles disaient.

– Il est bien malheureux qu'elle soit ma nièce, soupira le prince.

– Pourquoi ? s'étonna Liam.

– Parce que je l'épouserais dans quelques années.

– Jeni ?

– Elle a déjà toutes les qualités d'une bonne reine, au dire de mes aînés.

– Avec les parents qu'elle a, c'est juste normal.

– Bridgess m'a expliqué que d'autres apprentis avaient des parents de sang royal, mais leur comportement ne ressemble pas à celui de Jenifael. Elle est différente.

Liam faillit lui avouer qu'elle était en réalité une déesse. Il retint sa langue à temps.

– J'aimerais que nous demeurions amis, même lorsque j'aurai remplacé mon père sur le trône de Perle, déclara Xavier en se tournant vers Liam.

– Moi aussi.

Le prince tendit les bras et Liam les serra à la façon des Chevaliers. Xavier poursuivit sa route vers les soldats qui grimpaient maintenant en selle. Intrigué par ces commentaires, Liam observa Jenifael pendant un moment, sans lui trouver un air particulier. Il aurait bien aimé que Lassa soit resté au campement pour lui demander ce qu'il en pensait.

– Liam, qu'est-ce que tu fais ? s'inquiéta Kevin.

L'Écuyer s'empressa de le rejoindre. Le Chevalier avait pris l'habitude de tendre la main lorsqu'il cherchait l'enfant qu'on lui avait confié. Liam serra ses doigts.

– J'ai sellé les chevaux et rangé nos effets, annonça-t-il.

Il posa la main de son maître sur les sacoches. Kevin les palpa avec satisfaction.

– Vous savez bien que je ne m'éloigne jamais, le réconforta l'enfant. De toute façon, Virgith et Pietmah me ramèneraient tout de suite vers vous. Êtes-vous prêt ?

Kevin se leva en s'accrochant au tronc de l'arbre. Il se laissa guider par son apprenti jusqu'à la clairière où on avait laissé brouter les chevaux. Leurs montures s'approchèrent en gazouillant, ravies de partir en mission. Virgith frotta ses naseaux dans les cheveux sombres du Chevalier.

– Votre odorat nous sera très précieux, déclara ce dernier en le caressant.

– Même si les insectes sont endormis ? s'étonna Liam.

– Cela ne change rien à leur odeur. Les Chevaliers et les Écuyers ne détectent l'ennemi que lorsqu'il est en mouvement. Nos chevaux-dragons se servent de sens différents.

– Je vois.

Kevin trouva la selle en glissant la main sur la douce robe de son destrier. Liam attendit qu'il soit grimpé sur Virgith avant de mettre le pied dans l'étrier. L'apprenti fit avancer Pietmah vers le vortex que Falcon venait de créer. Il savait que le cheval-dragon de son maître le suivrait.

28

RÉVÉLATIONS

Dylan traversa son monde à la hâte. Il longea les marches blanches qui menaient au palais des dieux. Ce n'était pas l'unique accès à leur univers. Theandras lui avait montré un sentier oublié, derrière une immense roseraie. Le jeune Immortel sauta sur les pierres colorées qui s'allumaient chaque fois que ses pieds s'y posaient. Il s'arrêta sur le bord d'un ruisseau argenté. Seuls ceux qui connaissaient le mot de passe pouvaient le franchir.

– Wellan de Rubis, murmura-t-il.

Un pont de verre s'étira vers Dylan. Il toucha le sol et l'adolescent s'élança. Lorsque Parandar ne réclamait pas la présence de ses sujets célestes, Theandras se retirait dans une île perpétuellement enveloppée de brouillard. À ses premières visites, l'Immortel avait tourné en rond dans la vapeur. Depuis, il avait appris à reconnaître les différents layons qui conduisaient au pavillon enflammé de la déesse.

Dylan ressentit de la chaleur sur son visage et comprit qu'il approchait. Il traversa une dernière nappe de brume. La rotonde reposait sur un monticule rocheux. De longs voiles incarnats flottaient au vent, masquant l'intérieur de l'édifice. L'adolescent escalada les gros blocs de pierre en organisant ses pensées. Il souleva l'un des rideaux translucides avec déférence.

– Entre, Dylan, l'invita la voix chaude de sa protectrice.

Il pénétra dans le repaire secret de la maîtresse du feu. Elle était assise sur un confortable canapé doré, entourée de longues flammes dansantes. L'Immortel hésita.

– Tu sais bien qu'elles ne te feront aucun mal.

Dylan ferma les yeux et se retrouva devant Theandras. Il la connaissait depuis sa plus tendre enfance, mais il continuait de s'émerveiller devant sa beauté. La longue chevelure noire de la déesse était animée par des langues de feu. Ses vêtements ignés créaient une aura lumineuse autour d'elle. Theandras capta l'admiration dans les yeux pâles de l'adolescent. Un sourire s'étira sur ses lèvres.

– On dirait toujours que tu me voies pour la première fois, se moqua-t-elle.

– C'est presque vrai, car vous êtes de plus en plus belle.

– Approche, petit enjôleur. Je sens que tu as beaucoup de choses à me dire.

Il prit place près d'elle, sans que les flammes l'importunent.

– Quelles nouvelles m'apportes-tu ?

– C'est votre frère qui a enlevé Abnar, révéla Dylan.

La lumière émanant de la déesse devint éclatante : elle était en colère.

– En es-tu certain ? demanda-t-elle, au bout d'un moment.

– Absolument certain. Il avait aussi ravi une femme hybride, comme Kira, et un petit enfant. Ils se sont échappés grâce à un mystérieux vortex venu de nulle part. Les Chevaliers ont pensé que vous étiez intervenue.

– Tu sais bien que Parandar ne me permet d'aider que Wellan.

– Oui, et je leur ai dit que ce ne pouvait être vous.

– À moins d'attirer Akuretari jusqu'ici, je ne pourrai pas le capturer dans le monde physique. Le seul qui pourrait le faire, c'est Parandar. Cependant, son courroux serait si grand, qu'il détruirait tout sur son passage pour reprendre cet abruti. Ni toi, ni moi ne voulons que l'univers de ton père disparaisse.

– C'est sûr !

– Je trouverai une façon de le forcer à revenir ici.

– Si quelqu'un peut le faire, c'est vous, déesse. Mais il y a plus encore.

Theandras posa ses yeux ardents sur l'Immortel.

– Il s'est produit plusieurs événements surnaturels que les Chevaliers ne comprennent pas, l'informa Dylan. Le seul être magique qui pourrait en être l'auteur, c'est Abnar. Malheureusement, il est retenu prisonnier. Pourriez-vous m'aider à découvrir ce bienfaiteur ?

– Connais-tu les circonstances de ses interventions ?

– Deux fois, il a été question de vortex qui ont sauvé des vies et la troisième, il a pris la forme d'une jeune fille ou il a envoyé une jeune fille prévenir des soldats que les Chevaliers avaient besoin d'eux.

– Très peu de mages ont le pouvoir de changer leur apparence, en effet.

– Pourrait-il y avoir un autre Immortel à Enkidiev ?

– Non. Je le saurais si Parandar en avait créé un autre.

La déesse demeura silencieuse un moment.

– Tu es encore bien jeune pour apprendre à explorer tout un continent avec ton esprit, mais je crois que la situation l'exige.

– Je suis d'accord.

Au risque d'être réprimandée par tous les professeurs de l'adolescent, Theandras enseigna à Dylan à laisser son esprit s'échapper de son corps lumineux, afin de sonder un territoire plus grand. Elle l'avertit, cependant, qu'il ne devait commencer cette recherche qu'à partir d'un lieu chargé d'énergie.

– Comme la Montagne de Cristal ?

– C'est le meilleur endroit sur Enkidiev.

Elle lui fit aussi promettre de ne pas abuser de ce nouveau pouvoir qui le rendrait temporairement très faible. Dylan affirma qu'il ne l'utiliserait qu'une fois, pour repérer le mystérieux sauveur.

– Que dois-je dire aux Chevaliers au sujet de votre frère ? voulut savoir l'Immortel.

– Dis-leur de s'écarter de sa route jusqu'à ce que je trouve une façon de l'éliminer. Ils doivent d'ailleurs déjà savoir que seul un dieu peut s'attaquer à un autre dieu.

Le visage de Theandras redevint souriant tandis qu'elle se penchait sur Dylan pour l'embrasser sur le front.

– Fais bien attention à toi, jeune aventurier.

– Je suis différent des autres Immortels, n'est-ce pas, déesse ?

– Tu es unique, Dylan. Nous aurions dû nous en douter quand nous avons choisi ton père. Personnellement, je suis bien contente que tu te distingues de tes semblables.

– Serai-je toujours sous votre protection ?

– Éternellement.

Radieux, l'adolescent de lumière se leva afin de se courber devant elle, comme le voulait la coutume. Theandras ne l'exigeait jamais de lui, mais elle se réjouit de son geste. Dylan sauta dans les flammes. On lui avait confié une mission et il s'en acquitterait avec la même diligence que son père achevait les siennes. De plus, ce n'était pas une expédition dangereuse, puisqu'il était à la recherche d'une créature bienfaisante.

Il retourna dans le monde des Immortels sans s'arrêter. Du bout des doigts, il souleva le petit éclair de cristal dans son cou. Il ne brillait pas : il pourrait donc se permettre de rester plus longtemps chez les humains. Il ferma les yeux et se volatilisa. Tout comme il l'avait désiré, il se matérialisa sur un pan rocheux de la Montagne de Cristal. Il avait souvent contemplé ce pic majestueux qu'on pouvait voir de tous les royaumes. C'était la première fois qu'il l'explorait. Utilisant la sensibilité de ses mains, il chercha l'entrée de la grotte d'Abnar.

– Un peu plus haut, constata-t-il.

Dylan décida d'utiliser un autre de ses pouvoirs : la lévitation. Il fonctionnait à merveille dans son univers, mais que se passerait-il dans le monde de son père ? Il se concentra. Ses pieds cessèrent de toucher le roc. Il s'éleva avec la légèreté d'une plume pour finalement atteindre un plateau recouvert de neige. L'énergie de la montagne l'enveloppa instantanément.

– Je ne suis même pas à l'intérieur et, déjà, je sens mon énergie décupler, se réjouit-il.

Il rappela aussitôt à son esprit les directives de la déesse. Il s'appuya le dos contre la pierre, question de protéger son corps durant l'exploration. Il canalisa sa force sur son esprit et le sentit décoller comme un aigle. Tout à coup, il volait dans le ciel sans faire d'efforts. Le paysage était différent. Au lieu de voir les vertes forêts et les eaux bleues des rivières, tout était en noir et blanc. Theandras lui avait dit que les créatures magiques se détachaient des autres en raison de leur essence divine. Il parcourut Enkidiev vers le sud, puis remonta vers le nord. C'est alors qu'il avisa deux points très lumineux dans ce panorama incolore. « Cet être ne travaille pas seul ! » nota-t-il. Il fonça sur la créature magique avec la témérité d'un Chevalier.

En approchant de la lumière, il reconnut l'un des deux phares étincelants : c'était lui ! L'autre se trouvait à quelques pas à peine, sur l'autre versant de la montagne ! Dylan réintégra brusquement son corps et ouvrit les yeux. Il contourna lentement la façade pierreuse et aperçut le mage qu'il cherchait. Il avait cru qu'il s'agirait d'un vieillard versé dans les procédés occultes. Quelle ne fut pas sa surprise de trouver une jeune fille, d'à peine seize ou dix-sept ans, à l'entrée de la caverne ! Sa silhouette élancée rappelait celle des Elfes ou des Fées. Ses cheveux noirs dépassaient à peine ses épaules. Puisqu'elle était face à la paroi grisâtre, le jeune Immortel ne pouvait pas voir son visage.

– Pardonnez-moi..., commença l'adolescent.

L'étrangère fit volte-face. Se croyant en danger, elle leva les poignets. Ses bracelets devinrent étincelants. Dylan ressentit aussitôt une terrible douleur à l'abdomen.

– Arrêtez ! implora-t-il. Je ne vous veux aucun mal !

L'inconnue baissa les bras et la lumière s'estompa. L'adolescent tomba sur ses genoux, soudain très faible.

– Qui es-tu et pourquoi es-tu sur cette montagne ? l'interrogea-t-elle.

« Sa voix est humaine », remarqua Dylan. Il lui restait tout juste assez de force pour la sonder. Elle ne sembla pas capter son geste, ou si elle le fit, elle ne s'en offusqua pas.

– Je t'ai posé une question, Immortel.

– Je suis Dylan..., haleta-t-il en serrant les bras autour de son ventre.

– Si tu retournes chez toi, je t'épargnerai, poursuivit-elle.

Ses yeux étaient de la couleur de l'océan. Ils brillaient de défi.

— Je veux connaître votre nom, la pria-t-il.

— Il ne te serait d'aucun secours.

— Dites-moi au moins pourquoi vous êtes ici ?

— Pour que tu en informes tes maîtres ?

— Ils ont le droit de savoir ce qui se passe dans ce monde créé par Parandar.

— Si je te le dis, je devrai te tuer.

Dylan était si surpris par sa réponse qu'il demeura muet.

— Tu ne me crois pas ? menaça la jeune fille.

Elle s'appelait Dinath, mais elle n'allait certainement pas le dire à ce jeune espion. Rien ne l'empêcherait de s'emparer de l'objet que convoitait son père.

— Et si je promettais de me taire ? insista l'Immortel.

— Je répondrai à tes questions si tu réponds d'abord aux miennes.

— Cela me paraît équitable.

— Dis-moi ce que tu viens faire ici.

— J'avais besoin d'un lieu de pouvoir pour effectuer une recherche pour mon père, avoua-t-il.

– De qui es-tu le fils ?

– Du Chevalier Wellan d'Émeraude.

Sa réponse sembla la déconcerter. Si elle connaissait les Immortels, elle devait certainement savoir qu'ils avaient un géniteur mortel. Dylan profita de son hésitation pour l'étudier davantage. Elle portait une curieuse tunique de soie dorée, très seyante, rappelant celles que tissaient les Jadoises.

– Que cherche-t-il ? poursuivit Dinath en reprenant sa contenance.

– Il aimerait remercier la créature magique qui est venue en aide à certaines femmes de sa connaissance et à ses hommes qui étaient menacés par les larves des hommes-insectes sur les berges de la rivière Mardall.

Le frémissement de ses sourcils noirs fit comprendre à Dylan qu'elle était au courant de ces événements.

– Dis-lui qu'il finira bien par la rencontrer, rétorqua-t-elle en se durcissant.

– Pourquoi êtes-vous si méfiante ? Vous voyez bien que mes intentions sont pures.

– Ce n'est pas toi que je crains. Je t'en conjure, disparais et oublie que tu m'as vue.

– Même si j'essayais, je n'y parviendrais pas, déplora Dylan. Je ne sais pas ce que vous m'avez fait, mais je suis incapable de faire appel à mes facultés magiques.

Dinath baissa les yeux sur ses bracelets. Elle savait qu'ils étaient puissants, mais c'était la première fois qu'elle les utilisait contre un être immortel.

– Tu n'avais qu'à ne pas me surprendre, déclara-t-elle en se donnant un air supérieur.

Son père avait exigé que personne ne soit témoin de son larcin. « Comment me débarrasser de ce gêneur ? » se demanda-t-elle. Elle aurait pu le balancer dans le vide. Cependant, une partie d'elle-même refusait de commettre un acte aussi répréhensible.

– Es-tu capable de te traîner de l'autre côté de la montagne ? s'enquit-elle.

– Vous n'avez pas encore répondu à mes questions. À moins que vous ne soyez une personne qui ne sache pas tenir parole...

Dinath soupira avec agacement, geste qui n'échappa pas à l'Immortel. Il l'empêchait de faire quelque chose et le temps lui semblait compté.

– Je veux connaître votre nom.

– Je m'appelle Dinath, révéla-t-elle, persuadée qu'il l'oublierait dès qu'elle se serait délivrée de lui.

– Dinath..., répéta Dylan, intrigué. Dans le langage des Elfes, cela signifie « dernier espoir ».

– Si tu sais tout, pourquoi m'interroger ?

– J'ignore toujours ce que vous êtes venue faire ici.

– On m'a confié une mission secrète.

– Seuls les Immortels peuvent pénétrer dans cette montagne. Êtes-vous une voleuse ?

– Non ! s'écria-t-elle.

Sa voix se répercuta sur le roc. Dinath se reprocha son imprudence. Maintenant, tous ceux qui vivaient au pied du pic majestueux savaient qu'elle était là.

– Je ne peux pas t'expliquer pourquoi je dois pénétrer dans cette caverne, se fâcha-t-elle. J'ai juré de ne le dire à personne. Maintenant, va-t'en.

Un cri strident résonna dans la montagne. Les deux jeunes gens levèrent les yeux vers le ciel.

– Qu'est-ce que c'est ? s'alarma Dinath.

Une ombre passa au-dessus d'eux.

– Un dragon ! annonça Dylan.

Théoriquement, un Immortel n'avait pas de corps. Il ne pouvait pas être blessé par un monstre comme celui-là. Les demi-dieux n'étaient pas censés souffrir non plus, et Dylan continuait de ressentir une terrible douleur au ventre. L'intervention de Dinath l'avait-elle rendu partiellement mortel ? Ce n'était pas le moment de se poser la question. Le dragon les avait repérés.

– Vos bracelets peuvent-ils nous défendre contre cette bête ? s'enquit l'adolescent en rampant vers la jeune fille.

– Ils n'agissent que contre les créatures magiques, lui apprit-elle.

Aucune anfractuosité sur ce plateau n'était assez grande pour s'y cacher. Dylan tenta de rassembler ses forces : il ne lui en restait pas suffisamment pour se dématérialiser, encore moins pour emmener Dinath avec lui. Le monstre fit un arc-de-cercle et descendit en piqué. Tandis que l'adolescent de lumière observait la scène avec des yeux remplis d'horreur, Dinath se retourna et appuya les paumes sur la paroi grise. Elle prononça, en bredouillant, les paroles sacrées que lui avait enseignées son père.

Dylan s'écarta à la dernière minute. Les griffes de la bête arrachèrent une partie de la saillie. Cet échec ne la découragea pas pour autant. En battant des ailes, elle effectua un crochet et revint à la charge.

– Attention ! hurla Dylan.

Au moment où le dragon allait enfoncer ses crocs menaçants dans le dos de Dinath, le jeune Immortel fit ce que Wellan aurait fait. Il se précipita entre la bête et sa proie. L'œil vif du monstre volant capta le mouvement. Il rétracta son long cou, se servant plutôt de ses pattes pour attraper son repas. Dylan fut soulevé de terre. Cette fois, il en était certain : Dinath lui avait jeté un sort qui l'avait solidifié.

La bête l'emporta vers l'est, en direction des volcans. L'adolescent de lumière remarqua tout de suite que plus il s'éloignait de Dinath, plus il reprenait des forces. Lorsqu'il se sentit redevenu lui-même, il ferma les yeux et se dématérialisa. Juste à temps, d'ailleurs, le petit éclair dans son cou avait commencé à scintiller.

29

Le Larcin

Dinath n'était pas une froussarde, loin de là. Elle avait affronté bien des dangers pour atteindre la Montagne de Cristal. Ce pic enneigé dominait Enkidiev. Tout le monde pouvait le voir, peu importe son pays d'origine. Jamais la jeune fille n'avait pensé qu'un jour, elle serait forcée de l'escalader.

Elle ne connaissait pas l'Immortel qui avait voulu l'empêcher d'accomplir son importante mission. Cela n'avait plus aucune importance. Elle ne laisserait personne l'arrêter. De toute façon, le dragon ne pourrait pas dévorer une créature qui n'était qu'une illusion. « Il est préférable que ce soit lui plutôt que moi », pensa Dinath en franchissant le mur de pierre à la façon d'un fantôme. Elle se retrouva dans l'obscurité totale. Dominant ses appréhensions, elle se rappela les directives de son père et sortit la pierre logée dans sa ceinture. Elle prononça les mots magiques. Une intense lumière jaillit dans sa main. Le spectacle qui s'offrit alors à la jeune fille lui coupa le souffle.

L'antre d'Abnar était entièrement tapissé de cristal, même le plancher. Il occupait tout l'intérieur de la crête rocheuse. Même si elle était vaste, la caverne ne renfermait cependant que peu de choses. Dinath avait cru y découvrir de nombreux trésors ou du moins d'inestimables documents. La sobriété de l'endroit était déconcertante.

Tenant la pierre lumineuse devant elle, Dinath avança prudemment vers ce qui semblait être un grand autel adossé à la paroi lumineuse. Elle capta bientôt le doux clapotis de l'eau divine. La source sacrée coulait dans une rainure sur la table de verre et tombait dans un grand récipient transparent. On disait que les Immortels ne se nourrissaient que de cette sève en provenance des étoiles. Ce serait un beau cadeau pour un demi-dieu en exil qui n'y avait pas goûté depuis des centaines d'années... Dinath détacha sa gourde et la remplit du liquide précieux.

– Je ne dois pas me laisser détourner de ma quête, se rappela-t-elle.

Sa voix se répercuta sur les murs, comme si une bande de perroquets s'amusaient à l'imiter. Mais elle n'était pas là pour jouer. Avec prudence, elle grimpa sur le monument qui semblait fait de glace. Tout comme son père l'avait prévu, il était chargé de nombreux objets hétéroclites : petits coffres, livres anciens, bijoux, parchemins attachés avec des cordelettes en or et, sur un coussin bleu de mer, ce qu'elle était venue chercher : l'anneau ensorcelé.

– Qui va là ? demanda une voix perçante.

Dinath se crispa, certaine que les dieux venaient de la repérer et qu'ils puniraient ce sacrilège par la mort. Elle s'empara du jonc pour le plonger dans un petit sac de toile qu'elle attacha solidement à sa ceinture.

– On ne nous répond pas.

— Il ne s'agit pas du maître, nota une voix différente.

Dinath descendit de l'autel en scrutant tous les coins de la grotte. Il n'y avait pourtant personne.

— Qui êtes-vous ? osa-t-elle enfin demander.

— Nous sommes les gardiens de ce sanctuaire. Personne ne peut y entrer sauf celui qui l'a créé.

— Je ne peux prendre au sérieux les paroles de créatures que je ne vois pas, rétorqua Dinath.

Deux bêtes phosphorescentes s'allumèrent dans l'obscurité. Elles ressemblaient à de petits dragons, pas plus hauts qu'une poule. Elles marchaient sur quatre pattes, sans faire de bruit, leurs ailes repliées sur leur dos.

— Tu ne connais pas les sentinelles ? s'étonna l'une d'elles.

— Je n'en ai jamais entendu parler, avoua Dinath.

Les deux dragons échangèrent un regard étonné. Ils continuèrent d'avancer vers l'intruse. Ils ne possédaient pas les longs cous des animaux préférés de l'empereur et durent donc s'approcher pour flairer Dinath.

— Elle a pourtant du sang divin, constata l'un des reptiles lumineux.

— Il le faut bien, répliqua l'autre. Sinon, comment serait-elle entrée ici ?

— Mais si elle était une Immortelle, elle saurait qui nous sommes.

– Pas forcément. Quand ils sont très jeunes, ils sont bien ignorants.

– Je suis venue à la demande de mon père, expliqua Dinath pour mettre fin à leur entretien. Il m'a confié une importante mission. Maintenant, je dois retourner vers lui.

– Nous ne sommes pas censés laisser sortir les rôdeurs.

– Le maître voudra savoir qui a osé entrer chez lui.

– Le Magicien de Cristal est retenu contre son gré par un dieu déchu, leur annonça-t-elle.

Les dragons reculèrent, horrifiés.

– C'est pour le sortir de ce mauvais pas que mon père m'a demandé de visiter son antre, poursuivit Dinath.

– Avez-vous dérobé quelque chose au maître ?

– Seulement cette eau, répondit la jeune fille en leur tendant sa gourde.

– Je ne vois pas de mal à ce qu'elle en prenne un peu, fit observer l'une des créatures.

– La source est intarissable, ajouta la deuxième.

– Mais nous ne savons pas vraiment d'où elle provient.

Dinath n'avait vraiment pas le temps d'écouter leurs bavardages.

– Je dois m'en aller, trancha-t-elle.

– Nous ne pouvons pas laisser partir les intrus.

– Vous ne me donnez plus le choix, soupira Dinath.

Elle rattacha la gourde à sa place et leva ses bracelets devant elle. Leur lumière étincelante fit aussitôt fuir les deux gardiens. Persuadée qu'ils reviendraient rapidement à la charge, la cambrioleuse fonça vers la paroi de cristal en prononçant les paroles magiques. « Pourvu que le monstre ailé ne soit pas revenu », espéra-t-elle.

Elle se retrouva sur la corniche enneigée. Ni la bête ailée, ni l'adolescent ne s'y trouvaient. Elle tendit l'oreille et n'entendit que le sifflement du vent. Elle entreprit sans tarder la descente. Sa jeunesse lui permit de couvrir une grande distance avant de s'arrêter pour manger les fruits séchés qu'elle avait apportés. Une fois dans la forêt, elle pourrait mieux se nourrir. Il restait encore quelques heures de soleil, mais très peu. Elle ne devait pas perdre de temps. L'image du doux visage de son père apparut dans son esprit. « Je serai bientôt là », se promit-elle.

Elle toucha le sol au crépuscule. La route était longue jusque chez elle. Dinath refusa pourtant de se décourager. Afin de ne pas rencontrer les paysans d'Émeraude, elle marcha la nuit et se cacha le jour. Elle suivit de loin la Rivière Wawki jusqu'au Royaume de Turquoise, puis piqua dans une profonde vallée recouverte d'arbres aussi vieux que le monde. Elle était née dans cet endroit, protégée par le seul de ses parents qu'elle ait connu.

En reconnaissant les chênes, qui formaient un vaste enclos au milieu de la combe, elle accéléra. Contente d'être de retour chez elle, Dinath sauta par-dessus les ruisseaux limpides, sentant son cœur palpiter de plus en plus fort dans sa poitrine. « Pourvu qu'il ne lui soit rien arrivé en mon absence », s'alarma-t-elle, soudain. Elle fonça entre les menhirs du cromlech, puis dans le ravin qui menait à leur grotte.

– Père ! appela-t-elle avant même de pénétrer dans la fissure.

Elle le trouva assis devant un feu agonisant, aussi faible qu'à son départ.

– Je suis soulagé de te voir saine et sauve, avoua Danalieth avec un sourire apaisant.

La jeune fille se faufila dans ses bras, au risque de le faire basculer par-derrière, et le serra avec amour.

– Vous savez pourtant que je me débrouille fort bien en forêt, lui rappela-t-elle. Les bêtes sauvages ne me voient même pas passer.

– Ce ne sont pas elles que je crains, ma petite fée.

– Je sais, père.

Dinath reprit place près de lui. Elle détacha sa gourde et la tendit à Danalieth, avec un air de triomphe.

– Tu m'offres de l'eau ? s'amusa-t-il. J'en ai pourtant une bonne réserve.

– Pas de celle-là.

Le père déchiffra finalement l'expression de triomphe sur le visage de l'adolescente. Il tendit une main tremblante. Dinath lui facilita les choses en l'aidant à boire la potion qui rendait aux demi-dieux leur force et leur magie. Elle le laissa absorber tout le contenu de l'outre. La transformation de l'Immortel fut instantanée. Sa peau reprit une couleur rosée, ses cheveux noirs retrouvèrent leur lustre. Même ses yeux semblèrent plus bleus.

– Où as-tu découvert cet élixir ? s'étonna-t-il.

– Dans la grotte au sommet de la montagne.

– Je croyais qu'il n'y en avait qu'à Osantalt...

– Il en coule dans la caverne d'Abnar.

Danalieth observa ses mains pendant un moment. Les rides s'effaçaient une à une à une vitesse vertigineuse. Dinath observa le phénomène avec bonheur.

– M'as-tu rapporté ce que je t'ai demandé ? s'enquit-il.

Dinath s'empressa de délivrer l'anneau de la petite pochette. Danalieth le prit délicatement entre ses doigts.

– Allez-vous enfin me dire à quoi il vous servira ? voulut savoir sa fille.

– Quand tu dors, la nuit, j'observe les étoiles. Elles recèlent une foule de renseignements pour l'œil averti. Elles m'ont informé que l'empereur des hommes-insectes est une fois de plus à la recherche de nouveaux territoires pour ses sujets. Les humains ont organisé leur défense. Ils ont même trouvé un nouveau roi, capable de les mener au combat et de leur assurer la victoire. Mais le ciel nous met aussi en garde contre ce nouveau monarque présomptueux. Son ambition pourrait mettre ce continent en péril.

– Ce jonc est relié à cet homme ?

– D'une certaine manière. Il renferme un intéressant sortilège qui pourrait nous être fort utile.

– Je ne comprends toujours pas vos intentions, se découragea Dinath.

– C'est que tu ne connais pas encore l'intégralité de l'histoire d'Enkidiev.

– Vous étiez trop fragile pour que je vous importune avec mes questions.

Danalieth fixa l'adolescente un long moment. Physiquement, elle lui ressemblait, mais elle avait hérité de l'intelligence et de la sensibilité de sa mère.

– Une créature a ensorcelé cet anneau afin d'attirer dans son monde le fantôme d'un puissant guerrier qui lui montrerait à se battre, expliqua-t-il.

– Un soldat d'Irianeth ? s'effraya Dinath.

– Non... Le Roi Hadrian a été l'un des rares humains à faire preuve de grandeur d'âme. Non seulement il était un chef militaire intelligent, il savait aussi traiter les autres avec compassion.

– Êtes-vous en train de me dire que son spectre hante toujours Enkidiev ?

– Heureusement pour lui, l'enchantement a été brisé juste à temps et il a pu retourner auprès des siens sur les grandes plaines de lumière.

Dinath fronça les sourcils, de plus en plus confuse. Elle ne comprenait pas comment un vieux sort aiderait Danalieth à préserver l'équilibre du monde.

– Je ne peux pas anéantir le nouveau Roi d'Émeraude, précisa Danalieth en interprétant la question dans les yeux pâles de sa fille. Je dois cependant trouver une façon de freiner son ardent désir de pouvoir.

– Comment ? s'impatienta l'adolescente.

– Ce souverain n'est pas un homme ordinaire, mais un dangereux sorcier. Il a réussi à projeter son âme dans un objet au moment de la mort physique de son corps afin de rester en vie. Bien des années plus tard, il a réussi à capturer un nouveau corps.

– Il a donc connu le Roi Hadrian dans sa première vie ! comprit Dinath.

– C'est exact. Ils ont même été aussi proches que des frères.

– Vous voulez ramener une fois de plus ce fantôme afin qu'il modère les prétentions du Roi d'Émeraude !

– Tu es futée comme un renard, *anyeth*.

– Je tiens cette qualité de mon père.

– Non, c'est ta mère qui t'a fait ce magnifique cadeau, Dinath.

– Me parlerez-vous d'elle, un jour ?

– Quand cela ne mettra plus sa vie en danger, oui, je te dirai tout ce que tu veux savoir. Pour l'instant, nous avons un ancien chef à ressusciter. Tu veux bien me donner un coup de main ?

– Bien sûr !

Pour la première fois depuis qu'elle vivait avec son père, Dinath n'eut pas à l'aider à se lever. Il le fit seul, resplendissant d'une nouvelle vigueur. Sûr de lui, il sortit de la grotte, sa fille dans son sillage. Danalieth se rendit au milieu du cromlech où reposait un autel de pierre. Il déposa l'anneau sur sa surface rugueuse.

– Je crains de devoir terroriser une fois de plus les pauvres habitants du Royaume de Turquoise, déplora-t-il.

En effet, depuis qu'il s'était établi dans cette région, Danalieth avait dû utiliser sa magie à plusieurs reprises pour éloigner les Turquais de son domaine. À grand renfort d'illusions, le demi-dieu avait imprimé dans l'esprit de ces gens la peur de l'obscurité. Toutes les nuits, les paysans s'enfermaient dans leur chaumière afin de ne pas être dévorés par les dragons et les autres monstres que Danalieth matérialisait pendant quelques heures, après le coucher du soleil.

« Maintenant qu'il a repris ses forces, les Turquais vont sûrement fuir vers les pays voisins », songea Dinath en observant son père. Ce dernier se tenait le dos plus droit et il ne perdait pas l'équilibre.

– Si j'avais su que cette boisson vous ramènerait ainsi à la vie, j'aurais tenté cette expédition plus tôt, ne put s'empêcher de signaler la jeune fille.

– Tu étais trop jeune et trop vulnérable, lui rappela Danalieth.

Il lui demanda d'approcher. Dinath n'était pas maître magicien, mais sa mère étant une créature magique, elle possédait tout de même des pouvoirs intéressants.

– Les mages ordinaires ne peuvent réussir ce genre d'incantation, commença-t-il.

– Vous avez dit tout à l'heure que quelqu'un y était parvenu.

– Il s'agissait d'un maître magicien, née d'une mère maître magicien et d'un sorcier. Encore mieux, son grand-père maternel était un dieu.

– Ce n'est pas courant, j'imagine.

– Pas dans ce monde. Cette femme unique est l'héritière d'Amecareth.

Dinath écarquilla les yeux, car elle comprenait fort bien le potentiel destructeur de ce successeur.

– Sois sans crainte, l'apaisa le père. Elle se bat pour Enkidiev.

Danalieth expliqua à sa fille que les humains dotés de facultés magiques étaient forcés d'utiliser des potions et des paroles magiques pour matérialiser un fantôme, tandis que les êtres supérieurs n'avaient besoin que de leur volonté.

– Mais ce n'est pas un esprit que nous voulons aspirer des grandes plaines de lumière, précisa-t-il. Il s'agit de redonner la vie à Hadrian d'Argent.

– N'est-ce pas le privilège d'un dieu ? s'inquiéta Dinath. Il pourrait vous en coûter cher.

– Parandar me croit mort depuis des centaines d'années. D'ailleurs, je fais ce geste pour le salut de l'humanité qu'il a lui-même créée. Observe-moi bien.

Danalieth ferma les yeux et releva lentement la tête vers le ciel. Des nuages commencèrent à s'y masser, comme poussés par un vent violent dans les hautes altitudes. Le soleil se couchait à peine. Les Turquais seraient donc témoins de l'inquiétant phénomène. Bientôt, l'intérieur du cercle de pierre s'assombrit. L'Immortel se mit à psalmodier dans la langue céleste. Dinath n'en connaissait que quelques mots, puisqu'elle était très difficile à apprendre. Elle vit s'illuminer les yeux de son père d'un bleu éclatant.

Le jonc en or s'éleva doucement dans les airs. Il s'immobilisa au-dessus de leur tête et se mit à tourner sur lui-même, de plus en plus rapidement. Des éclairs s'échappèrent des nimbus et frappèrent le bijou ensorcelé, l'enflammant. Le demi-dieu continua de réciter les paroles destinées à ouvrir momentanément les portes du repos éternel. « Comment puis-je l'aider ? » se demanda sa fille. L'anneau se transforma en sphère incandescente. Sans avertissement, la boule de feu décolla à la verticale. Les nuages explosèrent en milliers d'étincelles. Danalieth se tut. Il demeura immobile de longues minutes, à attendre, mais rien ne se produisit.

– Père, où est le Roi Hadrian ? s'énerva Dinath.

– Je n'en sais rien...

– Se peut-il que les dieux l'aient retenu ?

Déconcerté, l'Immortel retourna dans la caverne. La jeune fille jeta un dernier coup d'œil au ciel redevenu calme, puis s'élança à la poursuite de son père.

30

Les spirales

Wellan rejoignit le Roi d'Émeraude sur son balcon. Puisqu'il avait communiqué avec Bridgess par télépathie et que tous ses hommes pouvaient l'entendre, il s'était contenté de lui dire ce qu'il avait trouvé au sujet des hannetons. Il serait encore absent quelques jours, ayant encore fort à faire au château. Il lui raconterait le reste de l'histoire en personne, dès son retour. Lassa sentait la nervosité de son maître, mais il n'osa pas le questionner. Il le suivait en silence, se demandant ce qu'il mijotait.

Onyx contemplait la grande cour du château, les mains appuyées sur la balustrade de pierre. Il conservait les souvenirs de Farrell dans son esprit, mais ces derniers temps, c'étaient ceux de sa première vie qui le hantaient. Ses yeux azurés se tournèrent vers la tour d'Armène où résidaient ses quatre fils, protégés par la magie d'Abnar et les gardes du palais qui en surveillaient l'accès. Les conseillers avaient évidemment protesté, arguant que Nemeroff, Atlance, Fabian et Maximillien étaient désormais des princes et que leur place était au palais. Onyx refusa de les écouter. Il savait que le dieu déchu et ses monstres ailés tenteraient à nouveau de lui ravir ses enfants.

Le souverain ressentit l'approche du grand Chevalier. Son énergie, qui ressemblait à celle de son vieil ami Hadrian, l'apaisa.

– Est-ce que j'arrive à un mauvais moment ? voulut savoir Wellan en faisant bien attention de ne pas l'appeler Majesté.

– Pas du tout. L'alignement des astres ne pourrait être plus parfait.

Onyx se retourna. Il aperçut le visage de Lassa presque caché dans la longue cape verte de son mentor. Il proclamait sans cesse que les apprentis n'apprendraient à combattre qu'en suivant leurs maîtres à la guerre, mais était-il prudent d'emmener le porteur de lumière à la recherche d'un instrument de pouvoir ? Wellan capta ses pensées.

– Il y a donc des dangers dont vous ne m'avez pas parlé, conclut-il.

– Lorsqu'on tente de dérober un objet que les dieux ont dissimulé aux yeux des hommes, il y a toujours un risque qu'ils l'aient entouré d'une protection particulière. Si la déesse Cinn a découvert la disparition de la griffe, j'imagine qu'elle surveillera plus attentivement les cachettes des autres armes de Danalieth.

– Et Lassa ne doit pas être exposé à un tel péril.

L'enfant posa un genou en terre.

– Voilà une autre coutume fort agaçante, nota Onyx. Seuls les esclaves agissent ainsi.

Le jeune prince leva un regard incertain sur Wellan.

– C'est un geste que nous leur demandons de faire afin de leur inculquer le respect de leurs aînés, expliqua-t-il.

– Ils ont une langue, il me semble. Ils n'ont qu'à le demander lorsqu'ils veulent vous parler, non ?

Wellan n'avait nulle envie de se quereller avec son roi avant de partir en mission avec lui.

– Qu'y a-t-il, Lassa ? s'enquit-il plutôt.

– Si vous préférez, je peux rester avec Mène. Je serai en sécurité et vous n'aurez pas à vous inquiéter.

– C'est une excellente idée, approuva Onyx.

Le grand chef se vit forcé d'accéder au désir de son souverain. De toute façon, les grands yeux bleus de l'enfant le suppliaient de ne pas l'emmener dans un lieu où d'affreuses créatures surgiraient de terre pour le manger.

– Je ne communiquerai pas avec toi pendant mon absence, l'avertit Wellan. S'il devait se produire quelque chose d'inquiétant au château, je veux que tu me préviennes aussitôt.

– Je n'y manquerai pas, maître.

– Allez, file.

Lassa s'évapora.

– Passons maintenant aux choses sérieuses, lança le Roi d'Émeraude.

– Dites-moi où nous allons et ce qui nous attend.

– Mes nombreuses lectures indiquent que les spirales sont cachées au creux des volcans de l'est.

– Où ça ?

– Ne me dites pas que vous avez peur du feu ?

Le sourire moqueur d'Onyx acheva de le rassurer.

– Qu'attendons-nous ? répliqua bravement le Chevalier.

Le renégat ne bougea pas un cil et pourtant, sans ressentir le moindre mouvement, Wellan se retrouva sur le flanc d'un des sombres volcans qui formaient une infranchissable barrière entre Enkidiev et les Territoires inconnus.

– Votre vortex peut-il vous emmener là où vous n'avez jamais mis les pieds ? s'étonna Wellan.

– Vous seriez surpris si je vous dressais la liste de tous les endroits que j'ai visités en ce monde.

– Savez-vous où se trouve le coffre ?

– Plus ou moins.

Wellan allait lui dire sa façon de penser, même s'il était son souverain, mais Onyx ne lui en donna pas l'occasion. Le Roi d'Émeraude se mit à grimper vers le cratère d'où s'échappait une colonne de fumée. De petits cailloux noirs roulèrent sous ses pieds. L'escalade ne serait pas facile. Le Chevalier le suivit en usant de prudence. Il ne voulait certes pas se casser le cou tandis que son armée avait encore besoin de lui. Onyx se fiait davantage à son instinct qu'à une carte géographique qu'il aurait mémorisée. Les deux hommes se faufilaient habilement entre les blocs de lave solidifiée. Cependant, le sol se réchauffait un peu trop rapidement au goût de Wellan.

— Si nous ne trouvons pas bientôt cet objet, j'y laisserai mes bottes, grimaça-t-il.

— Nous y sommes presque... enfin, je crois.

— Je ne comprendrai jamais votre insouciance.

— Et moi, votre inébranlable sens du devoir. Alors, nous sommes quittes.

Onyx s'arrêta sur un tablier fumant, comme s'il cherchait à s'orienter. Une étincelle de satisfaction pétilla dans ses yeux.

— Les Elfes n'ont pas écrit beaucoup de textes, précisa-t-il en s'engageant dans un étroit couloir de pierre. Et ceux qu'ils ont consignés sont bien souvent destinés à n'être compris que par une poignée d'hommes, malheureusement tous décédés.

— Mais accessibles à ceux qui sont âgés de cinq cents ans, comprit Wellan.

— Nous avions une vision différente des choses et une façon particulière de nous exprimer par écrit.

— C'est ainsi que vous avez pu repérer la griffe, n'est-ce pas ?

— J'ai consulté d'innombrables bouquins à Émeraude. Ils ne contenaient que des fragments de vérité. Je n'ai eu qu'à les assembler pour retrouver l'emplacement du temple de

Cinn. La mémoire de Farrell a fait le reste. Tout dernièrement, j'ai mis la main sur des ouvrages qui traitaient des trois bijoux fabriqués par Danalieth pour se protéger des dieux.

Le roi s'arrêta devant un pan rocheux parfaitement lisse. Wellan utilisa d'abord ses yeux, puis ses sens magiques, pour l'examiner. Il ne présentait aucun accès mais, à l'intérieur, s'ouvrait une caverne.

– Vous n'avez tout de même pas l'intention de faire éclater ce mur ? s'alarma le Chevalier. Dois-je vous rappeler que nous sommes au beau milieu d'une chaîne volcanique ?

– Il y a plusieurs façons de nous introduire dans cette grotte. Que faites-vous de la magie ?

– Vous comptez soulever la montagne ?

– Tiens, je n'y avais pas pensé...

Onyx éclata de rire devant la mine déconfite de son compagnon d'aventure. Il plaça sa paume sur l'écran de lave. La griffe métallique à son doigt se mit à s'agiter, car elle sentait la présence du coffret forgé dans le même métal qu'elle.

– Allez, ma jolie, va le chercher, la pressa Onyx.

La bague ensorcelée émit une intense lumière bleue. Même Onyx dut fermer les yeux pour ne pas être aveuglé. Lorsqu'elle s'amenuisa, les deux hommes virent que la griffe avait percé un trou parfaitement rond dans le roc, suffisamment grand pour y laisser entrer un homme. Sans avertissement, le roi y pénétra. « Il n'a vraiment peur de rien », constata Wellan en le suivant. L'intérieur de la cachette divine n'était éclairé que par la luminosité des spirales creusées sur les côtés du coffre argenté.

– Magnifique, murmura Onyx, surtout pour lui-même.

Wellan était sidéré. Il y avait des siècles que cet instrument de pouvoir reposait sur son soc de pierre. La cavité naturelle était protégée par un champ de force que même les colères du volcan n'avaient pas réussi à anéantir.

– Les spirales sont à vous, annonça fièrement le roi.

– Dites-moi au moins ce que je dois faire.

– Agenouillez-vous devant le coffre, ouvrez vos bras de chaque côté et posez vos paumes sur les glyphes.

Le Chevalier les observa un instant. D'un rouge ardent, ils étaient sûrement brûlants.

– Il y a un certain degré d'inconfort au début, confirma Onyx. Ce fut la même chose pour la griffe. Mais au bout de quelques jours, elle est devenue une partie de moi.

Wellan voulait plus que tout au monde mettre fin à la terreur que semaient les hommes-insectes chez les humains. Il savait qu'en aidant Lassa à détruire leur empereur, il restaurerait la paix pour toujours sur Enkidiev. Il s'agenouilla et tendit les bras. Une grande chaleur émanait de cette arme. Il l'ignora.

– Y a-t-il des paroles à prononcer, une incantation quelconque ? s'enquit-il.

– Rien du tout. Les spirales savent ce qu'elles ont à faire.

Le Chevalier prit une profonde inspiration. Il saisit le coffre par les côtés. La douleur fut si aiguë qu'il faillit perdre conscience. Dans un geste purement dicté par ses réflexes, il décolla ses paumes du métal brûlant et tomba sur le dos. Tout son corps était baigné de sueur. Le sol se mit alors à trembler sous les pieds des deux hommes.

– Nous ne devons pas rester ici, s'inquiéta Onyx.

Wellan voulut se lever. Ses muscles ne firent que frissonner.

– Je n'y arriverai pas..., haleta-t-il, en proie à de terribles souffrances.

Onyx fit un pas vers lui afin de le saisir par le bras. Le plafond, jusque-là protégé par la magie des dieux, s'effondra. De gros blocs de lave s'écrasèrent entre le souverain et son soldat.

– Wellan ! cria le Roi d'Émeraude, horrifié.

Le volcan s'était réveillé et bientôt cette caverne se remplirait de matière en fusion. Le renégat comprit qu'il devait se replier en lieu sûr afin d'attirer magiquement Wellan jusqu'à lui. Il s'évapora juste au moment où le reste de la voûte s'abattait sur le coffre d'argent.

Le soldat d'Émeraude n'entendait pas périr ainsi. Il parvint à s'asseoir malgré les secousses de la montagne. Une grosse pierre noire était tombée sur sa jambe. Il voulut utiliser les facultés de ses mains pour la repousser, mais un élancement du bout de ses doigts jusqu'à ses coudes l'en empêcha. Il se concentra et se servit de ses pouvoirs de lévitation. Le fragment de lave roula plus loin. Wellan ne perdit pas de temps. Il ramena ses bracelets l'un contre l'autre. Un vortex miniature se forma près de lui. Le Chevalier se retourna sur le ventre et rampa jusqu'à la lumière. Il réapparut sur la berge de la rivière Sérida, à quelques pas à peine du château où il était né. « Je n'avais pourtant pas choisi de destination », s'étonna Wellan. Tout son corps était en feu. Avec le peu de force qui lui restait, il roula sur lui-même et tomba dans l'eau. Sa fraîcheur lui apporta un soulagement instantané.

Il coulait vers le fond lorsqu'on l'empoigna solidement par les épaules. Il ne résista pas. Son sauveteur le coucha sur la berge. Ce n'était nul autre que le Roi Onyx.

– Est-ce que ça va ? s'alarma-t-il.

– Pour un homme qui s'est fait brûler les bras et qui a failli mourir écrasé dans un volcan, je m'en tire pas mal. Est-ce que vous traitez ainsi tous vos amis ?

– Absolument tous.

– Ramenez-moi à Émeraude, maintenant.

– Pas avant d'avoir rassuré ces bonnes gens.

Wellan tourna la tête et vit les paysans qui se rassemblaient sur le bord de la rivière. Mais ce n'était pas le Chevalier trempé qui les intéressait. Un long fleuve de lave descendait sur la surface noire du volcan. Les Rubiens tentaient d'en mesurer le danger. Onyx s'assit près du Chevalier pour observer le terrifiant spectacle, lui aussi.

– Ce volcan n'a jamais menacé le Royaume de Rubis auparavant, l'informa Wellan.

– Nous l'avons mis en colère, je crois.

– Je ne veux pas que le peuple de mon frère soit puni pour notre geste.

Le renégat fixait intensément le cratère, comme s'il était à la recherche de quelque chose. « Sa magie est-elle suffisamment puissante pour arrêter l'éruption ? » se demanda le Chevalier.

– Je peux essayer, accepta Onyx. Mais ce qui a attiré mon attention, c'est un dragon.

Wellan parvint à s'asseoir.

– Où ?

– Vers le nord.

Il n'avait pas fini sa phrase que Wellan retombait sur le sol, évanoui. Onyx jeta sur lui un regard admiratif. Peu d'hommes recevaient une arme aussi puissante sans perdre la vie. Il allait ramener le Chevalier chez lui lorsqu'un personnage royal arriva en courant, suivi de presque toute sa cour. Le Roi Stem analysa rapidement ce qui se passait de l'autre côté du cours d'eau, puis aperçut son frère.

– Wellan ! s'alarma-t-il.

Il se pencha sur le blessé, sans plus accorder d'attention à la lave qui bifurquait vers la rivière, et posa l'oreille sur sa poitrine. Onyx en profita pour utiliser discrètement ses pouvoirs. Il fit dévier vers l'est le torrent enflammé, afin qu'il s'écoule entre les autres pics obscurs où il finirait par se refroidir et former une autre croûte stérile.

– Que lui est-il arrivé ? demanda Stem, soulagé d'entendre battre son cœur.

– Il a glissé tandis que nous tentions d'escalader le volcan, répondit le renégat.

– Vous êtes un de ses compagnons ?

– Je suis le Roi Onyx d'Émeraude.

– Majesté, s'inclina son pair avec révérence. Soyez le bienvenu dans mon royaume.

– Je m'y sens déjà très bien, merci.

Énervé, Stem aboya des ordres. Les serviteurs s'emparèrent de Wellan pour le transporter à l'intérieur. Il accompagna ensuite Onyx sur la route qui menait à la forteresse.

– Que faisiez-vous sur le volcan ?

– Nous poursuivions un dragon, mais il nous a échappé, mentit le renégat.

Stem ne cacha pas son étonnement.

– Votre pays fabrique-t-il du vin ? s'informa Onyx en entourant les épaules du Roi de Rubis.

L'attitude ouverte et amicale du nouveau souverain d'Émeraude déconcerta le jeune frère de Wellan. Il l'entraîna tout de même vers son palais.

31

Le retour du dragon

Tandis que son maître explorait les volcans, au Royaume de Rubis, Lassa était assis à table avec les enfants du Roi Onyx dans la tour d'Armène. Les jeunes princes terminaient leur repas du soir. Il observa surtout Atlance. Le bambin avait été enlevé par un dieu déchu. Pourtant, il n'affichait aucun traumatisme visible. Il plongeait les mains dans les plats comme Nemeroff, son aîné, et aidait même son petit frère Fabian à atteindre les mets qu'il réclamait. Seul Maximilien ne prenait pas part au festin, car il était trop petit. La servante le nourrissait au biberon. Elle le gardait toutefois sur ses genoux pendant le repas pour qu'il sache qu'il avait une famille.

– Tu as été un élève d'Émeraude, toi aussi, n'est-ce pas ? demanda soudain Nemeroff au porteur de lumière.

– Oui, confirma Lassa. J'ai étudié avec ton père pendant sept ans.

– C'est long, sept ans.

– Pas quand on aime apprendre.

– Je sais presque lire, affirma fièrement le fils de Swan.

– Ton père doit être très fier de toi.

Le garçon hocha vivement la tête pour dire oui. Onyx n'arrêtait pas de répéter à ses fils qu'ils étaient les meilleurs enfants du monde. Cette nouvelle aurait dû réjouir le Prince de Zénor, mais son visage s'attrista.

– Qu'y a-t-il, mon poussin ? s'inquiéta la gouvernante.

– C'est rien, Mène, la rassura Lassa en forçant un sourire.

Elle pensait probablement que l'absence de son maître le rendait soucieux. En réalité, l'apprenti s'était mis à penser à son propre père, car il en avait un, même s'il ne l'avait vu que deux fois dans sa courte vie. Le visage souriant du Roi Vail le hantait souvent. Lassa se souvenait de lui comme d'un homme vaillant et amusant. Lui aussi avait contemplé son plus jeune fils avec orgueil.

– Nartrach peut venir jouer ? implora alors Atlance.

Sa voie aiguë mit fin à la rêverie du porteur de lumière.

– Seulement si sa maman le lui permet, l'avertit Armène. Il n'est pas question que tu ailles le chercher, non plus.

Le nouveau Roi d'Émeraude avait interdit à la servante de laisser sortir ses petits de la tour magique. Il leur fallait donc y attendre la visite de leurs amis.

– Toi, tu veux jouer ? s'informa le bambin en fixant Lassa.

– Oui, je veux bien.

– Tes jouets sont toujours dans le grand coffre là-haut, l'informa la gouvernante.

Lassa allait lui dire qu'ils avaient été son plus grand trésor. Il n'eut pas le temps d'ouvrir la bouche. Un effroyable rugissement leur écorcha les oreilles. Atlance sauta de son tabouret pour se réfugier sous la table.

– Qu'est-ce que c'était ? s'alarma Armène.

– Une bête, je pense, avança Nemeroff, s'élevant en protecteur de ses frères.

Un frisson d'horreur courut dans le dos de Lassa.

– Le dragon de la femme bleue, s'étrangla-t-il.

La servante déposa Maximillien dans son berceau et se rendit à l'étroite fenêtre. Elle ne voulait courir aucun risque. Tant qu'ils restaient dans l'antre d'Abnar, les enfants seraient en sûreté.

– Lassa, j'aimerais que tu utilises tes pouvoirs pour avertir Wanda de garder son fils au palais.

– Je ne peux rien faire quand j'ai peur, Mène...

Elle revint aussitôt vers lui pour caresser son visage.

– Mais tu es en sécurité ici, mon chéri. Tu le sais bien.

– Moi, je peux le faire ! offrit Nemeroff.

Avant que la gouvernante ne le lui demande, le gamin ferma les yeux.

Cependant, Wanda avait déjà compris qu'une menace planait sur le château. Elle terminait le repas du soir dans le hall des Chevaliers en compagnie de Jahonne, Sanya, Catania et leurs enfants, lorsque le cri perçant les fit sursauter. Avant que les adultes ne puissent réagir, Nartrach se redressa sur son siège en émettant un son presque semblable. Ne recevant pas de réponse de l'extérieur, il sauta par terre et courut vers la sortie.

– Nartrach ! le rappela Wanda.

Il avait déjà franchi la porte. Sachant qu'il n'écoutait rien lorsqu'il enquêtait sur un phénomène nouveau, la mère le prit en chasse, son apprentie sur les talons. L'enfant fonça dans la cour. Les quelques serviteurs qui s'y trouvaient regardaient le ciel. La femme Chevalier se pencha pour saisir son fils. Ce dernier s'esquiva habilement et se posta au milieu de la forteresse.

– C'est le vrai dragon, maman ! s'exclama-t-il.

Il se mit à pousser des gémissements stridents pour attirer la bête. La guerrière sonda toute la région sans capter la présence d'un tel monstre. Mais ces bêtes possédaient de puissantes ailes qui leur permettaient de parcourir rapidement de grandes distances.

– Je ne le trouve pas non plus, maître, affirma Ambre.

Wanda n'attendit pas que le dragon passe une seconde fois au-dessus d'Émeraude. Elle attrapa Nartrach par la taille et le souleva dans ses bras.

– Je veux le voir ! protesta l'enfant.

– Nous allons l'observer d'une fenêtre, car elles sont encore plus près du ciel, d'accord ?

– C'est mieux ici !

– C'est mieux pour se faire dévorer et je ne veux pas te perdre, mon trésor.

Elle le ramena à l'intérieur malgré ses protestations et ses coups de pied, tout en évitant ses dents. L'étage des appartements royaux était percé de larges ouvertures d'où ils pourraient étudier la bête en toute sécurité.

Dans la maison de Morrison, Miyaji avait aussi entendu le rugissement de Stellan. Derek avait eu beau protester, Morrison avait ramené la Fée azurée chez lui pour ne pas s'attirer les foudres du roi magicien. Miyaji connaissait fort bien son animal. Il n'était pas à la recherche de sa maîtresse : il chassait ! La *seccyeth* tira sur sa chaîne jusqu'à ce qu'elle atteigne la fenêtre. Le dragon n'était pas de ce côté. Le faible écho de ses cris rauques indiquait qu'il survolait la Montagne de Cristal. Les ouvertures du nord se trouvaient dans les chambres du forgeron et de sa fille. Les liens de Miyaji ne lui permettaient pas de s'y rendre.

Élizabelle arriva en catastrophe dans la maison. Elle portait un tablier de cuir et ruisselait de sueur. Miyaji n'avait pas besoin d'être télépathe pour s'apercevoir qu'elle était morte de peur.

– C'est lui, n'est-ce pas ? s'énerva-t-elle. C'est ton dragon ?

– Oui, c'est Stellan.

— S'il tue un seul habitant de ce royaume, le Roi d'Émeraude te fera exécuter, Miyaji. Dis à Stellan de partir, maintenant !

— Si je communique avec lui, il saura où je suis et il démolira ce château pierre par pierre pour me délivrer.

Élizabelle se mordit la lèvre avec hésitation. La captive avait raison : elle risquait davantage de l'attirer que de le repousser.

— Que veut-il ? demanda-t-elle bravement.

— Je pense qu'il poursuit une proie.

— Que les dieux nous protègent...

— Il n'a jamais mangé un humain, assura Miyaji pour la rassurer. Il aime capturer des oiseaux en vol.

Morrison passa la tête dans l'ouverture de la porte. Lui non plus n'était pas très content de la situation.

— Reste ici, ordonna-t-il à sa fille. Et surtout, ne la laisse pas sortir.

Son énorme marteau à la main, le forgeron s'éloigna. Les serviteurs avaient cherché refuge dans le palais. Morrison se retrouva donc seul dans la grande cour.

Sur le bord des larges fenêtres de l'étage royal, Wanda retenait son garçon surexcité. Derek arriva derrière eux, le bras replié sur sa poitrine pour contenir la douleur.

— Doit-on prévenir Wellan ? s'enquit-il.

– Qu'est-ce que tu fais debout ? reprocha la femme Chevalier.

– J'ai repris des forces depuis l'intervention de Miyaji.

– Pas assez pour combattre cette abomination, Derek. D'ailleurs, Santo a exigé que tu te reposes.

– Il a oublié que je suis un Elfe.

Wanda savait que son frère d'armes ne mentait jamais, mais elle ne voulait surtout pas l'exposer une autre fois aux crocs d'un monstre.

– Je ne les crains pas, affirma Derek en lisant ses pensées.

– Les dragons sont féroces, lui dit le petit Nartrach.

– Ils obéissent à leur instinct, lui expliqua l'Elfe. Nous ne sommes pas leur ennemi, nous sommes une proie.

L'enfant se calma instantanément. Son jeune cerveau venait d'analyser toute cette information concernant les créatures ailées. Elles étaient spectaculaires en vol... mais elles mangeaient des humains ! Il promena son regard d'un adulte à l'autre, puis se tourna vers la cour où Hawke venait de rejoindre Morrison en courant.

– J'ai mis mes élèves à l'abri, annonça le magicien au forgeron. Où est la bête ?

– Elle vole par là.

L'homme pointait du doigt le sommet enneigé du pic rocheux qui séparait les Royaumes d'Émeraude et de Diamant.

– On dirait qu'elle attaque quelque chose, poursuivit Morrison. Pourtant, il n'y a rien là-haut.

« À moins qu'il ne s'agisse d'un autre dragon », songea Hawke. Il se rendit à l'escalier de la muraille et l'escalada en vitesse. Il marcha sur la passerelle en scrutant le ciel. La silhouette de Stellan avait la taille d'une mouche. Morrison avait raison : l'animal semblait vouloir déloger un gibier quelconque posé sur une corniche. L'Elfe hésita à sonder les opposants, de crainte que le dragon ne pique vers le château.

– Il cherche Miyaji, l'informa Lassa, qui venait d'apparaître près de lui.

Armène avait réussi à le rassurer suffisamment pour qu'il puisse utiliser sa magie.

– Ne reste pas ici, jeune homme, l'avertit Hawke.

– Je voulais seulement vous dire que je n'arrive pas à communiquer avec mon maître.

Voyant que le dragon s'éloignait vers les volcans, Hawke se détendit et put donner toute son attention au porteur de lumière.

– Cela t'effraie, Lassa ?

– Disons que cela m'inquiète. Sire Wellan répond toujours à mes appels.

– Cherchons-le ensemble, suggéra le mage.

Il prit la main de l'enfant et lui offrit un sourire rassurant. Ils explorèrent d'abord la région, puis élargirent leur cercle de recherche. Ils repérèrent aussitôt le grand chef au Royaume de Rubis.

– Il dort, indiqua Hawke. Je ne crois pas que ce soit une bonne idée de l'importuner maintenant, surtout que le danger est passé.

– Vous avez raison, acquiesça Lassa. Je vais retourner chez Mène jusqu'à son retour.

Hawke lui ébouriffa les cheveux avec affection. L'Écuyer s'évapora.

32

L'apprentissage

Wellan se réveilla en sursaut, le corps et le visage couverts de sueur. Ses derniers souvenirs étaient confus. Dans son esprit se suivaient des images de flammes, de grottes sombres, de visages familiers, comme celui de son frère Stem et du Roi Onyx, et de spirales enflammées. Les spirales ! Le Chevalier s'assit brusquement dans le lit. Il examina rapidement son environnement. « Je suis dans ma chambre du Château de Rubis », comprit-il. Il s'était évanoui sur le bord de la rivière, lorsque la douleur dans ses mains était devenue insupportable. Profondément inquiet, le grand chef rapprocha ses paumes de ses yeux. Le motif incandescent de la boîte métallique y apparaissait en relief, incrusté à tout jamais dans sa chair. Cependant, ce n'était pas la souffrance qu'il appréhendait, mais les changements que ces nouvelles armes feraient naître en lui.

Une brise fraîche pénétra par la fenêtre et balaya la pièce, apportant un grand soulagement à Wellan. Il mit les pieds sur la pierre froide et vit qu'il ne portait que sa tunique, d'ailleurs collée sur sa peau. Il voulut appuyer sa main sur le matelas pour se lever. Un grand choc secoua tout son bras. Malgré lui, il émit un cri de douleur. Onyx apparut devant lui, en uniforme de Chevalier, une coupe à la main. Il déposa le vin sur une petite table et força Wellan à demeurer assis.

– Surtout, ne touchez pas aux spirales, l'avertit le souverain. Elles ne sont pas entièrement stables.

– C'est maintenant que vous le dites !

– Il était futile de faire des recommandations à un homme inconscient. Vous jouissez d'une remarquable vigueur, mon cher Wellan. Je croyais bien que vous dormiriez encore tout un jour.

– Quand mes paumes seront-elles guéries ?

– Cela pourrait prendre une semaine.

– Quoi ! s'énerva le grand Chevalier. J'ai une armée à diriger et une guerre à mener !

– Contre des hommes-insectes en nymphose dans le sol ?

Le regard d'Onyx brillait d'ironie, mais il n'embarrassa pas davantage son soldat. Wellan était suffisamment intelligent pour deviner le reste de son raisonnement.

– Je n'ai pas l'intention de vous abandonner à votre sort non plus, ajouta le renégat.

D'un geste de la main, il fit glisser jusqu'à lui le seau d'eau que les serviteurs avaient laissé à la porte, puis le hissa sur la table près du lit.

– Trempez vos mains, conseilla-t-il en reprenant sa coupe. Cela vous fera le plus grand bien.

Wellan le fit sur-le-champ, pour éteindre le feu qui risquait de le plonger une seconde fois dans l'inconscience.

– Et ensuite ? voulut-il savoir.

– Vous et moi allons passer quelque temps ensemble pour que je puisse vous enseigner à utiliser les spirales.

– Mais mon apprenti ?

– Lassa est en sécurité au château.

– J'ai prêté serment de le garder à mes côtés.

– Ce que vous venez d'entreprendre, vous le faites aussi pour lui.

Wellan s'apaisa, car Onyx avait raison. Ces nouveaux pouvoirs, dont il avait toujours rêvé, lui permettraient de rétablir la paix sur le continent. Grâce à eux, tous pourraient enfin reprendre une vie normale.

– J'enverrai des serviteurs vous aider à vous habiller dans une heure, ajouta le renégat. Un bon repas vous redonnera de l'aplomb et nous permettra de nous mettre en route.

Il disparut avant que Wellan ne puisse protester. Le Chevalier ferma les yeux. Le traitement lui apportait un grand réconfort. Lorsque les valets se présentèrent à la chambre, les mains de Welan étaient bleuâtres et engourdies. On lui fit enfiler le reste de ses vêtements. Jamais un étranger n'avait serré les sangles de sa cuirasse avant ce jour. Il ne s'y opposa pas. Les domestiques offrirent ensuite de le conduire au hall du roi.

– Non, laissez-moi, exigea-t-il.

Ils se courbèrent devant lui et quittèrent la pièce. L'ancien Prince de Rubis attendit leur départ avant de sortir sur le balcon. De l'autre côté de la rivière, le volcan fumait toujours, mais sa colère s'était estompée. Wellan se rappela ce que son père lui avait raconté jadis. Ce royaume avait déjà été détruit par une pluie de pierres en feu et de cendres épaisses. Ces tristes événements ne devaient pas se reproduire, surtout à cause de lui.

Le Chevalier traversa le palais de son enfance sans se presser. Il allait obliquer dans le couloir menant au hall quand le visage de Theandras apparut dans ses pensées. Il poursuivit donc sa route jusqu'au temple que ses ancêtres avaient édifié pour la déesse du feu. Ce n'était pas une salle aussi luxueuse que celle du château du Roi Onyx. Les gens de Rubis préféraient la simplicité. Sur les murs lisses, ils avaient cloué des rangées horizontales de planches. Au fil des ans, les paysans, qui entreprenaient le pèlerinage vers ce lieu de culte, les avaient chargés de lampions. On n'y trouvait pas de vitraux comme dans la chapelle d'Émeraude, mais une seule fenêtre percée de façon à ce que la statue géante de Theandras baigne dans les rayons du soleil la majeure partie de la journée.

Wellan s'agenouilla devant sa protectrice, comme Burge lui avait appris à le faire. Cet endroit lui avait beaucoup manqué. Il contempla le visage indulgent de la sœur de Parandar. Un artiste anonyme l'avait sculpté dans un immense bloc de pierre rouge où couraient des nervures dorées. Les légendes disaient que cette œuvre d'art avait été façonnée par les dieux eux-mêmes. Le Chevalier y avait cru, autrefois. Il savait maintenant que les dieux ne s'abaissaient pas ainsi.

– Déesse, je m'agenouille devant vous en toute humilité, pria-t-il. Comme tous mes pères avant moi, je vous dois les bienfaits qui m'ont été accordés.

Il soupira avec découragement en choisissant ses mots.

– J'ai fait un geste qui ne me rendra certes pas populaire auprès des seigneurs du ciel. De toutes les divinités, vous êtes celle qui pourra comprendre mes intentions. J'aime cette terre autant que je vous aime et je veux la protéger. Puisque je n'ai jamais réussi à obtenir du Magicien de Cristal les pouvoirs qui nous assureraient une victoire définitive, j'ai accepté d'en acquérir d'une façon inconvenante. En agissant ainsi, je me suis exposé à votre colère et à celle de votre frère, mais j'ose espérer que vous comprendrez mes motifs.

Rien ne se produisit. Theandras l'avait-elle déjà abandonné ? Même son fils de lumière ne se manifesta pas. Wellan se le reprocherait toute sa vie si sa décision l'avait complètement coupé de Dylan.

– Pardonnez-moi, ajouta-t-il, le cœur serré.

Il quitta le temple, tête basse. Au lieu de rejoindre Stem et Onyx, il se rendit à l'arrière de l'immeuble, dans un espace enclavé, où on avait déposé l'urne contenant les cendres de son père parmi celles de ses ancêtres. Il se recueillit devant le monument funéraire. Wellan n'avait pas vécu longtemps avec sa famille, mais il avait passé beaucoup de temps avec Burge à qui il ressemblait en tout point.

– Je savais que je te trouverais ici ! s'exclama Stem.

Le Chevalier fit volte-face. Son frère aîné se tenait à l'entrée du cimetière privé. Il portait des vêtements ordinaires, probablement parce que son pair d'Émeraude était un homme qui se moquait du protocole. Stem pouvait se permettre d'être lui-même en présence d'Onyx. « Il est si facile d'oublier que le renégat est un monarque », pensa Wellan.

– Père te manque ? s'attrista Stem.

– Beaucoup. J'aurais aimé mettre rapidement fin à la guerre afin de passer avec lui ses dernières années.

– Il n'était pas toujours aimable, surtout à la fin.

Le Roi de Rubis entra dans le columbarium. Ses cheveux noirs commençaient à grisonner aux tempes, rappelant à Wellan que le temps passait trop rapidement.

– Ton nouveau souverain est un bien curieux personnage, avoua Stem. Il se prend davantage pour un soldat que pour un dirigeant d'Enkidiev.

– C'est ce qu'il est et nous apprécions sa présence sur le champ de bataille. Il sait fouetter le sang de mes hommes.

– Ce que tu sais pourtant faire toi-même.

– Je vieillis, Stem.

Son propre commentaire fit sourire Wellan qui se rappela qu'Onyx avait plus de cinq cents ans.

– Viens manger avec nous, vieillard, avant que ton suzerain soit complètement ivre.

Wellan accompagna son frère dans le palais en se demandant si c'était une bonne chose de remettre la poursuite de son éducation magique entre les mains d'un homme qui avait un penchant marqué pour le vin. Ils trouvèrent Onyx seul dans le hall, assis devant l'unique table, qu'il avait tirée jusqu'à l'âtre.

– Il n'a pas de manières, mais c'est un bon roi, chuchota Wellan à Stem.

– Je vous entends, Wellan, répliqua le renégat, les yeux étincelants. Hadrian a bien essayé de me raffiner. Il n'y a rien à faire : le paysan refait toujours surface, surtout après la deuxième urne de vin.

Le Chevalier prit place à sa gauche, tandis que le dirigeant de Rubis s'assoyait de l'autre côté. La nourriture était tentante, mais avec des mains meurtries, comment s'en saisir ?

– Il y a de jolies servantes qui accepteraient volontiers de vous nourrir, se moqua Onyx. Ou vous pouvez avoir recours à la magie. Elle ne sert pas uniquement à combattre l'ennemi ou à soigner les blessures.

Wellan n'avait jamais utilisé ses facultés de cette façon. À moins de manger avec ses orteils, il n'avait pas vraiment le choix. Il se concentra et un morceau de poulet s'éleva dans les airs. Il parvint à le maintenir suffisamment immobile pour y mordre.

– Quand il était petit et qu'il agissait ainsi, notre mère se mettait dans tous ses états, raconta Stem.

Wellan ne s'en souvenait pas. Il ne se rappelait que le bâton...

– Je n'ai pas encore eu l'honneur de la rencontrer, nota Onyx.

– Ce qui est tout à fait normal, puisqu'elle ne quitte plus ses appartements depuis la mort de notre père, expliqua le Roi de Rubis.

Le Chevalier ferma son esprit à leur conversation au sujet de la Reine Mira. Il avait suffisamment de soucis avec ses mains sans y ajouter sa rancune pour cette femme glacée et intolérante. Dès qu'il eut terminé son repas, Onyx fit apparaître des rubans de tissu qu'il avait repérés dans les quartiers des couturières. Il banda les mains de Wellan. Ce dernier serra les dents sans pousser de plainte.

– Mon cher Stem, je vous remercie de votre hospitalité, mais nous devons vous quitter, annonça soudainement le Roi d'Émeraude.

– Vous ne pouvez pas partir maintenant, s'opposa Stem. Le soleil se couche.

– Votre frère a besoin de soins que je ne puis lui fournir ici. Je suis navré.

– Dans ce cas, soit. Je suis enchanté d'avoir fait votre connaissance, Onyx.

– Moi de même.

Le magicien et le Chevalier se dématérialisèrent sous les yeux du souverain qui ne s'habituait tout simplement pas à ces démonstrations magiques.

Wellan et Onyx réapparurent dans une clairière du Royaume de Rubis, juste avant que ses forêts ne cèdent la place aux grands champs inondés du Royaume de Jade. Comme il le faisait si souvent, le renégat emprunta aux habitants des alentours tout ce dont ils avaient besoin. Ils s'installèrent donc devant un feu magique, sur des couvertures d'Opale, le dos appuyé sur des coussins de Jade, entourés de quelques amphores de vin en provenance de Fal.

– De quels soins parliez-vous ? demanda alors le Chevalier, intrigué.

– Votre curiosité est sans bornes, s'amusa Onyx.

– Il s'agit de mes mains.

– Je dois les traiter à ma façon pour que les spirales ne dévorent pas vos os, évidemment.

Le soldat écarquilla les yeux, horrifié. Le souverain éclata de rire. « Il se paie encore ma tête », comprit le grand chef.

– Vous êtes ivre, déplora-t-il.

– Mais non, mon pauvre ami. Il m'en faut bien plus pour faire des bêtises. Disons que j'ai une qualité qui fait défaut aux Chevaliers modernes : je sais m'amuser.

Wellan n'appréciait pas du tout son sens de l'humour.

– Si vous avez le cœur solide, je vais vous montrer quelque chose de très inhabituel, offrit Onyx.

La curiosité du Chevalier l'emporta sur ses craintes. Son compagnon détacha ses bandages avec précaution et examina les profondes entailles calcinées.

– Voulez-vous mordre dans un bout de bois ? demanda le renégat.

Le grand chef aperçut l'étincelle de plaisir dans les yeux pâles de l'ancien soldat.

– Arrêtez de vous divertir à mes dépens, maugréa-t-il.

– Ne bougez pas, sinon vous offenseriez notre petit ami.

– Qui ?

– Les créations de Danalieth possèdent une âme commune : elles savent se reconnaître.

Avant que Wellan ne puisse le questionner davantage, Onyx approcha la griffe de sa paume meurtrie. La tête du petit dragon argenté se releva et ses narines se mirent à palpiter.

– Par tous les dieux..., s'étrangla le Chevalier.

– Surtout, restez tranquille. Vous n'aimeriez pas sa morsure.

Le grand chef retint son souffle. Il n'avait jamais rien vu de tel de toute sa vie. « Comment un objet métallique peut-il s'animer ainsi ? » se demanda-t-il. Il sentit le souffle de l'animal ensorcelé sur sa peau. Soudain, une minuscule langue bleue apparut entre ses crocs. Avec une infinie douceur, elle lécha les plaies de l'humain. Son contact procura un grand soulagement au Chevalier. Tout son corps se détendit, comme si la salive de la griffe l'anesthésiait.

– Douloureux ? railla Onyx.

Wellan se contenta de lui décocher un regard offusqué. Dès que le dragon eut cicatrisé la main droite, il se mit à pousser de petites plaintes en étirant le cou vers l'autre main.

– Je pense qu'il vous aime bien, nota Onyx.

La griffe opéra le même miracle sur la paume gauche, puis se rétracta sur le doigt du souverain.

– Maintenant, vous comprenez pourquoi je ne pouvais pas vous traiter dans le palais de votre frère, expliqua-t-il.

– Cette chose est vivante ? s'étonna Wellan.

– Tout comme vos spirales. Vous apprendrez à les apprivoiser et à les mettre à votre service.

– Elles n'ont ni dents ni langue.

– C'est exact, mais elles ont une sensibilité distincte de la vôtre. Elles vous avertiront de présences invisibles que vous ne captez pas et, surtout, elles vous protégeront malgré vous. Elles peuvent émettre des rayons mille fois plus meurtriers que vos anciennes paumes.

– Je ne peux donc plus me servir de mes pouvoirs antérieurs ?

– Non.

– Même pour opérer des guérisons ?

– Les spirales ont anéanti ce pouvoir, je le crains. Ce que vous désiriez le plus au monde, c'est de défendre votre monde, non ?

Le Chevalier baissa la tête, dépité.

– Une fois que vous vous serez habitué à ces armes, vous ne pourrez plus vous en passer, assura Onyx.

Wellan pensa à Bridgess et aux caresses qui la rendaient si heureuse. Comment réagiraient les spirales ?

– Le livre des Elfes n'en parle pas, s'excusa le renégat, qui lisait ses pensées. Personnellement, j'ai découvert que la griffe tentait de mordre Swan durant nos ébats. Alors, ma femme m'attache la main dans le dos.

– C'est plutôt décourageant.

– Si les spirales ne désirent pas entrer en contact avec votre épouse, elles deviendront incandescentes. Si cela se produit, évitez de toucher Bridgess, car vous la brûleriez.

La déconvenue du soldat troubla Onyx. Il fit sauter le bouchon d'une urne et, d'un geste de la main, fit s'élever le liquide incarnat dans les airs en un long ruban scintillant.

– Buvez, ordonna-t-il.

Wellan commença par contempler le phénomène avec stupéfaction, puis avança prudemment la bouche vers ce curieux filet liquide en suspension. Il n'eut aucune difficulté à l'aspirer, comme s'il avait été de la fumée. Il en but une grande quantité, puis se tourna vers le Roi d'Émeraude.

– Jusqu'où vos pouvoirs s'étendent-ils ? osa-t-il demander.

– Je n'en sais rien..., avoua Onyx en haussant les épaules.

Le renégat se laissa retomber sur son coussin. Utilisant une méthode plus ordinaire, il vida d'un trait le contenu d'une autre urne. Wellan en profita pour communiquer avec Lassa et lui faire savoir qu'il serait encore absent quelque temps.

33

ORAGON OE CHASSE

En l'absence de son époux, Bridgess divisa les groupes en trois. Son groupe et celui de Santo restèrent à la frontière du Royaume de Perle et du Royaume de Cristal. Elle dépêcha ceux de Dempsey, Chloé et Bergeau au Royaume d'Émeraude, afin qu'ils patrouillent les rives de la rivière Mardall qui le séparait du Royaume d'Argent. Quant aux groupes de Jasson et de Falcon, elle les envoya sur le territoire des Elfes.

L'ennemi ne se manifesta pas. Les larves s'étaient enfouies sous terre afin d'y terminer leur transformation. Cette attente agaçait beaucoup les jeunes soldats habitués à se battre depuis leur adoubement. Les plus âgés, eux, savaient bien que l'esprit d'Amecareth était imprévisible. Ils demeuraient aux aguets en cherchant une façon d'occuper leurs plus fougueux guerriers.

Les nouveaux guerriers Elfes avaient envahi le campement établi par Jasson et Falcon. Leurs sens aiguisés en faisaient d'excellents éclaireurs. Mais ils ne percevaient rien, eux non plus. Alors ils passaient le temps en racontant aux humains les merveilleuses légendes de leurs ancêtres. Kevin n'avait jamais l'occasion de les entendre, car il dormait surtout le jour. Son jeune Écuyer se faisait donc un devoir d'en retenir tous les mots pour les lui répéter lorsqu'il se réveillait, après le coucher du soleil. Ce jour-là, les Elfes étaient partis avec une bande de Chevaliers pour faire une ronde de surveillance jusqu'à la falaise de Shola. Liam avait besoin de bouger. Il était incapable de demeurer assis près de son maître pour surveiller son sommeil. Tout en le gardant à vue, il voulut trouver une façon de venir en aide à l'Ordre.

La veille, tandis qu'il patrouillait les environs du campement avec Qilliang, l'apprenti de Derek, il avait trouvé un avant-bras d'insecte à l'orée de la forêt. Les gamins avaient d'abord fait la grimace. Liam se rappela ce que Kevin lui avait dit sur l'odorat des chevaux-dragons. Il avait donc ramassé le membre arraché et l'avait enveloppé dans une grande feuille de rhubarbe. Une fois son maître assoupi, l'Écuyer rejoignit Pietmah sur la plaine et la sépara du troupeau. La pouliche noire jeta un coup d'œil inquiet du côté de son compagnon Virgith, mais ce dernier continuait de brouter tranquillement.

– Pietmah, écoute-moi.

L'animal releva l'encolure, intrigué par le comportement inhabituel de son maître.

– Je veux que tu sentes ce que je vais te montrer et que tu te souviennes de cette odeur pour retrouver les insectes qui se cachent dans la terre. Est-ce que tu comprends ?

Pietmah gardait les oreilles bien droites. Liam n'était pas convaincu qu'elle avait saisi ses directives. Cependant, elle était attentive. Il lui présenta donc le bras. La pouliche baissa la tête et voulut mordre le membre sectionné.

– Ce n'est pas un jeu, Pietmah, se fâcha Liam. C'est très sérieux.

Kira venait tout juste de brosser Hathir lorsqu'elle vit que la pouliche noire s'était éloignée du troupeau. Elle se mit tout de suite à sa recherche. En apercevant Liam, la Sholienne marcha sans faire de bruit et se posta derrière un arbre. « Qu'est-ce qu'il a encore inventé ? » se demanda-t-elle.

Pietmah bouscula l'apprenti pour se saisir du morceau de viande qu'il tenait à la main.

– Non ! protesta Liam. Il faut que tu utilises tes naseaux !

La pouliche recula en poussant de petits cris de frustration.

– C'est la seule façon de débusquer ces scarabées géants, insista l'Écuyer.

Ses intentions étaient bonnes, mais ses méthodes douteuses. Kira décida de s'en mêler. Elle s'approcha de la jument qui continuait de protester contre le traitement cruel que lui imposait Liam.

– Qu'est-ce qu'elle raconte, Lady Kira ? demanda ce dernier, sur un ton suppliant.

– Elle essaie de te faire comprendre que, dans quelques heures, ce morceau de chair ne sera plus comestible, interpréta la Sholienne en s'efforçant de ne pas sourire.

– Je ne le lui donne pas à manger ! Je veux qu'elle le flaire afin de retrouver les larves qui dorment dans le sol. Si nous les tuons tout de suite, elles ne nous causeront pas d'ennuis dans quelques années.

– Tu as raison, Liam, mais je ne crois pas que les chevaux-dragons soient de bons chiens de chasse. Ils peuvent sentir des odeurs à des lieues. Dans la terre, j'en doute.

– Sire Kevin pense qu'ils pourraient y arriver.

– Encore faudrait-il qu'ils en aient envie. Tu vois, ces magnifiques créatures, qui ressemblent à nos chevaux, ont leur propre volonté. La seule raison pour laquelle elles participent à ces expéditions, c'est qu'elles le veulent bien.

– Dans ce cas, comment pourrais-je la persuader de nous aider ?

– C'est une excellente question, admit Kira. Commençons par demander à un aîné ce qu'il en pense.

Elle appela Hathir. L'étalon noir galopa aussitôt jusqu'à elle. Kira plaça la main sur son front pendant un instant, puis se retourna vers l'enfant.

– Il pense que ton idée est bonne, mais qu'il sera difficile de retrouver un insecte vivant en utilisant l'odeur de la chair morte, traduisit-elle.

– Je perds mon temps, alors ?

Hathir émit des sifflements stridents.

– Pas nécessairement, l'encouragea Kira. Pietmah a eu l'occasion de flairer l'ennemi durant les combats.

La pouliche avait relevé très haut la tête après l'explication de Hathir. Cette fois, les intentions de son maître étaient claires.

– Comment faites-vous pour vous comprendre tous les deux ? les envia l'Écuyer.

– Par mon sang, j'ai une mesure sur toi. Mais tu possèdes suffisamment de facultés magiques pour capter les pensées de Pietmah en utilisant tes mains.

– Mes mains ? répéta-t-il en baissant les yeux sur ses paumes.

– Elles sont des armes, des remèdes et des antennes sur le monde invisible. Tu n'as qu'à les placer sur la tête de ta jument et lui parler par images. Quand elle aura compris ce que tu tentes de faire, elle te renverra à son tour des symboles.

La suggestion était fort intéressante. Toutefois, lorsque Liam voulut s'approcher de sa pouliche, cette dernière déguerpit vers le troupeau. Kira avisa l'air déconcerté du garçon.

– C'est seulement parce qu'elle a faim, assura-t-elle.

– J'imagine... Merci, Lady Kira. J'ai appris une importante leçon aujourd'hui.

– Même les grands continuent d'en apprendre tous les jours.

Liam retourna auprès de Kevin. Il remonta la couverture jusqu'au menton de son maître et prit place près de lui. Il se mit alors à penser à ses amis. Jenifael se trouvait avec Swan à la frontière du Royaume d'Émeraude et Lassa était au château avec Wellan. Il était défendu aux Écuyers de communiquer par télépathie sans la permission de leurs maîtres... mais les élèves de Farrell avaient appris à le faire de façon individuelle, comme les anciens Chevaliers !

Jeni, est-ce que tu m'entends ?

Assise sur une grosse roche plate près de la rivière, la fillette cirait ses bottes. Elle entendit la voix de Liam et se redressa brusquement. Ce type de communication était pourtant interdit entre Écuyers lorsqu'ils étaient en mission. Elle jeta un coup d'œil aux adultes qui s'affairaient autour d'elle. Aucun d'entre eux n'avait entendu la question de Liam.

Il était temps que tu réussisses, répliqua Jenifael. Le fils de Jasson avait toujours eu du mal à maîtriser cette faculté magique. *Je pense qu'il faut s'ennuyer de ceux qu'on aime pour y parvenir*, raisonna le garçon. Les deux apprentis bavardèrent pendant un moment, puis se demandèrent s'ils pourraient parler à Lassa de la même manière sans le mettre dans l'embarras. *Il ne faut pas oublier qu'il est avec sire Wellan*, s'inquiéta Liam. *Il pourrait surprendre notre conversation.* Jenifael lui expliqua que son père avait de grands pouvoirs, mais qu'il ne savait pas encore comment s'adresser à une seule personne à la fois avec son esprit. Tout laissait croire qu'il ne connaissait pas non plus la façon de surveiller ce genre d'entretien. Ils conclurent donc de s'informer des progrès du porteur de lumière plus tard dans la journée.

Êtes-vous arrivés à faire sortir les insectes de leurs trous ? voulut savoir la petite déesse. Liam répondit que non. Il s'abstint de lui parler de ses essais infructueux avec sa pouliche. Le garçon dut mettre fin à ce rassurant contact avec

Jenifael lorsque les Chevaliers demandèrent aux Écuyers d'aller chercher du bois. Il aida même Maïwen et Fabrice à préparer le repas du soir. Cette activité lui changea les idées.

Le Chevalier Mann leur joua une douce mélodie tandis que les étoiles s'allumaient une à une dans le ciel. Liam les observa un instant, puis porta son attention sur les soldats assis autour du feu. À quelques pas de lui, Maïwen écoutait la musique, la joue appuyée contre ses jambes repliées, le regard perdu dans les flammes. Certes, tous les guerriers étaient découragés de devoir attendre que les larves se transforment, mais ils n'affichaient pas autant de tristesse qu'elle. Il vit aussi Ariane, assise en retrait. Ses yeux brillaient de larmes. Pourtant, on avait raconté à Liam que les Fées étaient des créatures insouciantes, que rien ne pouvait affecter...

Kira embrassa son mari sur la joue et rejoignit Ariane, qui n'avait pas touché son repas. Son écuelle gisait sur le sol devant elle.

– J'aimerais tellement savoir quoi dire pour te réconforter, s'affligea la Sholienne.

– Et moi, j'aimerais posséder le pouvoir de reculer dans le temps pour sauver la vie de Kardey, s'étrangla Ariane.

Elle éclata en sanglots. Les Chevaliers se tournèrent vers elle, lui transmettant une vague d'apaisement. Cette intervention massive lui fit le plus grand bien. Jasson traversa le groupe pour venir s'asseoir de l'autre côté de la jeune veuve.

– Je n'ai jamais aimé quelqu'un de cette façon, hoqueta la Fée.

– Je ne sais pas ce que tu ressens. Je peux seulement l'imaginer, susurra son commandant. Si je devais perdre Sanya, je serais moi aussi inconsolable.

Kira pensa que ce serait la même chose pour elle si Sage tombait au combat. Elle n'aurait plus de raison de vivre...

– Qu'est-ce que la salle des regrettés dont ta mère t'a parlé ? voulut savoir Jasson.

– C'est un endroit sacré où les corps des défunts flottent jusqu'à ce que leurs proches soient enfin prêts à les laisser partir, expliqua Ariane, le cœur gros.

– Je crois qu'il est temps que tu t'y rendes.

– Je suis un Chevalier d'Émeraude et mon devoir est de protéger Enkidiev.

– Tu n'y arriveras pas dans cet état, ma sœur. De toute façon, l'ennemi dort sous nos pieds en ce moment. Il est peu probable qu'il en émerge avant ton retour.

Ariane sauta dans les bras de Jasson et le serra de toutes ses forces. Puis, elle se ressaisit.

– Et qui s'occupera d'Odélie en mon absence ? s'inquiéta-t-elle.

La fillette s'était endormie sur la couverture près de son maître, inconsciente du drame qui se jouait autour d'elle.

– Je veillerai sur elle, décida Kira, qui en avait pourtant plein les bras avec Keiko.

– Je vous serai éternellement reconnaissante de ce que vous faites pour moi, les remercia la Fée.

– C'est ainsi qu'agissent les Chevaliers les uns envers les autres, prêcha Jasson.

Ariane ramassa ses affaires en vitesse et disparut dans le noir. Sur le bord du feu, Maïwen avait suivi l'émouvante scène. Son mari à elle n'avait pas perdu la vie sur le champ de bataille. On la lui avait enlevée sur Irianeth. Il était aussi horrible pour elle de vivre à ses côtés sans pouvoir le toucher que de l'avoir vu se faire embrocher par un guerrier d'élite. Avant que ses compagnons ne la voient pleurer, elle s'éloigna et alla s'asseoir au pied de l'arbre où dormait déjà la petite Noémie. Kevin était parti faire sa ronde, mais Liam veillait. Le garçon ressentit l'inquiétude de la Fée.

– Il est sur le bord de la rivière, l'informa-t-il. Soyez sans crainte, je ne le perds pas de vue... avec mes sens magiques, je veux dire.

– Je sais, Liam. Tu es le plus dévoué de tous les apprentis et je t'en remercie.

L'Écuyer se posait beaucoup de questions au sujet de son maître et de sa femme, car le seul couple qu'il connaissait vraiment était celui de ses parents. Les choses se passaient bien différemment entre eux.

– Lady Maïwen, certaines choses me tracassent beaucoup et j'hésite à en parler à sire Kevin, commença-t-il bravement.

– Pourquoi ? Il est ton maître, Liam. Tu dois apprendre à lui faire confiance.

– C'est trop personnel.

– Tu veux en discuter avec moi ?

– Quand j'étais petit, je me confiais surtout à ma mère...

Il avait donc plus de facilité à s'ouvrir aux femmes. La Fée accepta de lui venir en aide, même si elle n'avait pas une aussi grande expérience de la vie que son mari.

– Vous êtes l'épouse de sire Kevin, mais vous ne vous prenez jamais la main. Vous ne vous embrassez pas et vous ne dormez pas collés l'un contre l'autre.

– Notre situation est différente de celle de la plupart des gens mariés, expliqua Maïwen, embarrassée.

Kevin se faufila entre les arbres, à proximité de la guerrière et de l'apprenti, pour écouter l'explication de la Fée.

– Comme tu le sais sûrement, Kevin a été empoisonné par Asbeth. Le liquide qu'il lui a fait avaler était ensorcelé. Farrell et Dylan l'ont débarrassé d'une partie du sortilège, mais Kevin est demeuré contagieux pendant de longs mois.

– S'il est parmi nous maintenant, ça veut donc dire qu'il est guéri ? avança Liam.

– C'est exact. Il ne peut plus nous transmettre son mal.

– Alors, pourquoi ne vous touchez-vous pas ?

Maïwen soupira avec découragement. Elle ne savait pas comment faire comprendre à un garçon de son âge que son mari ne voulait pas concevoir d'enfants qui deviendraient victimes du mauvais sort.

– C'est difficile à expliquer, laissa-t-elle finalement tomber.

– C'est parce qu'il ne vous aime plus ? s'attrista Liam.

– Certains mariages se solidifient plus lentement que d'autres, c'est tout.

Le Chevalier caché derrière le tronc rugueux d'un chêne baissa honteusement la tête. Il avait cru que cette union était surtout une union de convenance. Farrell avait tenté de l'éloigner de ses compagnons en obligeant Émeraude Iᵉʳ à lui donner une terre. Maïwen, elle, espérait que les choses s'améliorent et que son mari redevienne normal un jour.

Apparemment satisfait de cette réponse, Liam s'enroula dans sa couverture. La Fée porta alors son attention sur les dernières activités du campement, afin d'oublier son chagrin. Ses frères et ses sœurs s'installaient auprès de leurs apprentis qui dormaient déjà. Cependant, Jasson était debout en retrait. Falcon se tenait près de lui. Ils parlaient à voix basse.

– Pourquoi as-tu laissé partir Ariane ? s'énerva Falcon. Nous ne sommes pas censés nous séparer. Wellan ne sera pas content de l'apprendre.

– Elle a besoin de faire son deuil.

– Nous devons tous rester ensemble.

Jasson saisit les bras de son ami et capta sa peur. Elle provenait des malheureux événements qui s'étaient produits sur la plage d'Argent, lorsque le sorcier Asbeth lui avait transpercé le corps avec une lance.

– Il ne lui arrivera rien, affirma Jasson. J'avais minutieusement sondé la région avant de lui accorder cette permission. Je n'ai senti aucune sorcellerie jusqu'au Royaume des Fées.

– Et que fais-tu d'Akuretari ?

– Nous ne sommes pas à l'abri d'une attaque-surprise, je l'avoue. Mais cela fait partie des dangers qui guettent les soldats.

Cela ne rassura nullement Falcon.

– Je tremble comme toi, mon frère, poursuivit Jasson. J'ai seulement choisi de ne pas le laisser paraître.

Falcon se défit de son emprise, blessé par sa remarque.

– Nous sommes les lieutenants de Wellan, ajouta Jasson. Il ne nous a pas demandé d'être parfaits, il s'attend seulement à ce que nous fassions de notre mieux. Je n'aime pas réduire le nombre de mes soldats. Je ne veux pas non plus lancer dans la mêlée un Chevalier qui n'a pas le cœur à se battre. Dis-moi que tu comprends mes raisons, Falcon.

– L'ennemi est si sournois...

– Mais nous sommes plus intelligents que lui. Rappelle-toi ce que nous disait Élund : le bien finit toujours par triompher à la fin. Je ne peux pas garantir que certains d'entre nous ne perdront pas la vie durant cette guerre. Les dieux en décideront. Dans le cas d'Ariane, je n'avais pas le choix. Elle est en pièces et mon devoir est de faire tout ce que je peux pour lui redonner courage.

Falcon fixa son compagnon dans les yeux un long moment.

– Tu as raison, admit-il, finalement.

– J'ai toujours raison ! plaisanta Jasson, le faisant sourire.

Ils décidèrent de se coucher, car leurs alliés Elfes étaient des créatures plutôt matinales. Falcon déposa sa couverture près de son apprenti. Jasson attendit qu'il soit allongé sur le sol pour lui transmettre une vague de réconfort. Il scruta une dernière fois les alentours et prit place près de Nikelai, son Écuyer, laissant Kevin patrouiller le campement. Bientôt, tous sombrèrent dans le sommeil, bercés par le clapotis de l'eau de la rivière et les chants des grillons.

Kevin contournait les destriers endormis lorsque le cri strident de Pietmah lui glaça le sang. Le Chevalier s'élança au milieu des hennissements craintifs du reste du troupeau. À l'orée du bois, la jument-dragon sautillait joyeusement sur place. Kevin réussit à s'approcher d'elle et à poser la main sur son encolure soyeuse.

– Doucement, ma jolie. Qu'est-ce qui te prend tout à coup ?

La pouliche ne bougeait plus. Le danger était-il passé ? Provenait-il du ciel... ou de la forêt ? La vision de Kevin était perçante la nuit. Pourtant, il ne voyait rien d'alarmant. Pietmah se frotta la tête contre la poitrine du Chevalier puis alla rejoindre ses congénères. Rassuré, le guerrier poursuivit sa ronde.

Quelques minutes plus tard, la jument refit la même chose. Kevin revint vers elle au pas de course. Il ne comprenait tout simplement pas le soudain enthousiasme de l'animal. Pietmah recommença ce manège une dizaine de fois. Dès que le soldat accourait, elle s'apaisait.

Comme tous les autres dormeurs, continuellement dérangés dans leur sommeil par les plaintes de la pouliche, Sage commençait à avoir les nerfs à vif. Lorsqu'elle les ameuta à nouveau, il s'assit brusquement sur sa couverture.

– Kira, fais-la taire ! s'exclama-t-il.

La Sholienne ne l'avait jamais vu aussi irrité. Avant que sa mauvaise humeur ne se propage à tout le groupe, elle piqua vers la plaine, où Pietmah exécutait une curieuse danse en rond. Kevin convergeait aussi vers elle.

– Mais qu'est-ce qu'elle a ? s'impatienta son frère d'armes.

La pouliche s'immobilisa en redressant fièrement la tête. Kira en profita pour placer ses deux mains sur ses naseaux. Un large sourire fendit le visage de la princesse.

– Et en plus, tu trouves ça amusant ? reprocha Kevin.

– Si elle agit ainsi, c'est ta faute ! Tu as dit à Liam que ces créatures avaient un odorat hors du commun. J'ai vu ton Écuyer utiliser un morceau de cadavre d'insecte pour lui enseigner à les flairer. Cette nuit, elle en a trouvé plus de dix.

Kevin poussa un soupir de découragement.

– Nous apprécions ton travail, Pietmah, mais c'est assez maintenant, dit-il à la jument.

Le frémissement des oreilles de l'animal indiqua à Kira qu'elle ne comprenait pas encore très bien la langue des humains. Elle transposa donc ses mots en images. En se lamentant, la jument s'empressa de rejoindre Virgith et de se blottir contre lui.

– Elle pensait bien faire, l'excusa Kira. D'ailleurs, si nos chevaux-dragons sont capables de trouver les larves dans le sol, nous pourrions utiliser nos rayons pour tuer la menace dans l'œuf.

Kevin ne put qu'approuver. Ils retournaient vers le campement lorsque Kira fut touchée par ce qui ressemblait à un vent magique. Elle s'immobilisa, effrayée.

– Qu'est-ce que c'est ? s'alarma Kevin. Qu'as-tu ressenti ?

– C'était comme une intense vague magique.

– De la part de Wellan ? D'Onyx ?

– Non. Je connais toutes vos énergies. C'était différent.

– Était-ce maléfique ?

– Pas du tout et c'est ce qui m'inquiète. J'ai l'impression que c'est divin.

– Akuretari ?

– S'il est un dieu, il peut certainement déguiser la vraie nature de ses vibrations. Pourtant, ce que j'ai ressenti semblait bienfaisant.

– Je veux bien garder l'œil ouvert cette nuit, mais je ne possède plus vos pouvoirs, déplora Kevin.

– Ne t'en fais pas. Je resterai éveillée.

Kira poursuivit sa route pour aller adoucir Sage. Il s'était endormi.

34

L'homme hippocampe

Ariane ne perdit pas une seule seconde. Elle sella son cheval dans le noir. La bête avait relevé les oreilles, se demandant pourquoi on ne préparait pas aussi les autres destriers. Malgré tout, elle quitta docilement le troupeau pour s'aventurer le long de la rivière Mardall. La femme Chevalier aurait bien aimé posséder des bracelets magiques comme ses frères aînés, car elle aurait pu être chez ses parents en quelques secondes à peine. En chevauchant sans relâche, elle y serait en deux jours.

Elle s'arrêta pour faire boire et brouter sa jument baie, mais ne mangea presque rien elle-même. Elle ne voyait plus que le visage de Kardey dans ses pensées. Aucun homme ne serait aussi méritant que lui à ses yeux. Il avait su ravir son cœur et gagner sa confiance. Chaque jour auprès de lui avait été rempli de bonheur et de plaisir. Ariane pleura pendant presque toute la traversée du Royaume des Elfes. Elle savait que la vue du corps inanimé de son mari lui déchirerait les entrailles, mais elle voulait le revoir une dernière fois.

L'apparition des grands arbres transparents et des fleurs géantes du pays de son enfance versa un baume sur son cœur. Elle parcourut les sentiers de petits cailloux brillants, huma les doux parfums et observa les vols d'oiseaux-mouches qui se pourchassaient entre les corolles. L'air était plus doux au Royaume des Fées. Il s'agissait d'une illusion entretenue par son père.

Elle descendit dans le vallon où le Roi Tilly dissimulait son château de verre. De jeunes Fées voletaient entre les tiges des roseaux en caressant les grenouilles au passage. Elles aperçurent soudain Ariane, chuchotèrent entre elles et disparurent prestement dans la forêt. « Elles ne savent pas quoi me dire », raisonna la veuve.

Ariane traversa le joli pont de bois et descendit de cheval. Ayant décidé de passer quelques jours chez ses semblables, elle lui retira la selle et la bride. La bête secoua la tête et se mit tout de suite à arracher l'herbe bleuâtre. La femme Chevalier déposa son équipement au pied d'un grand pommier odorant. C'est alors qu'elle entendit un sifflement familier. Elle se redressa brusquement, son cœur battant la chamade dans sa poitrine. Les sons musicaux cessèrent, comme un mirage qui se dissipe. « C'est mon esprit qui me joue des tours, tenta de se convaincre Ariane. Ce ne peut pas être Kardey. »

Elle s'empressa de grimper la colline. En l'espace d'un instant, elle se retrouva dans le vestibule du palais. Les Fées présentes eurent la même réaction que celles qu'elle avait rencontrées à son arrivée. Elles se bousculèrent dans la porte surmontée d'un arc-en-ciel et disparurent.

– Ce n'est pas normal, murmura Ariane.

Elle poursuivit son chemin jusqu'au hall du roi, espérant l'y trouver à cette heure de la journée. Tilly passait très peu de temps dans sa fragile forteresse. Comme tous ses sujets, il aimait batifoler dans les immenses marguerites et les champignons gros comme des maisons. Ariane mit le pied dans la vaste pièce aux murs chatoyants. Son père se tenait debout devant son trône, l'air grave. La Fée marcha jusqu'à lui, sentant son courage défaillir. Elle n'avait visité la salle des regrettés qu'une fois, à l'âge de quatre ans, accrochée à la main de sa mère. C'était un endroit étrange, situé entre deux mondes, où les corps des morts flottaient dans le vide jusqu'à ce que leurs familles soient prêtes à les élever vers les astres.

– Père, le salua Ariane en baissant respectueusement la tête.

– Je savais que tu viendrais, se contenta de répondre Tilly.

– Il faut bien que je le libère un jour...

Les larmes se mirent à couler sur les joues d'albâtre de la guerrière.

– Il s'est passé bien des choses depuis notre dernière rencontre, soupira-t-il.

Ariane lui décocha un regard inquisiteur. Lorsqu'il se mettait à parler à demi-mots, ce n'était jamais bon signe.

– Que voulez-vous dire ? souffla Ariane, de plus en plus inquiète.

– Ton mari n'est plus dans la salle des regrettés.

– Vous l'avez laissé partir sans moi ?

– Non, il est toujours ici.

– Je ne comprends pas...

Le souverain, dont les ailes immobiles miroitaient à la lumière des nombreux lustres de la salle, demanda à sa fille d'approcher. Ariane rassembla son courage et lui obéit. Ils prirent place l'un près de l'autre dans les marches de quartz transparent.

– En l'installant sur une plume géante, nous avons constaté qu'il respirait encore, expliqua Tilly. Son cœur était très faible, mais il n'était pas mort.

– Quoi ? s'égaya la Fée.

– Ne te réjouis pas trop vite. Pour le maintenir en vie, nous avons dû modifier son anatomie.

– Que lui avez-vous fait ?

– C'était l'idée de ta mère.

– Que lui avez-vous fait ? répéta Ariane, énervée.

– Je l'ai transformé en Fée.

Cette révélation jeta la consternation dans l'esprit de la femme Chevalier. Comment pouvait-on changer un humain à ce point ? L'organisme des Fées était bien trop différent de celui des hommes...

– En agissant ainsi, nous avons réussi à le ranimer, poursuivit Tilly. Cependant, il y a un problème.

Ariane ferma les yeux. « Ce n'est qu'un rêve... Je me suis endormie sur ma selle », voulut-elle croire.

– Comme tous les autres hommes Fées, s'il quitte mon royaume, il ne survivra pas, termina le roi.

– Vous en avez fait votre prisonnier ? s'étonna Ariane.

– Je l'ai sauvé, par amour pour toi.

La guerrière se leva et marcha en rond dans la pièce pendant un moment. Elle avait appris à aimer un fier combattant, un homme qui n'avait peur de rien. Quel autre changement son père avait-il opéré en Kardey ?

– Comment a-t-il réagi à cette métamorphose ? demanda-t-elle, finalement.

– Plutôt bien.

– Je vous en conjure, laissez-moi le voir.

– En ce moment, il cueille des myrtilles dans les bois, près des grands dolmens.

Ariane se courba et s'échappa du hall en courant. Elle traversa le palais, pour finalement aboutir à l'extérieur, du côté ouest. La forêt des anciens était immense. La femme Chevalier utilisa ses facultés magiques pour repérer son mari, mais ne capta son énergie nulle part. « Évidemment, puisqu'il n'est plus lui-même ! » comprit-elle. Comment le retrouver ? Elle tenta plutôt de découvrir des Fées. Elle en trouva quelques-unes à proximité des mégalithes posés en rond par une civilisation dont on ne savait plus rien. La guerrière se fia à ses sens particuliers pour les y rejoindre. Elle vit les jeunes filles penchées sur de petits buissons, rassemblant leurs fruits dans des corbeilles de jonc. Puis, à quelques pas d'elles, une silhouette familière.

– Kardey...

Ariane courut à en perdre haleine entre les jeunes arbres et les fougères. L'ancien soldat eut juste le temps de se retourner qu'elle lui sautait dans les bras. Elle le serra en pleurant de joie et parsema son visage de baisers.

– Tu es vivant, tu es vivant ! exulta la femme Chevalier.

Ariane s'empara de ses lèvres pour l'embrasser passionnément. Il remit ses explications à plus tard et répondit à son étreinte. Ce n'est qu'une fois calmée que la Fée remarqua un autre changement dans la physionomie de son époux : il avait pris du poids. Son petit ventre rond saillait sous sa tunique bleu tendre.

– Il m'est arrivé des choses extraordinaires depuis notre dernière bataille ensemble, finit-il par lui dire.

– Je dirais plutôt des choses prodigieuses, fit observer Ariane.

– Le Roi Tilly a accompli un miracle.

– Est-ce qu'il t'a dit qu'il a aussi modifié tes organes ?

– Justement, il faut que nous en parlions.

Le capitaine déposa son panier, prit la main de son épouse et l'entraîna au milieu du cercle formé par les pierres géantes.

– Pour que je puisse continuer de respirer, il a dû me métamorphoser en Fée, expliqua-t-il en observant la réaction de sa belle. Il a spécifié que je ne pourrais plus jamais combattre avec les Chevaliers, mais que cela me permettrait de vivre aussi longtemps que toi.

Le visage du soldat s'illumina.

– Ce n'est qu'après cette opération magique que nous avons constaté un autre changement en moi.

Il posa fièrement ses mains sur son ventre.

– Je suis enceinte ! s'exclama-t-il, rayonnant. C'est tout récent, quelques semaines à peine.

Son épouse n'eut pas la réaction escomptée. Elle resta parfaitement immobile, les yeux écarquillés.

– Tu es une Fée, Ariane. Tu sais bien que chez vous, ce sont les hommes qui portent les enfants.

– Non, je l'ignorais, parvint-elle à articuler. Je suis partie de ce royaume à l'âge de cinq ans.

Kardey prit sa main et la posa sur son ventre.

– Ton père prétend que ce sera une fille, l'informa-t-il, les yeux remplis de larmes de joie. Notre fille, Ariane. Dis-moi au moins que tu es heureuse.

– Kardey, je ne sais plus ce que je ressens. Je suis folle de joie de te revoir vivant, mais j'ai grandi dans un monde où ce sont les femmes qui portent les enfants et pas le contraire. Je suis plutôt confuse en ce moment.

– Je l'étais aussi, je t'assure. En me transformant, le roi a simplement renversé nos rôles. S'il l'avait fait plus tôt, nous aurions déjà une dizaine d'enfants. Seul mon dernier œuf était encore viable.

L'Opalien provenait d'un pays où les hommes régnaient en maîtres et où leurs épouses ne servaient qu'à leur donner des héritiers. La nouvelle avait dû le dérouter, en effet.

– Quand doit-elle naître ? osa demander Ariane.

– Durant la saison des pluies. Le roi m'a dit que c'était lui qui mettait toutes les petites Fées au monde et que je n'avais rien à craindre.

Déconcertée, son épouse se réfugia dans ses bras. Rien de ce qu'elle voyait et entendait depuis son arrivée chez ses parents n'avait de sens.

– J'aimerais que tu reviennes vivre ici à la fin de la guerre, murmura Kardey à son oreille. Je voudrais que nous soyons une vraie famille.

– Les affrontements risquent de durer des années.

– Dans ce cas, tu pourrais nous visiter régulièrement jusqu'à ce que la prophétie se réalise.

– Sans doute...

Ils marchèrent dans la forêt, main dans la main. Ariane lui raconta les événements qui avaient suivi sa blessure mortelle. Le fait de parler de choses normales lui redonna le sourire. Le soleil se mit à descendre vers l'ouest. Les Fées ne sortaient jamais la nuit. Elles regagnaient leurs abris dans les diverses tours du château et ne reprenaient vie qu'au lever de l'astre du jour.

Kardey entraîna sa femme sur des sentiers qu'elle n'avait jamais foulés. Ils pénétrèrent dans le palais par une entrée secondaire. Au bout d'un moment, Ariane constata qu'il se dirigeait vers ses anciens quartiers d'enfant.

– Tu loges dans ma chambre ? voulut-elle savoir.

– C'est ton père qui me l'a offerte, mais j'y ai apporté quelques changements.

Ariane arqua un sourcil. Elle ne fit aucun commentaire avant de mettre le pied dans la vaste pièce. Kardey avait remplacé sa couche de petite fille par un grand nid pour adultes. Un plus petit s'y rattachait. La Fée lâcha la main de son époux et s'en approcha. Le fond du lit circulaire était tapissé de couvertures duveteuses.

– Je vais bientôt apprendre à tisser, lui apprit le soldat.

– Arrête, Kardey, implora la guerrière. Tu m'effraies.

Le visage de l'Opalien s'assombrit.

– Tu ne veux pas revenir vivre dans ton pays, n'est-ce pas ? déplora-t-il.

– Ce n'est pas l'existence que tu me proposes qui me désoriente, c'est ton changement de personnalité.

– Je n'ai pas le choix, belle dame. Je dois m'adapter ou mourir.

– Les combats ne te manquent pas ?

– Si, parfois. Il m'arrive de rêver que je lutte à tes côtés. Mais je ne peux pas quitter les frontières de ce royaume. Tu le sais, pourtant.

– Moi, je dois retourner sur le champ de bataille pour sauver Enkidiev.

– Tu ne serais pas la femme que j'ai épousée si tu n'y allais pas. Il est très important pour notre avenir et pour celui de notre enfant que tu aides Kira et Lassa à vaincre l'envahisseur.

– Ce sera difficile sans toi...

– Je serai dans tes pensées.

Ariane resta lovée contre son mari, à tenter de démêler ses sentiments. Elle partagea le repas de la cour, le soir venu. Au moment de se retirer pour la nuit, sa mère, la Reine Calva, lui fit discrètement signe de la suivre. Kardey la laissa partir sans dire un mot. « Il s'agit sûrement d'une autre intrigue de mon père », pensa Ariane. Elle accompagna sa mère dans les somptueux jardins intérieurs du palais.

– Il y a un terrible secret que nous ne t'avons jamais révélé, commença Calva.

Son visage était triste.

– Je ne sais pas si j'ai le cœur à l'entendre, s'opposa Ariane. Cette journée a été plutôt éprouvante.

– J'aurais préféré attendre la fin de la guerre pour t'en parler, mais puisque tu seras bientôt mère, il faut que je te dise la vérité.

– Alors, soit...

– Le Roi Tilly n'est pas ton père.

– Comment ? s'étrangla la femme Chevalier.

– Ce n'est pas lui qui t'a portée.

– Il m'a adoptée, donc ?

– C'est exact, et il t'aime profondément.

– Qui est mon véritable père ? Est-il mort ?

– Il ne peut pas mourir. C'est un Immortel. Je l'ai rencontré dans la forêt des anciens avant d'épouser Tilly.

– Tout ceci n'est qu'un rêve, murmura Ariane. Je vais bientôt me réveiller et me remettre à pleurer.

Calva saisit les bras de sa fille. Son regard la transperça.

– Tu ne t'es jamais demandé pourquoi tu étais la seule Fée dont les cheveux étaient de la couleur de la nuit ?

Ariane n'y avait jamais accordé d'importance.

– Tu tiens ta belle chevelure de ton père, mais tu as mes yeux.

– Comment appelle-t-on l'héritière d'une Fée et d'un Immortel ? se résigna la guerrière.

– Un maître magicien.

Cette fois, c'en était trop. Ariane voulut se défaire de l'emprise de Calva.

– Attends, ma chérie, l'implora la reine. Ce n'est pas tout.

– Je ne veux pas en entendre davantage ! cria la guerrière.

Elle se libéra et piqua vers la tonnelle avec l'intention de récupérer sa monture.

– Tu as une sœur, ajouta la reine.

Ariane s'immobilisa. Son corps fut secoué d'un spasme, comme si elle avait mis le pied dans un piège.

– Elle est restée auprès de son père, précisa Calva. Peut-être un jour aurez-vous le bonheur de vous rencontrer. Elle est plus jeune que toi.

– Vous avez pourtant épousé Tilly à ma naissance, protesta Ariane en se retournant.

– C'est pour cette raison que j'ai repoussé cet Immortel.

– Après avoir conçu ma sœur...

– C'était le plus beau cadeau que je pouvais lui faire. Il était si seul.

« Je n'aurais jamais dû venir ici », songea Ariane. Elle finirait par s'habituer à la radicale transformation de son époux soldat. Il lui serait cependant plus difficile d'accepter que Tilly ne soit pas son véritable père.

– Les Immortels portent donc des enfants comme les Fées ? s'enquit-elle.

– Ils peuvent faire tout ce dont ils ont envie, même changer leur physiologie, lui apprit Calva.

La femme Chevalier poursuivit sa route. Elle quitta la cour et erra dans les vergers multicolores, comme un fantôme en peine. Elle ne remit le cap sur le palais enchanté que lorsque la lune fut haute dans le ciel.

– Je suis plus forte que ça, déclara-t-elle, pour tenter de se convaincre.

Kardey l'attendait à l'entrée du grand immeuble de verre. Elle vit l'angoisse sur son visage et comprit que rien ne remplacerait le bonheur que lui procurait cet homme. Après la guerre, elle reviendrait habiter parmi son peuple pour élever la plus belle petite Fée de tout l'univers.

35

TOMBÉ DU CIEL

Le dragon n'était pas revenu hanter le ciel d'Émeraude. Malgré tout, Derek et Wanda continuaient de scruter les alentours jour et nuit. L'Elfe se remettait lentement de ses terribles blessures. Santo avait refermé ses plaies, réparé ses artères et remis ses organes en place. Miyaji lui avait rendu sa force vitale. Mais la médecine magique ne pouvait lui redonner le sang qu'il avait perdu ou effacer le choc que son corps avait subi. Seul le temps le guérirait entièrement. Derek avait donc décidé de se rendre utile durant sa convalescence. Les courtes patrouilles qu'il effectuait sur les passerelles de la forteresse lui redonnaient graduellement confiance en lui.

Le regard levé vers le sommet de la Montagne de Cristal, le Chevalier songea à sa mésaventure. En se précipitant au secours d'un frère d'armes, il avait à tout jamais changé l'opinion que les humains entretenaient à l'égard des Elfes. « C'est une bonne chose », songea-t-il, sans émotion. Il perçut un mouvement à sa droite et se retourna attentif à ne pas ranimer la douleur dans son ventre. Hawke s'approchait de lui, les mains cachées dans ses manches. En général, c'était là le signe d'une grande agitation intérieure.

– Vous devriez vous reposer, recommanda le mage. Je doute que tous ces escaliers vous soient salutaires.

– En demeurant au lit, je risque de m'ankyloser. Cessez de vous inquiéter, maître Hawke. Je sais ce qui est bon pour moi. Dites-moi plutôt ce qui vous contrarie.

– Est-ce si évident ?

– Rien n'échappe à un Elfe. Vous devriez pourtant le savoir.

Le magicien d'Émeraude soupira profondément.

– C'est la jolie fille du forgeron, n'est-ce pas ? poursuivit Derek.

– Je ne comprends pas ce que je ressens pour Élizabelle, mais je supporte de moins en moins d'être séparé d'elle.

– Pourquoi ne l'épousez-vous pas ?

– Parce que son père me terrorise.

– Mais c'est avec Élizabelle que vous voulez passer votre vie, pas avec Morrison.

– Me laissera-t-il vraiment tranquille ?

Derek garda le silence. Son compatriote perçut alors une émotion similaire dans son cœur.

– On dirait bien que nous partageons le même problème, constata-t-il.

– Et les représentants de notre race sont bien mal préparés à ce genre d'éventualité.

– Qui est l'élue de votre cœur ? voulut savoir Hawke.

– C'est une curieuse créature dont nous ne savons presque rien.

– Miyaji ? Vous êtes en train de vous éprendre de l'ennemi ?

L'ombre d'un sourire flotta sur les lèvres du soldat. En l'apprenant, Wellan ne serait pas très content, lui non plus. Mais, comme le disait si souvent Santo, on ne pouvait pas faire entendre raison à son cœur.

– J'ai vu autour d'elle cette belle lumière dont parlent les humains, expliqua Derek.

– Comment est-ce possible ?

– Je ne prétends pas tout connaître et encore moins tout comprendre. C'est pourtant ce que j'ai vu.

– En avez-vous parlé avec elle ?

– Pas encore, car elle passe tout son temps enchaînée dans la maison de votre futur beau-père.

– Je ne crois pas qu'il vous empêcherait de lui rendre visite. Je sais que votre sœur d'armes Wanda et la Princesse Amayelle y vont souvent.

Cela redonna du courage au Chevalier. Il remercia Hawke et descendit prudemment l'escalier qui menait dans la cour. Il se dirigea vers la maison de Morrison. « Comment vais-je aborder le sujet des âmes sœurs avec une femme élevée dans l'ignorance typique au peuple des insectes ? » se demanda-t-il.

La porte était ouverte. Il frappa quelques coups sur le chambranle. Personne ne lui répondit.

– Il y a quelqu'un ? appela-t-il.

– Seulement moi, répondit la Fée azurée.

Sa voix mélodieuse remplit l'Elfe de joie. Il se risqua à l'intérieur, même en l'absence des propriétaires de la maison. Miyaji était sagement assise sur son lit de fortune, près de l'âtre.

– J'avais hâte de vous revoir, avoua-t-elle avant que Derek ne puisse dire quoi que ce soit.

Elle était si menue, si inoffensive. Le Chevalier s'agenouilla devant elle en cherchant ses mots.

– Ma mère m'a dit qu'un jour je rencontrerais un mâle qui ferait battre mon cœur, poursuivit-elle sans la moindre retenue. Je pensais que ce serait un Midjin...

« Elle ne sait pas ce que signifie l'aura qui nous entoure, mais elle est en mesure d'identifier ce qu'elle ressent », comprit Derek. Il se pencha doucement et frotta le bout de son nez sur les oreilles bleues de Miyaji. Son geste la fit sourire.

– J'aimerais apprendre à mieux vous connaître, déclara-t-il, enfin.

– Et moi, passer plus de temps avec vous. Mais ces chaînes...

Derek posa la main sur le bracelet de métal. Un éclair s'échappa de sa paume et le brisa en deux : Miyaji était libre.

– Vous faites des choses incroyables, s'étrangla-t-elle, bouleversée.

– Les Chevaliers d'Émeraude possèdent de grands pouvoirs. Ils s'en servent surtout pour protéger leurs terres contre les envahisseurs.

Il l'aida à se lever. Sans se soucier que Morrison puisse les surprendre, l'Elfe emmena sa jeune amie à l'extérieur, où elle respira l'air frais.

– L'empereur est pourtant le maître du monde, se rappela-t-elle, confuse.

– C'est ce qu'il s'emploie à vous faire croire. Il s'empare de nouveaux territoires en massacrant leurs habitants. Ce n'est pas ce que veulent les dieux.

– C'est pourtant ce que recommande Ucteth, le demi-dieu qui communique pour nous avec le ciel.

– Les Chevaliers ont de bonnes raisons de croire que ces créatures immortelles sont perfides et qu'elles ne servent que leurs propres intérêts.

La *seccyeth* pencha doucement la tête : elle ne comprenait pas ses propos. Derek l'emmena dans les jardins intérieurs du palais et lui raconta donc toute l'histoire d'Enkidiev, à partir du début. Miyaji l'écouta avec attention. Vers l'heure du repas, ayant découvert les liens brisés de sa captive, Morrison sonna l'alarme dans la forteresse. Le Chevalier s'empressa de ramener Miyaji dans la cour. Le forgeron se planta aussitôt devant lui, le visage empourpré.

– De quel droit l'avez-vous libérée ? tonna-t-il.

– Elle n'est pas dangereuse, Morrison, répliqua Derek.

– Alors pourquoi le roi lui-même m'a-t-il demandé de restreindre ses mouvements ?

– Il n'a pas eu le temps d'évaluer la menace qu'elle pouvait représenter. À partir de maintenant, c'est moi qui me porterai garant de la conduite de la prisonnière.

Les deux hommes s'observèrent avec défi pendant un moment. Dans la porte de sa demeure, Élizabelle admira le courage de l'Elfe Chevalier. Personne avant lui n'avait ainsi tenu tête à son père.

– Je m'en lave les mains, lâcha finalement Morrison.

Il tourna les talons. Sa fille disparut prestement dans la maison. Elle ne voulait surtout pas attiser sa colère. L'Elfe n'avait pas sourcillé. Sur le même ton placide, il invita la Fée azurée à l'accompagner au hall des Chevaliers pour le repas du soir. C'est là que Miyaji fit la connaissance de Jahonne.

– Vous ? s'étonna la *seccyeth*.

L'hybride arrêta de manger et chercha une explication sur les visages des autres participants au repas.

– Jahonne est une parente de Kira, expliqua Amayelle. Elle est, comme toi, une fille de l'empereur.

– Alors pourquoi n'est-elle pas à ses côtés ?

Derek lui raconta ce qui s'était passé au Royaume des Ombres. Jahonne ajouta les détails de sa vie quotidienne jusqu'à la destruction de la seule maison qu'elle avait connue. Miyaji buvait toutes les paroles de ces étrangers. Elle découvrait, petit à petit, que le monde était très vaste. Lorsque les petits commencèrent à réclamer leurs lits, Sanya, Catania, Jahonne, Amayelle, Wanda et Ambre se retirèrent pour la nuit. Miyaji se retrouva toute seule devant l'Elfe qui l'avait libérée de ses liens.

— Dois-je retourner chez Élizabelle ? s'inquiéta la Fée azurée.

— J'ai peur que Morrison ne vous mette en cage, avoua Derek.

La dompteuse de dragons frissonna de peur.

— Vous n'avez rien à craindre tant que vous êtes avec moi, ajouta le Chevalier. Je loge temporairement à l'étage des appartements royaux. Vous prendrez mon lit et je dormirai dans le petit salon. Ainsi, personne ne vous fera de mal.

— Vous êtes d'une grande bonté.

— C'est la moindre des choses, étant donné que vous m'avez sauvé la vie.

Le Chevalier l'entraîna dans le palais. Petit à petit, les habitants du château regagnèrent leurs quartiers. L'allumeur de torches se mit au travail. Il enflamma celles du palais puis celles de l'aile des Chevaliers. Il se dirigeait vers l'écurie lorsqu'un bruit étrange attira son attention. On aurait dit le sifflement d'une flèche. Il se retourna lentement. Un homme tomba du ciel et s'écrasa à quelques pas devant lui. Effrayé, le serviteur lâcha son flambeau.

— À l'aide ! cria-t-il de tous ses poumons.

Élizabelle venait de mettre les plats dans la grande cuve lorsqu'elle entendit cet appel. Elle sortit de la maison avec l'intention d'aller prévenir son père. Quand il se trouvait dans la forge, Morrison n'entendait que les soufflets et le choc de son marteau. Élizabelle aperçut alors le pauvre hère gisant sur le sable. Elle n'écouta que son cœur et se porta à son secours. Il s'agissait d'un homme dans la trentaine. Il était nu comme un ver et blanc comme un fantôme. Elle posa l'oreille sur sa poitrine. Son cœur battait faiblement, mais sa peau était glaciale. Il ne semblait pas avoir de blessures et il ne saignait pas.

— Il est tombé du ciel ! l'informa l'allumeur, dans tous ses états. Les hommes ne tombent pas du ciel !

— Sauf si un dragon s'en est débarrassé, s'inquiéta Élizabelle.

Des domestiques surgirent de l'immeuble. Hawke les accompagnait.

— De quoi s'agit-il ? s'énerva l'Elfe.

Le brouhaha l'avait sans doute tiré de sa lecture.

— Il semble que ce misérable ait failli servir de pâture au dragon, expliqua Élizabelle.

Le magicien porta le regard sur le ciel qui s'assombrissait. Il ne détecta aucun reptile ailé. Si la créature avait involontairement lâché sa proie, il était à prévoir qu'elle reviendrait s'en saisir. Hawke ordonna aux serviteurs de transporter le rescapé dans le hall des Chevaliers, désert à cette heure, et de l'installer devant le feu pour le réchauffer.

– Et couvrez-le, ajouta-t-il en jetant un coup d'œil désapprobateur vers sa belle.

Élizabelle n'en fit aucun cas. Elle demeura sur place tandis que tous pressaient le pas vers le palais. Son père était déjà furieux. Elle n'allait pas le mettre davantage en colère en suivant l'élu de son cœur.

Hawke attendit que l'étranger soit étendu sur un grabat, tout près des flammes, et qu'on le recouvre d'une épaisse couette. Il s'assit près de lui pour l'examiner. S'agissait-il d'un paysan que la bête féroce avait enlevé sur sa terre ? L'Elfe posa la main sur son front pour tenter d'apprendre quelque chose à son sujet.

Prévenue par les servantes, Amayelle se précipita dans le hall et se pencha près de son compatriote.

– Qu'avez-vous appris ? s'enquit la princesse.

– Très peu de choses, avoua Hawke en retirant sa main. On dirait que son esprit est aussi gelé que sa peau.

– De quel mal souffre-t-il ?

– Il n'a pas d'os cassés, ce qui est surprenant, étant donné la hauteur d'où il est tombé.

La femme Elfe releva un sourcil.

– On pense que le dragon l'aurait largué ici, l'éclaira Hawke. Le sommet de la montagne est recouvert de neige. Sans doute y avait-il déposé son butin, ce qui expliquerait la basse température de cet homme.

Amayelle passa doucement la main au-dessus du survivant.

– Il n'y a aucune trace de peur en lui, remarqua-t-elle, intriguée. S'il avait été enlevé par un monstre, nous le ressentirions. Portait-il des vêtements qui nous permettraient d'identifier son village ?

– Aucun, mais il a peut-être été enlevé pendant qu'il se lavait dans la rivière.

– Son sang n'est pas celui d'un hybride non plus, poursuivit Amayelle. Il n'est donc pas dompteur de dragons.

– Il faudra attendre son réveil pour savoir qui il est.

– Vous pouvez retourner dans votre tour, maître Hawke. J'ai laissé mon fils sous la surveillance d'une servante. Je resterai auprès de ce malheureux cette nuit. S'il trépasse, je vous ferai prévenir.

Le magicien devait dormir s'il voulait être alerte pour ses cours du lendemain. Il accepta volontiers l'offre d'Amayelle.

Dès qu'elle fut seule, la princesse se mit au travail. Elle chargea ses paumes de l'énergie curative de ses ancêtres et les posa sur le front et la poitrine de l'inconnu. Les premiers essais ne donnèrent aucun résultat. La guérisseuse ne se découragea pas pour autant. Elle illumina toute la couche d'une intense lumière dorée. La chaleur du feu et celle de sa magie elfique réchauffèrent finalement l'étranger. Il battit des paupières, permettant ainsi à Amayelle de mettre fin au traitement magique.

Le rescapé inspira profondément, comme si ses poumons avaient été longtemps privés d'air, et s'étouffa. La princesse lui transmit une vague d'apaisement qui soulagea aussitôt sa respiration. L'homme darda sur elle un regard rempli d'effroi. Ses yeux étaient d'un gris qui rappelait l'acier.

– Vous êtes hors de danger, le rassura Amayelle.

Il voulut parler, mais aucun son ne quitta sa gorge irritée. Sa peau reprenait une teinte plus naturelle. Bientôt, il serait en mesure de communiquer avec ses bienfaiteurs. Rien ne pressait. Amayelle versa de l'eau dans un gobelet. L'inconnu s'en empara avant même qu'elle n'ait fini de le remplir et l'avala d'un trait.

– Souffrez-vous ? voulut savoir la femme Elfe.

– Où suis-je ? finit-il par articuler.

Sa voix était rauque et presque inaudible. Combien de temps avait-il passé dans cet état catatonique ?

– Vous êtes au Château d'Émeraude.

Cette révélation lui causa un grand choc. Des larmes se mirent à couler sur son visage. Émue, Amayelle caressa le duvet noir sur ses joues.

– Dois-je conclure que vous venez de loin ? s'affligea-elle.

– Vous ne pouvez pas l'imaginer...

Ses sanglots devinrent amers. La princesse jugea préférable de le laisser pleurer avant de le questionner davantage. Physiquement, il était intact, mais son cœur, lui, était en pièces.

– Nous vous aiderons à rentrer chez vous, assura Amayelle, lorsque l'inconnu se calma.

– Auriez-vous le courage d'enfoncer une dague dans mon cœur ?

— Certainement pas.

— C'est pourtant la seule façon de me retourner d'où je viens.

— Je vous en prie, soyez plus clair.

— Il y a un instant à peine, je jouissais d'un repos bien mérité auprès de ma femme, de mes descendants et de mes ancêtres sur les grandes plaines de lumière.

La femme Elfe ne savait pas si elle devait le croire. Cet homme avait subi un grand choc. Il n'était pas impossible qu'il divague.

— Vous devez vous reposer, recommanda-t-elle, impassible. Tout sera plus clair au matin dans votre esprit.

Elle voulut s'éloigner. Il la saisit par le poignet.

— Vous êtes de la race des Elfes.

— C'est exact.

— Depuis quand visitent-ils le palais de Jabe ?

— Je ne comprends pas ce que vous me dites.

Il la libéra et ferma les yeux, exténué. Amayelle ne voulait courir aucun risque. Elle profita de son inattention pour poser la main sur sa tête et l'endormir profondément. Le magicien d'Émeraude serait plus en mesure qu'elle d'élucider ce mystère au matin. Elle alla quérir un garde du roi et lui demanda de surveiller la porte du hall, car elle ne pouvait plus rien faire pour l'étranger.

En rentrant dans ses appartements, elle trouva la servante endormie dans un fauteuil près du lit de son fils. Cameron, cependant, était assis et se concentrait profondément.

– À quoi joues-tu, jeune homme ? s'enquit la mère en s'approchant.

Il cacha aussitôt quelque chose sous ses draps. Il ressemblait à Nogait en tout point, surtout lorsqu'il faisait un geste défendu. Son visage devenait alors angélique, mais ses yeux n'arrivaient jamais à mentir.

– Dis-moi que ce n'est pas une couleuvre, soupira Amayelle.

– Ce n'est pas vivant...

Elle prit place près de lui et découvrit l'objet : il s'agissait du Recueil à palabres de Parandar. Elle l'avait pourtant rangé hors de la portée des enfants qui venaient souvent jouer chez elle.

– Je t'avais demandé de ne pas y toucher, Cameron. Pourquoi m'as-tu désobéi ?

– Ce n'est pas ma faute. Il a flotté jusqu'à moi.

La princesse se redressa sur-le-champ et sonda tout l'étage, comme son époux lui avait enseigné à le faire. Il n'y avait aucune trace de sorcellerie ou de magie. Pourtant, les livres ne se déplaçaient pas tout seuls. Amayelle se tourna vers son fils.

– Qui était avec toi lorsque c'est arrivé ? le questionna-t-elle.

– Seulement Mariesse, mais elle dormait.

– Que s'est-il passé ensuite ?

– Il s'est arrêté sur mes genoux. Je n'ai pas eu le temps de l'ouvrir, je te le jure.

Il était inutile d'effrayer l'enfant davantage. Elle prit le mince recueil, déposa un baiser sur le front de Cameron et lui souhaita de beaux rêves. Elle se rendit à sa propre chambre avec l'intention de trouver une autre cachette pour cet ouvrage dangereux. Il lui glissa des mains et s'ouvrit.

Princesse des Elfes...

Amayelle sentit son cœur faire un bond dans sa poitrine.

– Ne me dites pas qu'il s'agit d'une nouvelle attaque, s'étrangla-t-elle.

Je ne viens en aide qu'à ceux qui ont des questions.

– Ce château est-il en danger ? demanda-t-elle, plus clairement.

Je ne perçois aucune menace. Je veux seulement apaiser votre esprit.

– Je n'ai pas demandé votre intervention, mais j'ai une interrogation, en effet. Un homme est tombé dans la cour ce soir. Je veux savoir qui il est et d'où il vient.

Il y a fort longtemps, il a été un grand roi. On le connaissait sous le nom d'Hadrian d'Argent. Il ne devrait pas être dans votre monde.

Ébranlée, Amayelle referma sèchement le Recueil à palabres et alla l'enfouir sous une grosse malle. Il ne pouvait pas s'agir d'un fantôme ni d'un mort. Cet étranger était tout ce qu'il y avait de plus vivant. Elle était entrée elle-même en contact avec son énergie vitale. Le livre magique mentait. C'était la seule explication.

Elle retourna dans la chambre de son fils pour s'assurer qu'un dieu déchu n'avait pas profité de cette distraction pour le lui ravir. Cameron s'était endormi. Amayelle s'allongea près de lui et le ramena contre sa poitrine pour le protéger.

36

UN VISITEUR MOROSE

badrian reprit conscience avant le lever du soleil. Tout son corps le faisait souffrir, non pas parce qu'il avait été blessé, mais parce qu'il avait depuis longtemps cessé de ressentir quoi que ce soit. Petit à petit, il regagna la maîtrise de ses muscles et parvint à s'asseoir. Il reconnaissait ce hall et ses fanions verts et or. Il l'avait fréquenté, jadis. Pourquoi l'avait-on, une fois de plus, ramené du monde des morts ?

Il posa les pieds sur le sol : il était froid. Cette fois, il n'était pas un spectre, mais un homme de chair et de sang. Le feu se mourait dans l'âtre. Il pouvait en sentir l'odeur rassurante. Il rassembla ses forces et réussit à se lever. Chancelant, il s'appuya contre le mur. Il avait soif et il avait faim. Il s'agissait de besoins qui n'existaient pas là où il venait de passer des centaines d'années. Il fit quelques pas, puis s'agrippa à la table pour conserver son équilibre. Il ne prit pas la peine de verser l'eau dans le gobelet. Il but à même le pichet de métal.

Ses pensées s'éclaircirent en même temps qu'il reprenait ses sens. Si quelqu'un l'avait ranimé avec sa magie, c'était sûrement que le continent était en danger. Il ne pouvait s'agir d'autre chose. Son estomac se mit à le torturer.

Il devait avaler n'importe quoi, vite. Sans se préoccuper de sa nudité, il tituba jusqu'à la sortie. Un homme en livrée sommeillait, assis devant la porte. Hadrian reconnut les couleurs du Roi d'Émeraude. La femme qu'il avait vue à son réveil ne lui avait pas menti.

Il poursuivit sa route dans le long couloir et capta des arômes délicieux. Une violente crampe dans son ventre le fit presque tomber sur le plancher. Il accéléra le pas. Son arrivée dans les cuisines causa tout un émoi. Les jeunes servantes étouffèrent un cri de surprise. La cuisinière laissa tomber sa louche.

– Je vous en conjure, supplia l'ancien roi. Donnez-moi un morceau de pain.

Armène écarta les femmes stupéfaites et immobiles comme des statues. Elle s'empara d'une nappe fraîchement lavée et la déposa sur les épaules tremblantes du mendiant.

– Asseyez-vous ici, l'invita la gouvernante en l'approchant d'un petit banc près de l'âtre.

Tous les matins, Armène venait chercher de la nourriture avant le réveil de ses protégés. Heureusement que l'inconnu était arrivé avant son départ, sinon personne ne se serait occupé de lui. Avec bonté, elle lui offrit du pain frais, du fromage et des dattes. Hadrian avala la nourriture avec avidité.

– Aimeriez-vous boire de l'eau ? offrit-elle.

– Du vin, réclama-t-il.

Elle lui en versa une grande coupe. Hadrian l'ingurgita en fermant les yeux. Son estomac cessa de le tourmenter.

– Comment avez-vous franchi les portes de la muraille ? voulut savoir Armène.

– Je n'en sais rien... probablement par enchantement.

– Vous êtes mage ?

– Je l'ai été, autrefois.

Il était bien trop jeune pour se glorifier d'un tel talent. Sans doute n'était-il qu'un pauvre paysan ayant perdu l'esprit.

– Comment vous appelle-t-on ? demanda Armène afin de pouvoir situer sa famille ou son village.

– Je suis Hadrian... Hadrian d'Argent.

La gouvernante avait souvent entendu Lassa mentionner le nom de cet ancien chef des Chevaliers, mais il était mort et enterré depuis longtemps.

– Conduisez-moi au Roi Jabe, je vous prie.

Les servantes échangèrent des regards étonnés.

– Il est absent, l'informa Armène en jouant le jeu.

Par expérience, elle savait qu'il était dangereux de contredire un homme désorienté.

– Je peux par contre vous conduire à son magicien.

Hadrian crut qu'il s'agissait d'Abnar. Il hocha vivement la tête pour manifester son accord. Armène envoya aussitôt un jeune serviteur à la tour de Hawke pour qu'il soit prévenu de son arrivée. L'enfant détala sans poser de questions. La gouvernante demanda à une lingère de lui trouver une tunique pour leur invité. Elle aida même Hadrian à l'enfiler.

– Je n'oublierai jamais votre bienveillance, murmura le ressuscité.

Ses yeux gris étaient magnétiques. Armène les observa pendant un instant. Ils lui rappelaient quelqu'un... mais qui ? Elle lui offrit son bras pour l'aider à marcher. Hadrian ne refusa pas. Ses articulations n'avaient pas encore retrouvé leur souplesse. Elle fit preuve d'une grande patience, le laissant même reprendre son souffle de temps à autre. Lorsqu'ils arrivèrent enfin au pied de l'antre du magicien d'Émeraude, l'Elfe les attendait.

– Maître Hawke, voici Hadrian d'Argent, le présenta Armène. Il cherche le Roi Jabe.

La servante éprouva une grande crainte en voyant faiblir le mage.

– Dois-je alerter la garde ? s'énerva-t-elle.

– Non, bredouilla Hawke. Je m'occupe de notre invité.

Sentant qu'elle devait retourner auprès de sa couvée le plus rapidement possible, Armène poussa presque l'ancien soldat dans les bras du professeur. Hawke sentit la grande fatigue du mystérieux visiteur. Il ne représentait aucun danger, du moins physiquement. Plutôt que de le faire monter dans sa tour où les élèves allaient bientôt arriver, il choisit de s'entretenir avec lui dans le hall du roi.

Hadrian promena un regard nostalgique sur la vaste salle où il avait souvent festoyé. Hawke le fit asseoir dans un confortable fauteuil.

– Qui êtes-vous, en réalité ? le questionna-t-il.

– Je suis apparemment une pauvre âme qui n'arrive pas à trouver le repos éternel.

– Seuls les dieux peuvent ramener quelqu'un à la vie.

– Je ne suis pas un imposteur, si c'est ce que vous insinuez. Où est Abnar ?

– Il est retenu prisonnier par un dieu déchu.

L'ancien chef des Chevaliers arqua un sourcil. Il s'agissait là d'un tout nouveau concept pour lui.

– Et Jabe ? osa-t-il demander.

– Mort depuis un peu plus de cinq cents ans.

Hadrian chancela, malgré qu'il fût assis. Sa tête s'était mise à tourner et ce n'était pas sous l'effet de l'alcool. En fait, il en aurait bu davantage pour engourdir ses craintes.

– Je ne comprends pas ce qui m'arrive..., avoua-t-il, désemparé. La dernière fois où je suis revenu dans ce monde, c'était à la suite du geste irréfléchi de Milady Kira.

Le magicien connaissait bien cet épisode de la vie de la princesse mauve.

– Elle est certainement capable d'avoir récidivé, admit l'Elfe. Bien que je ne comprenne pas pourquoi elle aurait agi ainsi.

– À cette époque, elle voulait que je lui enseigne le maniement des armes.

– Elle n'a pas vraiment besoin d'autres leçons, je vous l'assure. À part elle et Abnar, personne ne possède suffisamment de pouvoir pour réussir un tel exploit. À moins que...

– J'espère de tout cœur qu'une divinité frappée d'ostracisme ne s'intéresse pas à moi.

– Je ne possède pas la réponse à cette question, mais Wellan le saurait peut-être.

– Wellan..., répéta-t-il en fouillant sa mémoire.

– C'est le chef des Chevaliers d'Émeraude et un érudit accompli.

En proie à un malaise soudain, l'ancien roi porta les mains à sa tête. Hawke l'observa en se demandant ce qu'il devait faire de lui jusqu'au retour de Wellan, car personne n'arrivait à entrer en contact avec lui ou avec Onyx...

– Si je me souviens bien, Émeraude Ier gouverne ce royaume, haleta Hadrian.

– Plus maintenant. Il a rejoint ses ancêtres il n'y a pas très longtemps.

– Qui lui a succédé ?

– Vous ne me croirez pas si je vous le dis, souffla Hawke, qui commençait à se douter que le retour de ce spectre soit relié aux activités secrètes du renégat.

Hadrian s'adossa dans le fauteuil, le visage couvert de sueur.

– Rien ne peut plus me surprendre, magicien.

– Notre nouveau souverain s'appelle Onyx, fils de Saffron.

– Quoi ?

– Contrairement à ses contemporains, il n'a pas connu la mort.

– Vous vous moquez de moi ?

– Grâce à un sortilège, il a réussi à survivre en s'implantant dans le corps de pauvres victimes.

Hadrian se courba, comme si un poids insupportable venait de s'abattre sur ses épaules. Hawke le sonda avec alarme.

– Vous avez dépensé le peu d'énergie que vous aviez, constata-t-il. Je vais vous faire conduire à une chambre digne de votre rang, Majesté.

Des serviteurs le transportèrent à l'étage. Avant qu'ils ne le déposent dans un lit, Hadrian avait perdu conscience. Hawke demeura à son chevet jusqu'au lever du soleil. Les élèves terminaient leur repas matinal. Il lui fallut donc retourner dans sa tour.

Hadrian dormit quelques heures et sortit du sommeil en sursaut, aussi désorienté qu'à ses deux réveils précédents. Jamais il ne s'était senti aussi abandonné.

– Éléna, appela-t-il.

Son épouse se trouvait dans un autre univers. Il ne la reverrait qu'à sa prochaine mort. Déterminé, il réussit à s'asseoir. Sa tête lui faisait encore mal, mais les paroles de Hawke flottaient dans son esprit.

Toute sa famille était hors de portée, sur les grandes plaines de lumière. Cependant, Onyx, son meilleur lieutenant, avait trouvé le moyen de rester dans le monde des vivants. L'Elfe magicien lui avait-il dit qu'il gouvernait Émeraude ? Ce féroce soldat d'antan en avait rêvé toute sa vie. Comment avait-il accédé au trône ? Était-il de mèche avec le dieu déchu qui s'était emparé d'Abnar ?

En titubant, Hadrian se rendit à la fenêtre qui s'ouvrait vers le nord. La Montagne de Cristal dominait toujours le paysage. Rien n'avait changé... rien, sauf les gens qui habitaient ce monde. Mais son ami était vivant.

37

D'ÉMOUVANTES RETROUVAILLES

Onyx instruisit Wellan de son mieux au sujet des pouvoirs que possédaient les spirales enflammées, mais rien ne valait l'expérience pratique. Lorsque ses mains furent un peu moins douloureuses, il emmena le grand chef dans un endroit dont bien peu de gens connaissaient l'existence. Wellan avait parcouru les forêts de Rubis à de nombreuses reprises avec son père, puis avec Bridgess, lorsqu'elle était son apprentie. Il croyait bien tout savoir à leur sujet. Le renégat allait le surprendre une fois de plus.

Après plusieurs heures de marche en direction du Royaume de Jade, le souverain descendit dans une profonde ravine.

– Vous ne pouvez pas aller par là, l'avertit le Chevalier. Le lit asséché de ce torrent s'arrête au pied d'une petite falaise.

– Faites-moi plaisir et servez-vous de vos nouvelles facultés, soupira Onyx sans s'arrêter.

Wellan jeta un coup d'œil à ses paumes. Ses cicatrices jetaient de l'éclat par intervalles.

– Pourtant, mes sens magiques ne captent rien, protesta-t-il.

– Ça ne devrait pas tarder.

Wellan suivit son roi sans cacher son inquiétude. Le terrain devint plus rocailleux et plus dangereux aussi. Les versants obliquèrent vers la droite. Le Chevalier perdit son guide de vue pendant un moment. Il allait accélérer le pas lorsque les glyphes dans ses mains devinrent incandescents. Il ne ressentait aucune souffrance, seulement un sentiment de danger imminent. Il s'engagea dans la courbe avec une prudence accrue. Onyx l'attendait, debout sur un dolmen.

– J'ignorais que ces monuments se trouvaient ici, murmura Wellan, stupéfait.

– Parce que les yeux des mortels ne peuvent pas les voir, expliqua le renégat. Aussi, les dieux ont choisi cet endroit parce qu'il n'est pas facilement accessible. Ce sont les spirales qui vous permettent de distinguer le divin du naturel. Si ce lieu avait été créé par des créatures maléfiques, elles vous auraient tout de suite alerté et se seraient préparées au combat.

– Y a-t-il de tels lieux ?

– J'en connais quelques-uns, mais ils se trouvent dans les volcans et sur Irianeth.

– Et je n'ai nulle envie de visiter l'un ou l'autre, le mit en garde Wellan.

– De toute façon, il faudra être trois pour rayer l'empire d'Amecareth de la carte.

– Trois ?

– M'écoutez-vous quand je vous parle ? Il y a trois armes ultimes : la griffe, les spirales et les bracelets. Vous allez vous reposer un peu à Émeraude, puis nous partirons à la recherche de ces derniers.

– Où sont-ils cachés ?

– Chaque chose en son temps. Il est plus urgent de choisir l'heureux élu qui les possédera.

Onyx sauta sur le sol, aussi souplement qu'un chat.

– Selon la prophétie, ce devrait être Kira, raisonna Wellan.

– Moi, les belles paroles des dieux écrites dans les étoiles, je n'y crois pas. Je préfère donner un coup de pouce au destin, quand j'en ai l'occasion. Disons que si nous manquons notre coup, Kira et Lassa pourront faire leur petit numéro.

– Ce qui veut dire que vous avez déjà quelqu'un en tête...

– Il y a fort longtemps que Hawke veut apporter sa contribution dans cette guerre.

– Vous n'êtes pas sérieux ! s'opposa Wellan. Il n'y a pas une once d'agressivité dans cet Elfe !

– Dernièrement, il s'est fait une tout autre opinion de la race humaine, lui apprit Onyx, moqueur. Croyez-moi, pour protéger celle qu'il aime, il fera n'importe quoi.

– Est-ce ainsi que vous choisissez vos associés ?

– Un homme qui a de bonnes raisons de se battre ne me laissera jamais tomber.

Wellan suivit le renégat un peu plus loin en réfléchissant à ses paroles. Onyx écouta discrètement ses pensées, de façon à intervenir s'il le sentait se rebeller.

– Prêt à rentrer ? demanda-t-il au grand chef.

– Vous me croyez maintenant capable de maîtriser mes nouveaux pouvoirs ?

– Je voulais surtout m'assurer que vous puissiez y survivre. Une fois en présence de l'ennemi, les spirales vous guideront.

Le Chevalier se demanda s'il avait expérimenté le même phénomène avec sa griffe. Il n'eut pas le temps de formuler sa question. Le monarque posa la main sur son épaule. Ils furent immédiatement transportés à Émeraude, au milieu de la cour.

– Au lieu de vous précipiter chez Armène pour récupérer votre Écuyer, allez dormir un peu, suggéra Onyx.

Il se tourna ensuite vers le palais. Wellan ressentit aussitôt sa stupéfaction. Le regard du Roi d'Émeraude était rivé sur la porte d'entrée. Un inconnu s'y tenait, aussi surpris qu'eux, apparemment. Il portait la longue tunique blanche des invités spéciaux. Ses cheveux noirs comme jais balayaient ses épaules bien carrées. Il portait la barbe comme les hommes d'Opale. « Un dieu déchu ? » se demanda Wellan. Il consulta ses paumes : les glyphes ne brillaient pas. Il scruta les pensées de son souverain. Il n'était pas effrayé, il était en état de choc !

– Est-ce bien toi ? s'étrangla Onyx, incrédule.

Hadrian les observait, dans un état d'ahurissement, car ces deux hommes portaient la cuirasse des Chevaliers d'Émeraude ! Il était certainement plus difficile pour lui de reconnaître son vieil ami : Onyx vivait dans un corps différent. Son visage et sa voix ne lui rappelaient rien. Voyant que l'ancien roi ne bougeait pas, Onyx grimpa quelques marches. Il examina plus attentivement son visage.

– Dis-moi que tu es Hadrian d'Argent, insista-t-il.

– C'était mon nom, avant ma mort.

Le renégat lui saisit solidement les bras, comme il le faisait jadis, après une bataille. Son geste secoua le revenant.

– Onyx ?

Son apparence physique avait changé, mais pas l'éclat de ses yeux. Hadrian l'étreignit de toutes ses forces en pleurant de joie.

– Je t'ai cherché partout dans l'au-delà, sanglota-t-il.

– Je n'étais pas prêt pour le repos éternel, répliqua le renégat. J'avais encore trop de grandes choses à accomplir.

Cette réponse acheva de convaincre Hadrian : il s'agissait bien de son frère d'armes.

– J'ai vu arriver des générations de mes descendants. Comment as-tu réussi à survivre aussi longtemps ? voulut-il savoir.

– Grâce à un soupçon de sorcellerie.

Interdit, Wellan observait la scène sortie tout droit d'un autre temps. Il reconnaissait évidemment le premier chef des Chevaliers, qu'il avait vu sur des tableaux au Royaume d'Argent. Onyx se libéra de l'étreinte de son ancien compagnon.

– Il y a quelqu'un que tu dois rencontrer ! s'exclama-t-il.

Il fit signe à Wellan d'approcher. L'expression d'émerveillement sur le visage du Chevalier n'échappa pas à Hadrian.

– Voici Wellan, le nouveau chef de l'Ordre, qu'on a fait renaître il y a quelques années, le présenta Onyx.

– Je me souviens que Milady Kira me parlait de lui, lorsque je lui enseignais le maniement des armes, autrefois.

– Je suis vraiment honoré de faire votre connaissance, Majesté, assura Wellan. J'ai lu vos exploits et même votre poésie. Je n'ai que de l'admiration pour vous.

– Maintenant que tu es de retour, l'empereur n'a qu'à bien se tenir ! s'égaya Onyx. Il aura affaire à deux superbes commandants !

– Mais avant de nous entretenir de guerre, j'aimerais reprendre de la vigueur, réclama le ressuscité.

Wellan le sonda en vitesse : en effet, sa force vitale était très basse. Il le sentit même trembler sur ses jambes. Le grand Chevalier fit un pas vers lui et l'agrippa par le bras juste avant qu'il ne s'effondre sur le sol. Onyx l'aida à transporter Hadrian jusqu'aux appartements royaux. Wellan passa une main lumineuse au-dessus du corps du pauvre homme.

– Il a besoin d'une dose massive d'énergie, annonça le Chevalier.

– Je ne le laisserai pas mourir une deuxième fois ! tonna Onyx.

– Je peux lui donner la mienne.

– Les spirales ont annulé ce pouvoir, rappelez-vous.

Le grand chef se souvint alors que le renégat avait sauvé Falcon de la mort sur le champ de bataille.

– Je sais traiter les blessures même les plus graves, mais je n'ai pas appris à transférer ma santé à une autre personne.

– Et votre griffe ?

– Elle a accepté de vous aider parce qu'elle a reconnu les spirales. Elle ne connaît pas Hadrian. Lequel de vos soldats est le meilleur guérisseur ?

– C'est Santo, sans contredit.

Le regard d'Onyx s'immobilisa, comme s'il avait complètement quitté son corps. Au bout d'un instant, Santo se matérialisait devant eux, sa harpe à la main. Il termina son accord et tourna la tête de Wellan au roi en se demandant ce qui se passait.

– J'ai besoin de vous, déclara Onyx sans détour.

Santo vit l'homme au teint blafard, couché sur le lit. Il déposa l'instrument de musique et l'examina à sa manière.

– Ce traitement va nécessiter une grande partie de mes forces, annonça-t-il à Wellan.

– Je m'occuperai de toi, assura ce dernier.

Le guérisseur se mit à l'œuvre. En quelques secondes, il transmit sa vigueur à Hadrian. Puis, il recula, en proie à une grande faiblesse. Son compagnon le conduisit jusqu'à un petit lit dans la chambre attenante d'un domestique. Il eut juste le temps de reculer que le cocon de lumière se formait autour de son compagnon. Il mettrait des heures à se rétablir de son intervention miraculeuse. Wellan le quitta un instant pour revenir au chevet du Roi d'Argent.

– Votre frère d'armes ne connaissait pas cet homme, remarqua Onyx. Cependant, il a accepté de soigner Hadrian sans même demander son identité.

– Santo est ainsi fait. Les nouveaux Chevaliers n'ont pas la même soif du gain que les anciens. La plupart d'entre nous n'hésitent pas à faire des gestes désintéressés.

– Vous découvrirez dans les prochains jours que le Roi d'Argent n'est pas un mercenaire.

Onyx ne nia pas que cette description puisse s'appliquer à lui. Wellan se courba et retourna dans la petite chambre pour veiller sur son compagnon jusqu'à son réveil. Le renégat en fit autant avec Hadrian. Il tira un fauteuil et regarda dormir son vieil ami. Un flot de souvenirs l'assaillit. Il se rappela leur première rencontre, leurs combats les plus marquants et surtout la bonté de ce grand souverain.

Le soleil déclina. Onyx capta la formation du vortex de Wellan dans l'autre pièce. Les deux Chevaliers venaient de quitter l'étage royal afin de se rendre dans leur aile. « Tant mieux », songea le Roi d'Émeraude. Il avait envie d'être seul avec Hadrian lorsqu'il reviendrait à lui. Il alluma magiquement toutes les chandelles lorsque l'obscurité s'installa. Ses serviteurs se présentèrent à la porte, pour prendre leurs ordres.

– Apportez de la nourriture, commanda Onyx. Et du vin, aussi.

Hadrian l'avait traité exactement de la même façon lorsqu'il s'était lui-même réveillé dans son lit du palais d'Argent. Les domestiques s'empressèrent d'obéir, mais leur maître ne les vit pas. Il sombra à nouveau dans des réminescences d'un passé lointain.

– Onyx, l'appela le revenant.

Le renégat s'approcha de lui. Hadrian tendit la main et toucha son visage du bout de l'index.

– Tes traits ont changé, mais pas ton attitude, observa-t-il. À qui as-tu dérobé ce corps ?

– À l'un de mes descendants demeurés dans mon village natal, mais avec son consentement. La première fois, je me suis imposé à l'un de mes héritiers du pays nordique où je me suis enfui. Abnar m'en a chassé.

– Le magicien Hawke m'a dit qu'il avait été fait prisonnier par un dieu déchu. Est-ce en rapport avec cette légende qui raconte la déchéance du frère de Parandar ?

– Tu connaissais cette histoire et tu ne m'en as jamais parlé ? s'étonna Onyx en bloquant ses pensées, car il ne voulait pas nécessairement lui raconter la suite des événements.

– Nous étions des soldats aux prises avec un envahisseur obstiné. Nous n'avions pas vraiment le temps de discuter de mythologie.

Hadrian réussit à s'asseoir et se cala dans les gros coussins placés à la verticale à la tête du lit. Il était maintenant en pleine possession de ses moyens.

– Quand et comment es-tu devenu Roi d'Émeraude ? s'enquit-il. Et jure-moi que tu n'as tué personne pour accéder au trône.

– C'est très récent et c'est le peuple qui m'a réclamé à la mort d'Émeraude Ier. Il faut dire que j'ai un peu impressionné ceux qui m'ont vu utiliser mes pouvoirs.

– Il n'avait pas d'héritier ?

– Si, une fille, celle que tu appelles Milady Kira. Mais elle est devenue Chevalier et elle a refusé son héritage, heureusement pour moi.

– Alors, tu as réussi à obtenir ce que tu voulais...

– Pas tout à fait. Il me reste un autre compte à régler.

Le visage du Roi d'Argent s'attrista. Il avait longuement discuté avec son ami, lors de leurs nombreuses soirées ensemble, de sa propension à la rancune. Ses paroles avaient-elles été vaines ?

– Je n'y peux rien, se défendit Onyx. Quand on me traite injustement, je ne suis plus capable de l'oublier.

– Sans cesse d'y penser, tu pourrais apprendre à pardonner.

– Si tu es revenu dans ce monde pour me faire la morale, je vais te jeter en pâture aux dragons de l'empereur ! le menaça Onyx en riant.

Les serviteurs entrèrent dans la chambre avec une petite table qu'ils chargèrent de divers mets à l'odeur aromatique.

– Au moins, tu reçois bien tes invités, le taquina Hadrian.

Pendant le repas, Onyx mit le revenant au fait des derniers événements militaires. Le Roi d'Argent mastiqua sa nourriture en l'écoutant attentivement. Son esprit enregistrait toutes ces données à la vitesse de l'éclair.

– Le meurtre du petit garçon mauve n'a rien réglé, conclut-il.

– Amecareth a fait des petits partout ! Apparemment, un sur cent possède les mêmes pouvoirs que lui. C'est ainsi que les seigneurs des insectes choisissent leurs successeurs. Pour comble de malheur, il a fallu que ce soit Kira.

– Il n'est donc pas étonnant qu'elle ait voulu apprendre à se défendre.

– Pire encore, elle est l'un des deux personnages centraux d'une prophétie qui annonce la destruction d'Irianeth.

– Quel charmant destin !

– Au cas où elle et le porteur de lumière ne réussiraient pas, j'ai échafaudé un autre plan.

– Là non plus tu n'as pas changé. Mais qui est ce porteur de lumière ?

Onyx lui expliqua la prophétie, puis lui raconta comment il avait récupéré deux des objets de pouvoir de Danalieth. Il lui parla aussi de la découverte de son médaillon dans les affaires du magicien Élund. Hadrian lui prit la main et approcha la griffe de ses yeux. Le petit dragon argenté releva ses courtes oreilles.

– Les Elfes n'avaient que de belles choses à dire de cet Immortel, se souvint Hadrian. Je suis étonné, par contre, que cette arme ne t'ait pas tué.

– Oh ! mais elle a essayé. J'ai acquis beaucoup de puissance depuis notre séparation.

Le renégat éloigna la griffe avant qu'elle ne tente de mordre son ami, car elle s'était mise à gronder de façon menaçante. Il grimpa dans le lit, s'écrasa lui aussi dans les coussins et raconta à l'ex-chef des Chevaliers les événements qui avaient suivi son départ précipité d'Émeraude, la survie de son esprit dans ses armes, sa délivrance lorsque Sage avait déniché son épée dans la grotte de glace et son retour dans ce royaume qu'il aimait profondément.

Hadrian le quitta momentanément pour se soulager à la salle de bains : une autre sensation qu'il n'avait pas éprouvée depuis longtemps. À son retour dans la chambre, Onyx dormait. Le soleil se levait paresseusement dans la fenêtre. Le Roi d'Argent observa ses rayons qui découpaient les contours escarpés du versant est de la Montagne de Cristal. Éléna lui manquait, mais on avait besoin de lui sur Enkidiev.

38

LES ÂMES SŒURS

Wellan dormit comme une bûche, épuisé par les épreuves auxquelles l'avait soumis son nouveau roi. Au matin, il trouva réconfortant d'ouvrir les yeux dans sa chambre de l'aile des Chevaliers. Il enfila sa tunique, prit le drap de bain propre sur sa commode et s'engagea dans le long couloir. Instinctivement, il sonda le palais. Wanda mangeait déjà dans le hall avec son apprentie et d'autres femmes. Il ne connaissait pas leur énergie, mais il se douta qu'il s'agissait des épouses de ses compagnons.

Le grand chef arriva dans la vaste salle. L'eau chaude des bassins créait une couche de vapeur qui courait sur le sol à la manière d'un serpent. Il accrocha la serviette au mur, retira son vêtement et marcha vers l'immense bain. Santo s'y trouvait déjà. Il ne s'était donc pas empressé de retourner sur la côte. Wellan étudia les émotions de son frère avant de nager jusqu'à lui.

– Il y a fort longtemps que nous ne nous sommes pas retrouvés seuls ici, dit-il, pour casser la glace.

– Je me suis attardé pour te parler, avoua Santo. Je savais que tu viendrais te purifier, ce matin.

Il avait donc quelque chose à lui dire...

– Tu es celui qui a toujours su m'écouter, poursuivit le guérisseur. Cependant, je me suis éloigné de toi.

– Et j'ai compris tes raisons, même si elles me causaient beaucoup de chagrin.

Santo baissa les yeux un moment, comme s'il cherchait à organiser ses pensées. Wellan ne le pressa pas. Il attendait ces retrouvailles depuis si longtemps.

– Comme tu le sais déjà, une jeune personne a commencé à s'intéresser à moi, s'ouvrit finalement le barde. Elle s'appelle Yanné. C'est la plus jeune fille de Sutton et la sœur de Sage. Nous avons passé beaucoup de temps ensemble et, lorsqu'elle a failli être dévorée par un dragon, j'ai constaté à quel point j'étais attaché à elle. Ce n'est pas un amour aussi contraignant que celui qu'on éprouve pour son âme sœur, mais il vient du cœur, c'est certain. J'ai même l'intention d'épouser Yanné.

– Est-ce qu'elle connaît tes sentiments pour Bridgess ?

– Non et je préférerais qu'elle n'en sache rien. Je ne voudrais pas qu'elle s'imagine être un second choix, car rien ne serait plus faux.

– Je comprends et je suis vraiment heureux pour toi, Santo. D'entre nous tous, tu es vraiment celui qui mérite le plus d'être aimé.

Santo allait se confier davantage lorsqu'un autre visiteur se présenta dans la pièce. Il reconnut tout de suite son visage.

– C'est l'homme que j'ai soigné hier soir, chuchota-t-il au grand chef.

– Tu vas avoir un grand choc en apprenant son nom, s'amusa Wellan.

Hadrian se défit de sa tunique blanche et entra dans l'eau. Petit à petit, il reprenait contact avec toutes les sensations externes et internes de son ancienne vie. Sans la moindre appréhension, il s'approcha des deux hommes.

– Majesté, voici le Chevalier Santo d'Émeraude, le présenta Wellan. Santo, voici le Roi Hadrian d'Argent.

– Celui qui a participé à la première invasion ? s'étonna son compagnon. Comment...

– Nous ne savons pas qui l'a ramené à la vie, mais ce sont tes extraordinaires dons de guérison qui lui ont permis de demeurer parmi nous, la nuit dernière.

– J'ai une dette envers vous, Chevalier, reconnut le monarque.

– Je suis évidemment au service des dirigeants d'Enkidiev, balbutia le guérisseur en inclinant la tête avec respect.

– Il me semble que les membres de cette incarnation de l'Ordre sont plus courtois, remarqua Hadrian avec un sourire taquin.

– Elle n'a pas été créée de la même façon, fit remarquer Wellan.

– Onyx m'a tout raconté. Pour vous dire la vérité, j'aurais bien aimé diriger des hommes comme vous, plutôt qu'une légion de soldats inspirés par la seule considération du gain.

– Et si on vous offrait ce commandement maintenant ?

– C'est vous le chef des nouveaux Chevaliers. Je n'ai pas le droit de m'arroger un titre qui ne m'appartient plus.

– Votre connaissance de l'ennemi nous serait aussi précieuse que celle du Roi Onyx.

– Je n'ai plus de pouvoirs magiques. Je les ai rendus au Magicien de Cristal lorsqu'il l'a exigé.

– Seul un Immortel pourrait les lui redonner, précisa Santo. Et Dylan est trop jeune.

– Vous connaissez d'autres demi-dieux ? s'enquit Hadrian.

Il y avait dans ses yeux la même soif d'apprendre que dans ceux de Wellan. « Ils vont faire des malheurs ensemble », comprit Santo.

– Seulement lui, assura Wellan.

– Comment pourrai-je rattraper le temps perdu ? se découragea le monarque.

– Il y a la bibliothèque, suggéra le guérisseur.

– Et mon offre ? le pressa Wellan.

– Avant que je puisse participer à quelque entreprise que ce soit dans ce monde, il me faudra reprendre l'entière maîtrise de mes sens.

« Ce qui est tout naturel », songea Wellan. Santo en profita pour demander au ressuscité ce qui se passait sur les grandes plaines de lumière. Hadrian leur relata volontiers ce qu'il en savait.

– Nous avons un corps, mais il ne ressent pas les choses de la même manière. Nous n'avons nul besoin de manger ou boire. Il nous arrive toutefois de dormir. Ceux que nous avons connus finissent par nous y rejoindre. C'est un univers ni chaud, ni froid, ni angoissant. On se contente de laisser filer le temps en bavardant avec tout le monde. Ma femme aime organiser des pique-niques sur le bord de belles rivières, même si nous ne mangeons rien.

Les yeux gris du monarque se remplirent de larmes.

– Mais lorsque vous êtes mort, vous étiez très vieux, se rappela Wellan. Pourtant, vous paraissez avoir plusieurs années de moins que moi.

– Je ne prétends pas comprendre ce phénomène, mais toutes les fois où j'ai été tiré de mon repos éternel, je suis revenu sous cette forme.

– Est-ce Kira qui vous a intimé de regagner Enkidiev ? demanda Santo.

– Je l'ignore tout autant.

Un jeune garçon se précipita dans la grande salle, ses pieds clapotant sur les tuiles humides.

– Maître ! s'exclama-t-il, fou de joie. J'ai senti votre retour !

– Je suis fier de toi, Lassa, le félicita Wellan.

Le prince se débarrassa de sa tunique d'un seul geste et sauta dans l'eau avec la fougue de la jeunesse. Il nagea jusqu'aux adultes en les éclaboussant.

– Il ne s'est rien passé en votre absence, à part le dragon, évidemment.

– Quel dragon ? firent Santo et Wellan en chœur.

– Celui de la femme bleue. Je pense qu'il la cherche. Il a volé au-dessus de la forteresse, puis il a tourné autour du pic enneigé de la Montagne de Cristal.

– Tu aurais dû m'avertir, reprocha le grand Chevalier.

– J'ai essayé, mais vous ne me répondiez pas.

« Il a dû tenter cette communication tandis que j'étais inconscient au Royaume de Rubis », raisonna Wellan.

– Il n'y a pas eu de dommages, à part un homme tombé du ciel, à ce qu'on raconte, poursuivit Lassa. Les servantes disent que le monstre l'a involontairement lâché alors qu'il filait vers les volcans.

– Je crois que ce pourrait être moi, l'informa Hadrian. Pourtant, je ne me souviens pas d'avoir été la victime d'une telle bête.

Tout en nageant sur place, Lassa fixait l'inconnu avec intérêt. Théoriquement, cet homme n'était pas Chevalier, alors il pouvait ausculter son esprit sans qu'on le gronde.

– Lassa, voici le Roi Hadrian d'Argent, le devança Wellan.

– Sans blague ? s'étonna l'Écuyer.

– Nous ne savons pas qui l'a ramené parmi nous, mais il arrive à point, ajouta Santo.

– Et j'apprécierais que tu fasses preuve d'un peu plus de respect envers un souverain du continent, jeune homme, exigea Wellan.

– Veuillez m'excuser, Altesse, s'affligea Lassa. J'ai cru que c'était une plaisanterie, puisque vous êtes censé être mort. Je suis Lassa d'Émeraude, né Prince de Zénor, et Écuyer de sire Wellan. J'espère que vous êtes ici pour m'aider à accomplir la prophétie.

– Tu es donc le porteur de lumière, comprit Hadrian.

– Vous avez entendu parler de moi ? se flatta l'enfant.

– Onyx m'a relaté cette prédiction divine. Je ne peux cependant pas affirmer que le but de mon retour dans le monde des vivants soit de participer à cette entreprise. Toutefois, je suis enchanté de faire ta connaissance, Lassa.

– C'est comme si je parlais à un livre d'histoire, commenta innocemment le garçon en faisant rire les adultes.

Puis il voulut savoir si Wellan avait l'intention de retourner auprès de ses troupes. Le maître n'en savait rien. Il devait d'abord s'en informer auprès du Roi Onyx, après la purification. Les trois hommes et l'enfant regagnèrent le hall des Chevaliers où les femmes mangeaient déjà. Wanda sauta dans les bras de ses frères et les serra avec bonheur.

– Je suis content de te retrouver en si grande forme, s'égaya Wellan. Comment est Nartrach ?

– Il se débrouille mieux que je ne le pensais.

Wellan présenta Hadrian à toute l'assemblée et prit place près de la guerrière. La personne qui retint surtout l'attention du Roi d'Argent fut Jahonne.

— Milady, la salua-t-il en se courbant.

— Je ne suis pas Kira, l'informa la femme mauve, habituée maintenant à être confondue avec la Sholienne. Je m'appelle Jahonne, mais tout comme elle, je suis une hybride.

— Onyx m'a dit que les enfants de l'empereur avaient été massacrés, se rappela Hadrian.

— C'est vrai, mais le destin a voulu que je sois épargnée.

— Avez-vous d'immenses pouvoirs magiques, comme le prétend mon frère d'armes ?

— Je sais guérir les blessures et effectuer de courts déplacements dans l'invisibilité, mais je ne possède certes pas les dons de la Princesse d'Émeraude.

— Veuillez m'excuser de vous avoir prise pour elle.

— Ce n'est pas nécessaire. Vous n'êtes pas le premier à commettre cette erreur.

Un sourire de gratitude effleura les lèvres du revenant.

— Te sens-tu prête à retourner avec ton groupe ? demanda Wellan à Wanda.

— Oui, répondit-elle. Je crois qu'Armène sera en mesure de s'occuper de Nartrach.

Le Roi d'Argent avait relevé un sourcil. Santo remarqua sa perplexité. Il jeta un bref coup d'œil dans son esprit : les femmes n'étaient pas soldats, autrefois.

– Les temps ont changé, expliqua le guérisseur. Comme plusieurs autres membres féminins de l'Ordre, Wanda combat les hommes-insectes avec beaucoup de succès.

– Elles ne devraient pas être sur le champ de bataille, protesta Hadrian. Elles sont la seule chance de survie de notre race.

– Ce ne sont pas toutes les femmes qui participent à la guerre, uniquement celles qui sont des Chevaliers d'Émeraude, se défendit Wanda.

– Vous en avez fait des Chevaliers ?

Son visage n'exprimait pas l'arrogance, mais l'incompréhension. Wellan comprenait sa confusion, car la société avait grandement évolué depuis la mort d'Hadrian d'Argent.

– Émeraude Ier et le magicien Élund ont beaucoup réfléchi avant de faire revivre cet ordre de chevalerie, l'instruisit le grand chef. Ils ne voyaient aucune raison de refuser une éducation militaire à de petites filles possédant d'immenses pouvoirs magiques. J'ai d'ailleurs eu l'occasion, en situation difficile, de profiter de leur logique différente de la nôtre. Et leur présence dans nos rangs ne les empêche nullement de connaître les joies de la maternité.

– Votre ami Onyx est d'ailleurs l'époux du Chevalier Swan et ils ont quatre garçons, ajouta Santo.

– Il ne m'a pas parlé de sa famille..., murmura Hadrian, décontenancé.

– Vous apprendrez à nous apprécier, voulut le rassurer Wanda.

Il se contenta de hocher doucement la tête. Wellan n'avait jamais connu un monarque ressemblant à cet homme légendaire. Tout en lui respirait la grâce et le respect des convenances. Il était profondément perturbé par cette nouvelle, mais il faisait de gros efforts pour ne pas le laisser paraître. Hadrian goûta à tous les plats, puis se retira après avoir salué ses hôtes.

– Je l'ai troublé, je le regrette, s'excusa Wanda, une fois que le souverain eut quitté la pièce.

– Il n'est pas au bout de ses surprises, nota Sanya. Le monde n'est plus ce qu'il était il y a cinq cents ans.

– Hadrian est un homme intelligent, plaida Wellan. Il finira par s'habituer à nos coutumes.

– Les dieux l'ont-ils expulsé des grandes plaines de lumière ? voulut savoir Catania.

– Nous ignorons qui lui a redonné la vie.

– On dit que seuls les dieux ont ce pouvoir, s'en mêla Lassa.

– Qu'est-ce que je t'ai dit au sujet des conversations entre adultes, jeune homme ?

– Je suis navré, bafouilla le porteur de lumière en baissant la tête.

– N'empêche qu'il n'a pas tort, fit remarquer Santo. Et si un dieu a décidé de nous le rendre, il y a sûrement une bonne raison.

– Tout finit par se savoir, ajouta Jahonne.

– Pourquoi Derek n'est-il pas avec nous ? se demanda soudain le grand chef.

Les femmes échangèrent des regards inquiets, aucune ne voulant vraiment lui parler de l'intérêt que manifestait l'Elfe pour la Fée azurée.

39

LE POUVOIR DE PERSUASION

N'ayant pas trouvé Onyx dans ses appartements, Hadrian demanda à plusieurs serviteurs de lui indiquer où il pourrait le trouver. Une lingère lui indiqua la tour d'Armène par l'une des grandes fenêtres de la galerie royale. Le Roi d'Argent s'y rendit en tentant de se rappeler ce que recelait ce bâtiment jadis, mais sa mémoire lui fit défaut. Il grimpa les premières marches et entendit des babillages d'enfants. « Pourquoi se trouvent-ils dans un endroit distinct ? » se demanda-t-il. Les princes étaient généralement élevés dans les quartiers de leur père. Il risqua un œil au premier étage. Onyx était assis à une petite table avec trois gamins et un bébé dans les bras. Plus loin, une femme d'un certain âge versait du lait dans des gobelets de bois.

– Maître Hawke me dit que tu es le plus attentif de ses élèves, fit le renégat à l'attention du plus vieux.

– C'est vrai ! s'exclama Nemeroff, content que quelqu'un note ses progrès.

Onyx vit alors le regard curieux de son vieil ami, qui s'était immobilisé dans les marches.

– Approche, Hadrian ! le convia-t-il. Je n'ai pas eu le temps de te parler de ma nouvelle progéniture. Viens faire la connaissance de mes fils.

Le Roi d'Argent prit place sur le tabouret que lui indiquait Onyx.

– Voici Nemeroff, mon aîné.

– Je suis le seul à l'école !

– Un prince ne va pas à l'école. Il reçoit son enseignement d'un précepteur particulier.

– Mais moi, je veux devenir Chevalier.

Le monarque décocha un regard désapprobateur à son ancien lieutenant.

– Je ne les empêcherai pas de faire ce qu'ils veulent dans la vie, se justifia Onyx. L'un d'eux acceptera sûrement de me succéder.

Il lui présenta Atlance, Fabian et Maximillien, trop petits pour savoir ce qu'ils voulaient être lorsqu'ils seraient grands.

– Est-ce que vous savez parler avec votre esprit ? voulut savoir Nemeroff.

– Je l'ai su, autrefois.

Armène distribua les godets. Hadrian reconnut son visage souriant.

– Vous êtes donc réellement un roi, le taquina la gouvernante. Je suis enchantée de vous recevoir chez moi, Altesse.

Onyx lui expliqua qu'Armène s'occupait de ses rejetons dans cette tour préservée par la magie des Immortels.

– Contre quoi dois-tu les protéger ?

– Contre les monstres, répondit Atlance avant que son père ne puisse ouvrir la bouche.

– Je t'en reparlerai plus tard, trancha Onyx en s'assombrissant.

Hadrian écouta les propos décousus des enfants. Ils lui rappelèrent ceux de son fils et de sa fille, autrefois. Il se perdit dans ses souvenirs. L'épouse d'Onyx venait tout juste de donner naissance à des jumeaux lorsqu'il était devenu son bras droit. Il n'avait pas eu souvent l'occasion de passer du temps avec eux.

– J'ai des présents pour vous ! annonça le renégat.

Sa voix ramena le Roi d'Argent dans le présent. De petits animaux de bois apparurent sur la table, à la grande joie des jeunes princes. Seul Maximillien continua de sucer son pouce sans sourciller.

– C'est quoi, papa ? voulut savoir Fabian en retournant le sien dans tous les sens.

– C'est un grand chat de Rubis, expliqua Onyx. Celui qu'a choisi Nemeroff est un méhari qui vit dans le Désert.

– Et le mien ? s'inquiéta Atlance.

– C'est un dragon des mers.

– Il vit dans l'eau ?

– Dans l'eau glacée du nord. Son poil blanc est très épais et le protège du froid.

– Est-ce qu'il aime les petits garçons ?

– Il les adore. Lorsque les Chevaliers seront de retour au château, je demanderai à Sage de te raconter comment un de ces dragons lui a sauvé la vie.

Cette promesse rassura le bambin, qui était plus craintif depuis son enlèvement. Armène le couchait près d'elle toutes les nuits, afin de le calmer lorsqu'il se réveillait en criant. Heureux de posséder de nouveaux jouets, les garçons les emportèrent à l'étage supérieur où ils conservaient tous leurs trésors. Onyx embrassa le front de son benjamin et le remit à la servante.

– Est-ce que c'est du regret que je vois sur ton visage ? se chagrina-t-il en observant Hadrian.

– Je ne comprends pas ce monde...

– Tu viens juste d'arriver ! Si tu me répètes la même chose dans un an, alors là, je m'alarmerai. En attendant, donne-moi la chance de te prouver que ce continent en vaut encore la peine.

Ils quittèrent la tour ensemble. Le renégat fit grimper son ancien chef sur la passerelle de la forteresse. Hadrian promena son regard sur la campagne environnante en reprenant son souffle.

– Rien ne semble avoir changé, mais pourtant...

– L'évolution est un phénomène normal, Hadrian. C'est toi qui me le répétait sans cesse quand nous étions sobres.

– C'est une loi de l'univers, je le sais. Cependant, ce ne sont pas les mêmes hommes qui en sont témoins, ce sont leurs héritiers.

– Au lieu de te tourmenter, plonge dans cette nouvelle vie comme dans une formidable aventure.

Le Roi d'Argent lui servit un regard découragé.

– Regarde-moi ! insista Onyx. Je célèbre chaque seconde de mon existence !

– Tu t'es même remarié.

– Pas tout à fait. Mon descendant avait déjà une épouse lorsque je me suis fondu en lui. Je n'ai pas choisi Swan, mais je l'adore. Elle ne ressemble en rien à mes premières femmes. C'est un Chevalier d'Émeraude. Elle se bat aussi férocement qu'un homme et dit absolument tout ce qu'elle pense. La soumission est morte et enterrée dans cette génération. Tu n'as pas idée à quel point c'est rafraîchissant.

– Si ces paroles ne venaient pas de toi, je serais tenté de me jeter de ces remparts pour retourner là d'où je viens.

– Mais tu n'es pas un homme qui baisse facilement les bras. Et si tu n'arrives pas à rassembler toi-même ton courage, je possède désormais des caves remplies de vin.

Sa dernière remarque parvint à arracher un sourire au revenant.

– J'ai une proposition à te faire.

– Le contraire m'aurait surpris, avoua Hadrian.

– Tu te rappelles ce que je t'ai raconté au sujet des instruments de pouvoir de Danalieth ?

– Mot pour mot.

– Je possède la griffe et les spirales sont à tout jamais gravées dans les mains de Wellan. Je veux que ce soit toi qui portes les bracelets de foudre.

– Si je me souviens bien, ces armes ne peuvent être utilisées que par des Elfes ou des humains d'une rare puissance. Mon retour dans ce corps a été brutal, Onyx. Je ne maîtrise pas encore tous mes muscles.

– Tu y arriveras.

– C'est contre l'empereur que tu veux les utiliser ?

– Évidemment !

– Nous l'avons vaincu dans le passé, lui rappela Hadrian.

– Grâce aux facultés magiques de milliers d'hommes que tu pouvais canaliser à ta guise. L'Ordre ne compte plus que deux cents Chevaliers.

– Contre Amecareth et ses sorciers ? C'est insensé !

– Mieux encore, ton ami Abnar ne leur a donné qu'une fraction des pouvoirs qu'il nous a accordés jadis. C'est pour cette raison que Wellan a accepté de s'emparer des spirales. Nous devons devenir plus forts et vite.

Hadrian détourna la tête. Il était encore faible physiquement, mais son cerveau fonctionnait à plein régime. Onyx suivit son raisonnement sans le presser.

– Et il y a aussi ce dieu déchu qui s'en est pris à nos Écuyers et à Atlance ici même, ajouta le renégat. Nous devons détruire l'empereur et le frère de Parandar si nous voulons sauver Enkidiev.

Onyx savait qu'il avait utilisé suffisamment d'arguments pour convaincre son vieil ami. Il n'ignorait pas que ce dernier ne prenait jamais de décisions sur un coup de tête. Il l'aida à redescendre dans la cour. « Un massage lui fera un bien immense », pensa-t-il en le menant vers le palais.

Son apprenti sur les talons, Wellan partit à la recherche de son soldat Elfe tout de suite après le repas. Ses sens magiques lui indiquèrent qu'il se trouvait toujours dans la chambre où ses compagnons l'avaient installé après l'attaque du dragon.

– Tu n'as pas fait de bêtises depuis mon départ ? demanda le grand Chevalier à Lassa, tandis qu'ils grimpaient l'escalier.

– Aucune.

– As-tu pris le temps de lire un peu ?

– Oui, mais c'étaient des histoires que je racontais aux enfants du roi pour les aider à s'endormir.

Ils arrivèrent à l'entrée des appartements temporaires du blessé. Wellan frappa quelques coups, par politesse. Son frère d'armes avait aussi senti son approche, car la porte s'ouvrit tout de suite. Derek serra les bras de son chef avec affection.

– Tu récupères bien, constata Wellan. Je suis content.

– Le sang a arrêté de couler à l'intérieur de mon corps, assura l'Elfe.

– Je ne savais pas que tu possédais la faculté de te rétablir aussi rapidement.

– Je ne peux m'attribuer tout le mérite de mon rétablissement. Je le dois à ta prisonnière.

Il fit entrer Wellan et Lassa dans le salon. Miyaji était assise sur un coussin devant le feu, inquiète de voir entrer celui qui commandait les soldats après le Roi Onyx.

– Miyaji est une Fée azurée, expliqua Derek. Elles sont très rares.

– Je connais leur histoire, affirma le grand Chevalier. Mais celle-ci est à la solde de l'empereur.

– Je lui ai raconté la première invasion et expliqué pourquoi le seigneur des insectes tente de nous anéantir. Elle regrette de nous avoir attaqués.

Wellan sonda le cœur de cette curieuse créature bleue, aussi menue que Kira. Contrairement à la Princesse d'Émeraude, la *seccyeth* n'avait pas été élevée par des humains.

– Elle est la personnification de l'innocence, ajouta l'Elfe.

Lassa avait aussi procédé à un examen sommaire de la captive. Il y avait autour de son cœur un voile glacé qu'il n'arrivait pas à percer. Pourtant, Derek semblait s'être épris de Miyaji.

— Tu éprouves de tendres sentiments pour elle, constata Wellan.

— Elle m'a sauvé la vie.

— Je veux bien la laisser sous ta garde pendant ta convalescence, mais qu'adviendra-t-il d'elle lorsque tu seras prêt à regagner ton groupe ?

— Je préférerais qu'elle ne retourne pas chez Morrison. La Princesse Amayelle pourrait s'occuper d'elle. Je lui en ferai la demande.

« Un Elfe et une Fée azurée... », songea le grand chef. Ces deux peuples avaient toujours éprouvé beaucoup d'attirance l'un pour l'autre. Malheureusement, Miyaji domptait des dragons mangeurs d'hommes... Derek capta ses pensées. D'un geste de la main, il convia son chef à l'accompagner dans le couloir, loin des oreilles de la femme bleue. Lassa ne savait plus s'il devait les accompagner ou surveiller la prisonnière. Il se rappela alors la règle d'or des apprentis : ne jamais quitter son maître. Il tourna les talons et le rejoignit.

— Il y a autre chose, disait justement Derek au grand Chevalier. Je vois de la lumière autour d'elle.

— Une femme en provenance de l'empire est ton âme sœur ? s'étonna Wellan.

— Je ne prétends pas comprendre ce phénomène, mais c'est ce que je distingue.

Wellan garda le silence un moment, troublé par cet aveu. Il connaissait bien ce genre d'attachement. Il ne pourrait plus jamais séparer son soldat de cette servante impériale.

— Peut-elle vraiment être réformée ? demanda-t-il, finalement.

— Oui, j'en suis certain.

— Alors, profite de ce temps libre pour t'assurer qu'elle ne retournera pas vers son sombre maître ou qu'elle ne fera pas fondre son dragon sur nous.

Le visage du Chevalier Elfe s'illumina de joie. Comprenant que Wellan approuvait cette union, enfin d'une certaine façon, Derek le serra dans ses bras. Il retourna ensuite auprès de la Fée azurée, car loin d'elle, il se sentait désormais désemparé. Wellan se dirigea vers l'escalier. Lassa trottinait à ses côtés, la tête bourdonnante de questions.

— Que désires-tu savoir ? s'amusa le maître.

— Quelle est cette lumière dont parle sire Derek ?

— C'est un halo généralement blanc qui entoure la personne que les dieux nous ont choisie.

— En êtes-vous certain ?

— Je le sais parce que je l'ai lu quelque part. Pourquoi éprouves-tu des doutes ?

— Parce que cette aura, je l'ai vue autour d'un autre garçon, soupira Lassa, découragé.

Wellan s'arrêta et mit un genou en terre, pour être à la hauteur des yeux du gamin.

— Une âme sœur, c'est une personne qui nous complète en tout point. Personne n'est obligé d'épouser son âme sœur, Lassa.

– Heureusement...

– Il arrive que les dieux nous envoient plutôt quelqu'un qui jouera un grand rôle dans notre vie. Les livres que j'ai consultés prétendaient qu'un père et son fils pouvaient être des âmes sœurs, s'ils avaient un destin commun à accomplir. Où as-tu vu cette lumière ?

– Elle brille autour de Liam.

– Ce qui n'est guère étonnant. Vous êtes le jour et la nuit.

– Dylan dit que Liam sera mon bouclier et qu'il me protégera de l'ennemi pour que je puisse accomplir ma mission. J'ai toujours cru que ce serait Kira.

– Ils ont peut-être chacun leur rôle à jouer dans cette prophétie. Il est si difficile de déchiffrer les messages dans le ciel. Surtout, ne t'en fais pas avec ces histoires d'âmes sœurs, d'accord ?

Le porteur de lumière hocha docilement la tête. Wellan se releva et l'entraîna avec lui dans le couloir.

– Et vous, maître, où l'avez-vous vue ? demanda soudain l'Écuyer.

Lassa sentit le cœur de l'adulte sombrer dans sa poitrine. « Ce n'est donc pas Bridgess », comprit-il.

– Je ne veux pas vous causer de chagrin, affirma l'enfant.

– Ce n'est pas ta faute, mon petit. Comme je viens de te le dire, un homme n'est pas obligé d'épouser son âme sœur. Il est par contre attiré vers elle. J'ai rencontré la mienne alors que je venais tout juste d'avoir vingt ans. C'était la reine d'une contrée lointaine. Malheureusement, elle est morte dans mes bras.

– C'était Fan de Shola ?

Le Chevalier acquiesça d'un mouvement de la tête. Il détestait parler de ses émotions, même à cet enfant qui partageait sa vie.

– Mais elle est revenue après sa mort et elle a eu votre fils, se rappela le jeune prince.

– J'ai cédé à ma passion. Ce n'était pas une bonne décision. Les longues absences de ce fantôme que j'aimais plus que tout au monde ont laissé en moi des blessures qui ne guériront jamais.

– À mon avis, vous avez bien fait d'épouser Lady Bridgess plutôt que le maître magicien. Elle n'est peut-être pas celle que les dieux vous ont choisie, mais au moins, elle est à vos côtés et elle vous aime pour vrai.

« La franchise des enfants », se réjouit Wellan. Il ébouriffa les cheveux blonds de son protégé et s'engagea dans l'escalier.

40

La forêt hantée

Le Roi d'Émeraude attendit que son illustre visiteur reprenne des forces et que les plaies des mains de son principal Chevalier soient cicatrisées avant de leur proposer une nouvelle aventure. Wellan commença par résister, puisqu'il voulait rejoindre sa femme et son groupe à la frontière des Royaumes de Cristal et de Perle, mais Onyx savait se montrer persuasif. Le grand chef céda. Les servantes hâtèrent donc les préparatifs. Pour rendre les choses encore plus intéressantes, le renégat refusa de leur dévoiler leur destination. Malgré les réserves de son souverain, Wellan décida d'emmener Lassa avec lui.

Les trois hommes se rencontrèrent dans la cour, le lendemain de la nouvelle lune, avec des sacs de provisions sur les épaules. Onyx était radieux. Tout comme Wellan, il ne portait qu'une tunique et un pantalon verts, une ceinture et des bottes de cuir. Hadrian avait opté pour sa tunique blanche. Son vieux complice lui avait fait fabriquer un pantalon brun et des bottes. Lassa ne s'était pas cassé la tête : il avait machinalement enfilé ses vêtements d'apprenti.

– Il serait plus prudent de porter notre cuirasse, protesta le Chevalier, qui avait à cœur la protection du Roi d'Argent.

– Elle nous serait inutile là où nous allons, se contenta de répliquer Onyx. Êtes-vous prêts, messieurs ?

Wellan était inquiet, mais Hadrian semblait faire confiance à son ancien lieutenant. Lassa aurait bien aimé glisser sa main dans celle de son maître. Il devait se montrer plus brave, car il avait douze ans maintenant. Le Roi d'Émeraude étira les bras, les touchant tous. En l'espace de quelques secondes, ils furent transportés au Royaume de Turquoise. Le changement de climat était frappant : les forêts de ce pays étaient plus humides que celles d'Émeraude, et plus fraîches aussi.

– Où nous emmènes-tu ? s'enquit Hadrian.

– Je crois savoir où sont cachés les bracelets de foudre, répondit Onyx.

– Mais vous n'en êtes pas certain, se découragea Wellan.

– Si je me suis trompé, nous aurons au moins passé une magnifique journée en plein air.

Le Roi d'Argent jeta un coup d'œil amusé au chef des Chevaliers. Apparemment, le sens de l'humour de son ami n'avait pas changé.

Les aventuriers se suivirent à la queue leu leu entre les imposants troncs d'arbre, les racines sortant de terre et les plantes à larges feuilles. Lassa marchait presque sur les talons de son maître. On racontait tellement de choses inquiétantes au sujet de cet endroit. Les habitants des villages turquais se barricadaient dans leurs maisons la nuit, pour ne pas être dévorés par des bêtes géantes qui erraient dans les bois. Que faisaient ces monstres le jour ?

Au bout d'une heure, Onyx immobilisa le groupe. Un grondement sourd fit trembler les branches autour d'eux. Wellan saisit son Écuyer par le bras et le ramena devant lui. Ses sens fouillaient tous les recoins de la sylve. Pourtant, il ne captait rien.

– Ce n'est qu'une illusion, les avertit Onyx.

– Créée par qui ? voulut savoir Hadrian.

– C'est une excellente question.

Le renégat n'avait pas prévu ce genre de résistance de la part du ciel. Il ne craignait pas d'affronter le dieu qui gardait l'arme de Danalieth, mais son ancien commandant ne possédait plus de pouvoirs surnaturels. Il représentait une cible un peu trop facile.

– On dirait de la magie d'Immortel, décela Onyx en fronçant les sourcils.

– Ces créatures sont-elles toujours nos alliées ? demanda Hadrian.

– L'ont-elles déjà été ?

« Ce n'est pas le moment de rouvrir ce débat », songea Wellan. Les rugissements devinrent plus insistants. Les hommes n'en tinrent pas compte. Tout comme Onyx s'y attendait, aucun dragon ne les attaqua. Ils traversèrent la dense forêt et aboutirent dans une clairière baignant dans les rayons bienfaisants du soleil. Un homme se tenait debout près des cendres d'un feu de camp.

– Le connaissez-vous ? demanda le renégat à ses compagnons.

Ils secouèrent la tête. Wellan voulut le sonder. Il se heurta à un mur de glace. Il jeta un coup d'œil à ses paumes. Elles clignotaient en bleu.

– Onyx, regardez, l'avertit le Chevalier.

– C'est bien un Immortel, comprit le souverain. Mais ce n'est pas Abnar. Restez ici.

Le grand chef voulut protester. Hadrian l'en empêcha en posant la main sur son bras. Le Roi d'Argent confiait jadis à ses lieutenants la tâche de prendre les devants. Il était tout naturel pour lui de laisser son ancien bras droit approcher l'inconnu.

– Je viens en paix, annonça Onyx.

Le demi-dieu ne broncha pas. Grand et mince, il portait la tunique argentée d'un mentor. Ses cheveux étaient sombres et ses yeux étincelants.

– Je suis…, commença le Roi d'Émeraude.

– Je sais qui vous êtes, Chevalier Onyx, le coupa l'Immortel d'une voix aussi mélodieuse que celle d'un Elfe. Je connais aussi vos compagnons : le Roi Hadrian d'Argent, le Chevalier Wellan et son jeune apprenti, Lassa de Zénor.

– En revanche, nous ignorons votre identité.

– Je suis Danalieth, fils de Natelia et de Neberek.

Onyx n'était pas un soldat facile à impressionner, mais cette révélation le laissa bouche bée.

– C'est impossible…, murmura-t-il, enfin. Vous avez cessé d'exister il y a des lustres.

– Vous aussi. Et pourtant, vous êtes devant moi.

– Je me suis caché dans mes armes grâce à un vieux sortilège.

– Et je me suis réfugié dans cette forêt. Il semble que nous ayons tous les deux un puissant instinct de survie.

Hadrian, qui n'avait jamais rien eu à reprocher aux représentants des dieux, se sentit suffisamment en confiance pour s'avancer vers cet Immortel qu'on avait cru anéanti par Parandar. Wellan s'empressa de le suivre en tenant toujours Lassa par le bras.

– Je suis honoré de me retrouver en votre présence, lui dit le Roi d'Argent en s'inclinant.

– Moi de même, affirma Wellan en mettant un genou en terre. Mais je ne comprends pas comment vous pouvez être ici.

Les mains du Chevalier se mirent à briller intensément. Cependant, elles n'attaquèrent pas Danalieth. De la même façon, la griffe d'Onyx poussait de petites plaintes aiguës. Un sourire illumina le visage du demi-dieu. Il releva la main du renégat et caressa la tête du dragon argenté, qui courba le dos comme un chat.

– Je ne croyais plus jamais revoir ces créations, s'enchanta l'Immortel. Venez vous asseoir. Nous avons beaucoup de choses à nous dire.

Ils prirent place en rond autour du feu qui se réveilla magiquement. Lassa examina attentivement le visage de cet être issu du même univers que le Magicien de Cristal. Il avait la forme de ceux des Elfes qu'il connaissait : triangulaire et d'une grande douceur. Sa chevelure était aussi soyeuse que la leur, mais de la mauvaise teinte. Hawke, Derek, Arca, Bianchi, Botti, Dienelt et Robyn étaient blonds...

– Ma mère a les cheveux noirs, l'informa Danalieth avec un sourire bienveillant.

– C'est la déesse des secrets, n'est-ce pas ? souffla Lassa, intimidé.

– Jeune homme, l'avertit Wellan.

– Je comprends que vous tentiez d'inculquer le respect à ces magnifiques enfants, intercéda l'Immortel. C'est une bonne chose. Mais en ce jour, parlons librement, si vous le voulez bien.

Onyx s'en trouva fort soulagé. Il décida même d'aller droit au but.

– Nous cherchons vos bracelets de foudre, lui apprit-il.

– Je les ai offerts à une autre personne. Vous possédez déjà deux de mes armes. Pourquoi voulez-vous la troisième ?

– Pour repousser l'empereur des hommes-insectes et pour nous débarrasser d'Akuretari.

La réplique du renégat sembla chagriner le demi-dieu. Wellan chercha aussitôt dans sa mémoire si la déesse Natelia avait un lien quelconque avec le gavial.

– Tous les membres du panthéon sont reliés d'une façon ou d'une autre, annonça-t-il. Ce qui est arrivé à Akuretari est bien malheureux, mais Parandar ne tolère pas l'indiscipline.

– On nous raconte, en effet, que le chef des dieux vous a exécuté, s'en mêla Wellan.

– À la toute dernière minute, ma mère a matérialisé une créature qui me ressemblait.

– On a tué un innocent à votre place ? se scandalisa l'apprenti.

– Pas du tout, le rassura Danalieth. Cette coquille d'énergie ne possédait pas d'âme. Parandar était si en colère contre moi qu'il n'a pas décelé la ruse. Ma mère m'a déposé sur Enkidiev en me recommandant de ne pas faire de remous, sinon les Immortels, qui s'occupent des humains depuis des millénaires, m'auraient découvert.

– Il n'y a pas eu que maître Abnar ? s'étonna l'enfant.

– Non. Son arrivée est plutôt récente. Il a pris la relève d'un autre serviteur des dieux qui s'appelait Efahel.

Aucun de ses invités n'en avait entendu parler.

– Il était plus discret que son successeur, s'amusa Danalieth. En réalité, ce n'est pas la faute d'Abnar s'il a dû se faire voir aux yeux des hommes. C'est plutôt celle de l'Empereur Noir qui a tenté sa première invasion alors que ce jeune Immortel acceptait sa première mission.

– Cela n'excuse en rien son comportement, maugréa Onyx.

– Il a commis des erreurs, par ignorance.

– Par ignorance ? Ne me prenez pas pour un sot. Je sais fort bien que vous êtes des créatures omniscientes !

Sa colère n'influença pas Danalieth qui conserva son calme imperturbable.

– Au moment de notre création, nous ne possédons que la science que veut bien nous donner Parandar, répliqua-t-il, plutôt. Nous devons apprendre tout le reste nous-mêmes, par tâtonnements. Aucune créature n'est à l'abri de l'égarement. Toutefois, nous avons tous la responsabilité de corriger nos fautes. Je suis persuadé que le jeune Abnar saura faire amende honorable... au moment opportun.

Le renégat se contenta de le fixer, les yeux chargés de rage. Wellan se demanda si l'Immortel faisait allusion à une information qu'Onyx tentait de garder secrète.

– S'il arrive à se sortir des griffes de son ravisseur, indiqua le Chevalier.

– Il est ingénieux, le rassura Danalieth.

Hadrian, quant à lui, avait d'autres préoccupations.

– Si je comprends bien, vous nous observez depuis longtemps, conclut-il.

– C'est la dernière faculté qui me restait.

– Votre mère vous a enlevé les autres ? le questionna Lassa.

Danalieth leur expliqua que les demi-dieux ne consommaient pas de nourriture matérielle comme les humains. Ils puisaient plutôt leur force dans un liquide céleste en provenance des étoiles. Une fois exilé sur la terre des hommes, il n'avait plus eu accès à une telle source... jusqu'à ce qu'on lui en apporte une quantité suffisante pour lui redonner ses forces d'antan.

– Seul un Immortel peut transporter ce nectar, se rappela Hadrian.

– Votre mémoire revient petit à petit, se réjouit Danalieth. Vous serez bientôt en pleine possession de vos moyens, vous aussi.

– Ça ne répond pas à sa question, intervint effrontément Onyx.

– J'ai eu deux filles depuis mon expatriation. La première a été élevée par sa mère et la deuxième est restée avec moi. Elles ne sont pas tout à fait divines, mais elles sont plus puissantes que les magiciens de votre monde.

Lassa scruta la clairière, d'abord avec ses yeux, puis avec ses sens magiques.

– Elle est partie chercher des fruits, car, contrairement à moi, elle doit manger, lui dit Danalieth.

– Vous savez donc tout ce qui s'est passé ici depuis votre arrivée ? voulut s'assurer Wellan, avant de l'interroger sur plusieurs sujets qui le tracassaient.

– Absolument tout.

– Vous ne pouviez pas intervenir comme Abnar ?

– Je n'étais pas suffisamment fort et cela m'aurait occasionné des ennuis avec ma parenté divine.

– Dans ce cas, dites-moi qui m'a ramené à la vie, l'implora Hadrian.

– C'est moi.

La stupeur frappa les trois hommes. Lassa, lui, continuait de chercher la fille de l'Immortel.

– Pourquoi ? s'étrangla le Roi d'Argent. J'étais heureux auprès de ma femme et de mes enfants...

– Je ne connaissais aucune autre façon de régler une situation potentiellement dangereuse sur Enkidiev.

Wellan arqua un sourcil. « De quoi parle-t-il ? » s'étonna-t-il. Au lieu de s'expliquer davantage, Danalieth tendit le bras et toucha le front de l'ancien monarque. Les traits d'Hadrian se détendirent sur-le-champ.

– Que lui faites-vous ? s'alarma Onyx, qui n'aimait pas tellement ceux de sa race.

Le Roi d'Argent tomba sur le dos. Son ancien lieutenant voulut lui venir en aide. Effrayé par la puissance du demi-dieu, Hadrian se retourna sur le ventre et rampa plus loin.

– Est-ce que tu as mal ? s'énerva Onyx.

Il saisit son ami par les épaules, l'obligeant à s'asseoir.

– Réponds-moi, Hadrian !

– Des centaines d'images ont défilé devant mes yeux..., balbutia l'ancien souverain.

– Lesquelles ?

– Je ne puis en saisir aucune...

– Des images effrayantes ?

– Je n'ai jamais eu aussi peur de toute ma vie...

Le renégat plaça ses mains de chaque côté de la tête de son ami, non pas pour lire ses pensées, mais pour lui transmettre une puissante vague d'apaisement. Voyant que son roi venait en aide à Hadrian, Wellan se tourna vers l'Immortel pour en savoir plus.

– Faites-vous référence à l'invasion d'Amecareth ? s'enquit-il.

– Non. Ce sont des événements qui surviendront après la guerre.

– Devrions-nous conclure qu'elle achève ? s'égaya le grand chef.

– Mon esprit voit très loin, Wellan d'Émeraude. Il m'est bien difficile d'évaluer le temps qu'il peut couvrir.

– Hadrian n'est pas éternel. Il est revenu dans son corps de chair et de sang. Ce que vous distinguez se produira donc durant les prochaines années.

– À moins que je n'aie déjà changé le cours de l'histoire.

Onyx mit fin au traitement énergétique et dirigea sur Danalieth un regard courroucé.

– Vous ne cessez de parler de manière détournée, maugréa-t-il. Habituellement, les Immortels sont clairs sinon crus.

– Je comprends les sentiments que vous éprouvez envers mes semblables, Onyx. Sachez que vous avez eu affaire à un jeune demi-dieu qui en avait plein les bras de cette invasion. Nous ne pouvons pas demander l'aide de nos semblables lorsque nous sommes dans le doute.

– Mon fils reçoit pourtant celle d'une déesse, protesta Wellan.

– J'ai beaucoup entendu parler de lui, ces derniers temps, l'informa Danalieth avec un sourire énigmatique.

– Possédez-vous les mêmes pouvoirs que le Magicien de Cristal ?

– Essentiellement, oui.

– Pouvez-vous rendre à Hadrian les pouvoirs magiques qu'il possédait jadis ? se radoucit Onyx.

– Je serais tout de suite repéré par les dieux.

– Pas si je vous coupais d'eux.

Danalieth n'eut pas le temps de le questionner sur ses intentions. Une coupole d'énergie se forma au-dessus du groupe. Des éclairs bleuâtres la parcouraient en crépitant.

– Impressionnant, avoua l'Immortel.

– Est-ce suffisant ? insista Onyx.

– Parandar pourrait capter cette sorcellerie, mais pas mon intervention.

Le demi-dieu fouilla la mémoire de l'ancien chef des Chevaliers pour retrouver les facultés qu'on lui avait jadis attribuées. Il ne pourrait pas lui redonner celle de canaliser l'énergie de milliers d'hommes. Il pourrait cependant le rendre à nouveau télépathe et capable de former des halos défensifs. Onyx s'en montra satisfait. Il aida Hadrian à se lever afin de le rapprocher de Danalieth.

Dinath décrochait de belles pommes lorsqu'elle aperçut l'éclat dans la clairière. Toute sa vie, elle avait eu peur que les dieux ne découvrent la cachette de son père adoré. Elle laissa tomber son butin et courut de toutes ses forces dans le sentier qu'elle parcourait depuis son jeune âge. Elle contourna le dernier arbre de la boulaie et s'arrêta net. Danalieth était entouré d'étrangers. De ses mains s'échappaient des filets de lumière ardente qui enveloppaient la tête d'un des inconnus. Le liquide cristallin qu'elle avait fait boire à son père lui donnerait-il suffisamment de puissance pour neutraliser les trois hommes ? La jeune fille calma sa respiration et leva les bras devant elle pour stimuler ses bracelets. Le métal blanc demeura inerte. Évidemment, puisqu'ils ne s'illuminaient qu'en présence de créatures divines.

« Je dois trouver une façon de le protéger ! » s'alarmat-elle. Sans réfléchir, elle fonça vers le groupe. Danalieth n'eut pas le temps de la mettre en garde. Dinath heurta le mur d'énergie de plein fouet. Le demi-dieu mit fin à la transmission de pouvoir.

– Qui est-elle ? s'alarma Onyx.

– C'est ma fille.

Le renégat fit disparaître la bulle qui les avait isolés du ciel. L'Immortel se pencha immédiatement sur son enfant. Heureusement, elle n'avait qu'une bosse sur le front et une vilaine écorchure à un coude. Il la soigna sur-le-champ. Curieux, Lassa s'approcha de cette jeune personne à peine plus vieille que lui. Il observa son visage tandis que Danalieth refermait la peau délicate de son bras. « On dirait Ariane », remarqua-t-il.

– Père..., murmura Dinath en reprenant ses sens.

– Tu n'as rien à craindre, ma chérie, la rassura l'Immortel.

Il la ramena près des humains. Lassa comprit, en apercevant l'expression du visage de Wellan, qu'il avait noté la même chose.

41

UN SYCOPHANTE

Miyaji se montra fort ravie de sa nouvelle liberté au Château d'Émeraude. Elle pouvait se promener partout où elle le voulait. Toutefois, elle évitait sciemment le côté est de la grande cour, où s'élevaient la forge et la maison de Morrison. Derek reprenait rapidement des forces. Il passait beaucoup de temps avec la jeune captive. Grâce à ses talents de conteur, cette dernière apprit toute l'histoire du continent et, plus particulièrement, de ses rois et de ses reines. Le récit de la traversée des Elfes de leur belle île jusqu'au continent des humains la fascina. Elle découvrit aussi que ces créatures magiques et les Fées entretenaient des relations harmonieuses depuis le début des temps. Leur physiologie était différente, mais leurs esprits semblables. Les deux races vénéraient les génies de la nature et désiraient vivre en paix.

– Connaissez-vous des Fées qui ont épousé des Elfes ? demanda la *seccyeth*.

Le Chevalier et la prisonnière marchaient sur la route de terre qui s'éloignait de la forteresse depuis le lever du soleil. Ils venaient juste de prendre place sous les branches d'un grand orme, lorsque Miyaji sembla manifester de l'intérêt pour les rapports entre leurs espèces.

– Nous savons que les grands-parents de la Reine Fan de Shola étaient une Elfe et un homme Fée, répondit le soldat.

– C'est tout ?

– Je suis persuadé qu'il y a eu d'autres mariages semblables au fil des siècles, mais puisque j'ai passé très peu de temps auprès des miens, je n'en ai pas entendu parler. Je suis arrivé ici à l'âge de cinq ans afin de devenir un jour Chevalier.

– Il est injuste de séparer des enfants de leurs parents quand ils sont tout petits.

– Pas lorsqu'on leur assure ainsi une grande destinée.

– Vous provenez d'un peuple pacifique et vous maniez tout de même les armes.

– Je ne le fais que pour protéger cette terre que nous aimons tous. S'il n'y avait pas d'envahisseurs, il n'y aurait pas de sang versé.

Les grands yeux de Miyaji observaient l'Elfe avec curiosité. Sa vie à elle avait été si simple comparativement à celle de Derek. Elle avait aidé sa mère à nourrir sa marmaille, puis avait appris son art avec les maîtres Midjins.

– L'empereur a besoin de nouveaux territoires pour ses sujets, lui dit-elle.

– J'ai vu Irianeth de mes yeux, Miyaji. Amecareth n'a qu'à aménager les terres désertiques qui entourent son palais s'il désire plus d'espace.

La dompteuse de dragons fouilla sa mémoire. Elle avait en effet survolé cette contrée à plusieurs reprises sur le cou de Stellan. Elle se rappela les longues plages rocheuses où erraient les femelles dragons et leurs petits, la ruche isolée près de la mer et les lointaines falaises. Il n'y avait rien d'autre sur ce vaste territoire.

– Il n'y a pas de végétation dans cette région, annonça-t-elle. Comment mon peuple pourrait-il y survivre ?

– Premièrement, les hommes-insectes ne sont pas votre peuple. Vous êtes une hybride, Miyaji, et une Fée azurée, de surcroît. Vous ne ressemblez en rien à ces monstres. Votre esprit a été empoisonné par des années d'endoctrinement, mais vous n'appartenez pas à cette race.

La jeune femme baissa les yeux, en proie à une grande confusion.

– Deuxièmement, votre très cher empereur est un sorcier. Il a certainement le pouvoir de faire pousser ce qu'il veut sur ces plateaux pierreux.

– On dit qu'il est puissant..., balbutia-t-elle, troublée.

– C'est la vérité. Malheureusement, il ne se sert pas de ses facultés pour faire le bien. Il les utilise pour détruire d'autres peuples.

– Les dieux lui ont accordé cette prérogative.

– Rien n'est plus faux. Ce sont des mensonges qu'on vous a répétés jusqu'à ce que votre esprit les accepte comme des faits véridiques.

Miyaji éclata en sanglots, déconcertant son compagnon. Le Chevalier fit ce que lui dictait son cœur. Il cueillit la femme bleue dans ses bras et la pressa contre sa poitrine. La sensation que produisit cette étreinte dans son corps fut électrisante. La *seccyeth* la ressentit également. Elle cessa ses pleurs, cherchant à comprendre ce qui lui arrivait.

– Derek, j'ai peur, hoqueta-t-elle.

– Vous n'avez aucune raison de craindre vos sentiments.

– Je suis votre ennemie... Je ne suis pas censée ressentir cette attirance envers vous.

– Aucune légende de mon peuple ne parle de ce genre d'amour inusité. Nous pourrions en créer une.

Elle leva un regard mouillé sur lui. Derek frotta le bout de son nez sur ses oreilles et déposa un baiser sur ses lèvres.

– Oubliez tout ce qu'on vous a appris sur nous, chuchota-t-il.

La captive jeta ses bras autour du cou de l'Elfe et l'embrassa avec passion, obéissant à ses instincts plutôt qu'à son éducation.

– M'aimerez-vous jusqu'à ce que votre roi m'exécute ? souffla-t-elle.

– Il se donne des airs terrifiants, mais c'est un homme intelligent. Il comprendra que vous n'avez pas choisi les circonstances de votre naissance.

Elle voulut continuer de protester. Le Chevalier ne lui en donna pas l'occasion. Ils passèrent donc la plus grande partie de la journée enlacés à se regarder dans les yeux et à échanger des mots doux.

Le soir venu, Miyaji demanda à l'Elfe de partager son lit. Par courtoisie, il refusa cette offre bien tentante. Il porta les doigts de la femme bleue à ses lèvres et récita un poème qui la fit frémir.

– Lorsque les hostilités auront pris fin, nous unirons nos vies, promit-il.

– Que ce jour arrive bientôt.

Après un dernier baiser, Derek se fit violence et referma la porte de sa chambre, car il dormait dans le petit salon depuis qu'il répondait de la bonne conduite de la prisonnière. Il se défit de ses vêtements et plaça son épée près de lui, comme il le faisait lorsqu'il était en mission. Il s'endormit, un sourire aux lèvres, en pensant au bonheur qu'il savourerait après la guerre.

La nuit enveloppa graduellement le royaume. Tous les habitants du château s'abritèrent sous leurs couvertures. Dans le ciel, un croissant de lune éclairait à peine la campagne. Miyaji attendit de ne plus percevoir un seul mouvement dans le palais avant de poser les pieds sur le plancher. En silence, elle traversa la pièce et ouvrit la porte. Derek dormait profondément sur un moelleux sofa. Elle poursuivit son chemin jusqu'au couloir des appartements royaux. L'étage baignait dans le silence.

La femme bleue hâta le pas. Elle retrouva l'escalier dans l'obscurité et le dévala sans perdre une seconde. Elle s'assura que personne ne patrouillait le rez-de-chaussée, puis se risqua dehors. L'air frais lui fit le plus grand bien. Les habitations des humains étaient si closes. Elle leva les yeux au ciel et ne vit rien. Il lui fallait grimper quelque part. Elle avisa l'escalier de bois qui menait aux remparts. Elle arriva sur la passerelle et aperçut la sentinelle. Comme le lui avait enseigné le sorcier, elle écarta doucement les doigts et l'homme tomba endormi sur place. Miyaji grimpa sur un créneau pour scruter le firmament. Un battement d'ailes la fit sursauter. Ce n'étaient pas celles de Stellan.

Asbeth se posa près d'elle, sur le merlon. Miyaji n'avait pas encore servi sous les ordres du grand mage, mais lorsque son maître l'avait exigé, elle s'était soumise sur-le-champ.

– Je croyais devoir te délivrer des humains, croassa l'homme-oiseau.

– J'ai su gagner la confiance d'un Chevalier, répondit la Fée azurée en s'agenouillant devant lui.

– C'est très bien.

– Je suis prête à reprendre ma place dans votre armée, monseigneur.

– Pour l'instant, il est préférable que tu restes ici. Apprends tout ce que tu peux sur cette vermine, *seccyeth*. Ces renseignements me seront fort utiles.

– Mais mon dragon...

– Je m'occuperai de lui jusqu'à ton retour.

Miyaji savait que le sorcier maîtrisait ces bêtes formidables mieux que quiconque. On disait même que les plus sauvages lui obéissaient sans renâcler.

– Je ferai ce que vous me demandez.

– Je sais.

D'une puissante poussée sur ses pattes, Asbeth s'envola. Miyaji sentit une larme couler sur sa joue. Ses retrouvailles avec son animal adoré n'auraient pas lieu cette nuit-là. Elle laissa son esprit parcourir la région, mais ne trouva aucune trace de Stellan.

42

UN IMMORTEL AMOUREUX

Après l'attaque sauvage du dragon, Dylan s'écrasa sur le sol mou de son univers. Il demeura couché sur le dos un long moment, à tenter de comprendre ce qui lui était arrivé. Les Immortels ne ressentaient rien physiquement, puisqu'ils n'étaient qu'une forme d'énergie qui se manifestait aux humains sous l'apparence de leur choix. Pourtant, l'adolescent de lumière avait été la proie d'une horrible douleur au ventre lorsque l'inconnue avait illuminé ses bracelets sur la Montagne de Cristal. Il s'agissait certainement d'armes qu'elle n'était pas censée posséder. Devait-il en parler à la déesse de Rubis ? Mettrait-il cette fille en danger en la dénonçant ?

– Que ferait mon père à ma place ? soupira-t-il.

Wellan était un érudit, un homme qui allait au fond des choses avant de se prononcer. Il ne livrerait pas Dinath aux dieux avant d'en savoir davantage à son sujet.

Le jeune Immortel tenta de s'asseoir. La souffrance continuait de secouer son corps pourtant immatériel. Il n'était pas sans savoir que les membres du panthéon possédaient un lien particulier. S'il demandait l'aide de l'un d'eux, tous les autres en seraient instantanément informés. Il n'avait confiance qu'en son père. Wellan trouverait la façon de le soulager, car il avait eu accès aux livres défendus conservés par le Roi Hamil.

Dylan voulut se propulser sur Enkidiev, mais n'y parvint pas. Il baissa la tête et vit que le petit éclair dans son cou était toujours ardent. Avant de quitter le royaume de Parandar, il devait absolument refaire ses forces. Il tenta de se rappeler les leçons de ses maîtres divins. Leurs paroles lui revinrent finalement en mémoire. Il existait un endroit dans l'univers des Immortels où ils pouvaient se fortifier en peu de temps. Cependant, personne ne lui avait dit où dénicher cette source miraculeuse.

Le domaine des demi-dieux était vaste. L'adolescent de lumière ne l'avait jamais entièrement parcouru, parce qu'il s'était plutôt employé à communiquer avec son père. Il repassa dans son esprit les lieux qu'il connaissait. Cette eau, différente de celle qui le maintenait en vie, se trouvait vraisemblablement dans ceux qu'il n'avait jamais explorés.

Il ne pouvait pas retourner sur Enkidiev dans cet état d'affaiblissement, mais il pouvait circuler magiquement sur ce plan supérieur. Il s'employa donc à prospecter tous les recoins du ciel, espérant que la fontaine salutaire ne reposait pas à la limite du fief de Parandar. Il la trouva finalement à un endroit inhabituel : dans une petite dépression coincée entre deux collines de flocons duveteux. Il plongea prudemment la main dans le fluide rosé. Ce seul contact lui redonna de la vigueur. Quelques secondes plus tard, les crampes disparurent. Son énergie était rétablie. Il s'assura que son amulette ne brillait plus et se volatilisa. Tandis qu'il fonçait vers le continent, il utilisa ses sens évolués pour retracer Wellan. Il ne se demanda même pas pourquoi le grand chef séjournait au Royaume de Turquoise.

Dans la dense forêt où il s'était réfugié, Danalieth racontait à ses invités que les hommes-insectes étaient conçus dans des œufs. Au moment de l'éclosion, ils étaient des versions miniatures de leurs parents et réclamaient sans cesse de la nourriture. Puis, vers l'âge d'un an, ils atteignaient la moitié de leur taille. Afin de faire durcir leur carapace en toute sécurité, ils se réfugiaient dans la terre où ils achevaient leur croissance.

– Pendant combien de temps y restent-ils ? s'enquit Wellan, anxieux.

– De trois à quatre ans.

– Demeurent-ils stationnaires ?

– Certains oui, d'autres partent à la recherche d'un sol qui leur convient davantage.

Il s'agissait d'une bonne et d'une mauvaise nouvelle à la fois. Les Chevaliers auraient le temps d'entraîner leurs apprentis, mais les larves risquaient de refaire surface n'importe où sur Enkidiev !

Dylan se solidifia près d'eux. Ce qu'il vit l'ébranla. Son père n'était pas seul. Il partageait le repas du Roi Onyx, de son apprenti et de deux inconnus. Près de l'un d'eux, Dinath buvait du thé, les yeux fermés. Wellan s'étonna de la réaction de son fils de lumière. Malgré son âge et son manque d'expérience, Dylan n'en était pas moins un Immortel respectueux. Pourquoi restait-il là, immobile, la bouche ouverte ?

Danalieth reconnut son essence divine et son ascendance paternelle. Parandar ne créait pas beaucoup de demi-dieux, de façon à ne pas en perdre la maîtrise. Celui-là était très jeune.

– Qu'est-ce qui te trouble, mon enfant ? s'inquiéta Wellan.

Dinath laissa tomber son gobelet en reconnaissant leur visiteur.

– C'est donc le Dylan dont tu ne cesses de me parler, la taquina Danalieth.

Les joues rouge feu, la jeune fille baissa la tête.

– Vous vous connaissez ? s'étonna le grand Chevalier.

– Nous nous sommes rencontrés sur la Montagne de Cristal, révéla l'adolescent.

Il se tourna immédiatement vers Onyx.

– Pardonnez mon manque de civilité, Majesté, s'excusa-t-il.

– Elle est pardonnée... si tu nous racontes ce qui s'est passé au sommet de ce pic, rétorqua le souverain, incapable de dissimuler son amusement.

Dylan ne voulait surtout pas mettre l'étrangère dans l'embarras avant de savoir pourquoi elle tenait compagnie à son père dans cette région sauvage.

– Me présenterez-vous d'abord vos invités ? fit-il, pour gagner du temps.

– Il est aussi astucieux que son père, apprécia le monarque. C'est une qualité que j'affectionne. Voici donc mon ami, le Roi Hadrian d'Argent, et un de tes semblables, l'Immortel Danalieth. La jeune demoiselle à moitié assommée est sa fille Dinath, mais tu le sais déjà.

Elle était l'enfant d'un demi-dieu dont ses maîtres racontaient encore la fin tragique ? Et cet Hadrian, n'était-il pas mort une centaine d'années après la première invasion ?

– Je ne comprends pas, avoua-t-il, enfin.

– Tu as appris, malgré tes jeunes années, qu'en général, les parents aiment profondément leurs enfants et qu'ils donneraient leur vie pour les sauver, commença Wellan.

« Pas ma mère, en tout cas », ne put s'empêcher de penser Dylan. Fan l'avait même livré à Parandar lorsqu'il était petit. Le Chevalier lui raconta comment Natelia avait épargné à son fils une mort cruelle aux mains du chef des dieux, car elle ne croyait pas que ses gestes étaient fautifs. L'adolescent de lumière aperçut alors le talisman de cristal qui pendait à une chaînette dans le cou de Danalieth : il ressemblait à une petite feuille de chêne.

– Il a seulement donné aux humains des armes leur permettant d'empêcher les abus divins, le défendit Hadrian, presque remis.

– Je crois aussi que ce genre de protection est souhaitable, affirma Dylan. Mais n'est-ce pas l'un des rôles des Immortels ?

– À l'origine, confirma Danalieth. Toutefois, Parandar ne leur a pas accordé de pouvoirs susceptibles de faire échec aux dieux. J'ai donc créé plusieurs objets suffisamment puissants pour les blesser ou les anéantir. Je voulais ainsi éviter que les dieux fassent disparaître l'humanité sur une saute d'humeur. Mon initiative n'a pas été bien reçue dans leur monde.

– J'imagine.

Dylan avait repris son aplomb. Wellan n'était pas le seul à l'observer avec fierté. Dinath le regardait à travers les mèches noires de sa frange. Elle n'avait pas vraiment eu le loisir de bien le voir lors de leur différend sur la corniche. L'adolescent ne correspondait pas à l'idée qu'elle se faisait des Immortels. Ses cheveux ressemblaient à de la soie transparente. Le seul demi-dieu qu'elle connaissait possédait une chevelure couleur de la nuit et il était bien plus vieux. Le visage de Dylan avait par contre la même forme que celui de Danalieth, et la même douceur aussi.

– Maintenant, dis-nous ce qui s'est passé sur la Montagne de Cristal, exigea Onyx, curieux.

Dinath redressa la tête, craignant que ces humains ne comprennent pas le but de son intrusion dans l'antre d'Abnar. Mais le fils de Wellan n'avait aucune intention de la dénoncer.

– Je cherchais un endroit énergique d'où je pourrais mener une recherche, répondit Dylan avec un air sérieux qui fit sourire son père. Plusieurs événements étranges se sont produits récemment dans les rangs des Chevaliers d'Émeraude et je voulais venir en aide à ces braves soldats en élucidant ces mystères.

– Tu as réussi ?

– Je n'ai pas eu le temps de faire quoi que ce soit. J'ai trouvé Dinath sur un pan rocheux. Elle cherchait quelque chose pour son père. Nous n'avons pas eu le temps de parler bien longtemps, car un dragon nous attaquait.

– Le dragon dont nous a parlé Lassa, comprit Wellan.

– Il tournait autour de la montagne de Cristal, confirma l'apprenti.

– C'est tout ce que vous avez fait ? le taquina le Roi d'Émeraude.

– J'ai attiré la bête loin de cette jeune personne, car, contrairement à moi, elle est mortelle. Elle aurait pu être tuée.

– J'applaudis ta bravoure, le félicita Hadrian.

Dylan s'inclina respectueusement devant lui.

– Quels sont ces événements dont tu parles ? voulut savoir Danalieth.

– Les femmes et les enfants de deux Chevaliers ont été sauvées par un vortex qui ne provenait pas de leurs bracelets ni des pouvoirs similaires du Roi Onyx. Une hybride a également été aspirée de sa prison souterraine par le même processus. Les Chevaliers qui patrouillaient le Royaume d'Opale ont appris de leur prince qu'une jeune fille s'était présentée au château pour demander aux soldats du Roi Nathan de leur prêter main-forte.

– Si tu veux mon avis, tu as trouvé ta réponse en chair et en os, s'amusa Onyx.

– Dinath ?

– Elle a agi à ma demande, certifia Danalieth. Je suis incapable d'intervenir directement dans votre monde. Ma fille le peut. Je lui fournis les facultés requises, selon les besoins. Mais avant qu'elle me rapporte l'eau cristalline, dont je suis privé depuis très longtemps, il s'agissait surtout de quelques apports isolés. J'aime Enkidiev et ses habitants. Je ne veux pas les voir périr aux mains des hommes-insectes.

Dylan avoua ne pas comprendre le retrait du Roi d'Argent des grandes plaines de lumière. Avant que Wellan ou Onyx ne lui expliquent ce qu'ils savaient, Danalieth les étonna tous.

– Je lui ai redonné la vie afin qu'il rende impossibles les affrontements entre les royaumes après la guerre, déclara-t-il.

– Nous ne sommes pas des mercenaires, protesta le grand Chevalier. Je connais mes hommes. Jamais ils ne tenteraient de détrôner les dirigeants d'Enkidiev.

– Ce ne sont pas vos soldats que je redoute.

– Alors qui ? s'éleva Lassa.

– Il s'agit d'un souverain qui aura bientôt soif de pouvoir.

Le visage d'Onyx s'assombrit, car il comprit que c'était à lui que Danalieth faisait référence. Cet Immortel croyait donc Hadrian capable de le contenir.

– Le Roi d'Argent est un homme sage et ses paroles peuvent opérer des miracles, ajouta le demi-dieu.

– Votre confiance me touche, le remercia le revenant.

– Notre but, en venant ici, était d'obtenir les bracelets de foudre, coupa Onyx. Puisqu'ils ne sont pas disponibles, je suggère que nous retournions à Émeraude sans délai.

Son regard étincelait de défi. Wellan ne comprit pas tout de suite pourquoi. Le Chevalier ouvrit la bouche pour saluer Danalieth, mais avant de prononcer un seul mot, il se retrouva dans la cour de la forteresse du Roi Onyx avec ses compagnons. Ce manque de politesse de la part du renégat l'étonna beaucoup. Ce dernier se tourna vers Hadrian.

– Viens, mon ami, l'incita Onyx en le prenant par le bras. Tu as besoin de repos.

Wellan se retrouva seul au pied du porche, Lassa près de lui.

– Que faisons-nous maintenant, maître ? s'enquit l'enfant.

– Le mieux est de retourner auprès des Chevaliers et de voir ce qui s'est passé depuis notre départ, décida le grand chef en se donnant une contenance.

L'Écuyer approuva d'un mouvement de la tête. Amusé de le voir se donner un air sérieux, le grand chef matérialisa en riant le maelström de lumière.

Le départ précipité des humains prit aussi Dylan de court. Pour échapper au regard inquisiteur de Dinath, il décida d'annoncer à Danalieth qu'il avait une importante mission à remplir.

– Tu peux rester encore un peu, le convia l'Immortel. Nous ne recevons pas souvent de visiteurs.

Son sourire jovial était contagieux. Dylan s'assit devant le feu, dont il ne ressentait même pas la chaleur.

– J'ai la faculté de percevoir ce qui se trame dans ce monde, mais pas dans les royaumes surnaturels, expliqua Danalieth. J'aimerais bien connaître tes origines.

Rassuré, Dylan leur parla de sa mère et de sa relation particulière avec la déesse Theandras.

– On dirait qu'il est important d'avoir une protectrice dans les cieux, nota Dinath, qui se mêlait à la conversation pour la première fois.

– Cela m'a évité d'être exécuté par Parandar, avoua l'adolescent de lumière.

– Quelle faute avais-tu commise ?

– J'ai souvent échappé à la surveillance de mes gardiens durant mes années d'apprentissage. Le maître a cru que je ne serais jamais un bon serviteur. Cependant, Theandras lui a dit que c'était elle qui me permettait de visiter mon père.

– Il est très rare, en effet, que les Immortels connaissent l'identité de leur parent mortel, confirma Danalieth.

– Mais vous avez aussi appris qui est le vôtre, n'est-ce pas ?

– Ma mère ne m'a révélé son nom qu'à la fin de ma formation. J'ai voulu le voir et lui parler au moins une fois avant de me rendre auprès de ceux que je guiderais. Neberek habitait la grande île des Elfes, au milieu de l'océan. Il enseignait les arts de guérison à son peuple.

Dylan vit que Dinath buvait elle aussi les paroles du demi-dieu. Ses grands yeux bleus le fixaient avec adoration.

– La voix de cet Elfe était envoûtante, poursuivit Danalieth. Tous ceux qui l'écoutaient ne pouvaient plus se détourner de lui. J'ai décidé de rester quelques jours, pour l'observer. Puis, un matin, je l'ai trouvé seul dans un grand jardin où il s'occupait de plantes odorantes. J'ai rassemblé mon courage et je lui ai avoué qui j'étais. Jamais je n'ai vu autant de joie sur un visage. Il m'a étreint comme s'il m'avait connu toute sa vie. Il m'a ramené chez lui pour me parler de ma mère. Je n'ai plus été capable de le quitter.

– Mais il était mortel et vous, non, déplora Dylan.

– Sa mort m'a causé un grand chagrin. C'est aussi à cette époque que Parandar a découvert que je ne m'étais pas acquitté de la mission qu'il m'avait confiée.

– En quoi consistait-elle ?

– On m'a instruit pour éclairer les ancêtres de l'Empereur Noir et maîtriser leur esprit de conquête.

L'adolescent de lumière n'en croyait pas ses oreilles. Si ce que Danalieth lui disait était vrai, il aurait pu empêcher non seulement la deuxième invasion, mais la première également !

– J'ai commis une faute impardonnable, confessa le demi-dieu, qui lisait ses pensées.

– Sire Wellan dit que rien n'arrive jamais pour rien, se reprit Dylan. En ce qui me concerne, je n'ai pas à juger les actes de mes semblables. Et puis, si vous aviez suivi vos ordres à la lettre, je n'existerais pas, car les dieux n'auraient pas intimé l'ordre à ma mère de choisir mon père.

– Néanmoins, je réparerai mes torts, promit l'Immortel. J'ai fait tout ce que je pouvais pour les Chevaliers d'Émeraude, malgré ma faiblesse. Maintenant que mes forces sont revenues, je les dirigerai de mon mieux.

Le regard de Danalieth se perdit dans les flammes. Dylan profita de cette pause pour admirer le beau visage de sa fille. Il ne comprenait pas encore ce qu'il ressentait pour elle. Il ne le découvrirait que plus tard.

43

UNE PRISE FORT ATTENDUE

Dès que son ami d'Argent eut fermé l'œil, Onyx exécuta le plan qu'il avait échafaudé durant leur rencontre avec Danalieth. Ce dernier avait suivi avec intérêt tout ce qui s'était passé sur Enkidiev depuis son exil. Le renégat avait vu là une occasion inespérée de retrouver ses mortels ennemis. Pendant l'espace d'une seconde, il avait utilisé ses pouvoirs de sorcellerie pour sonder les pensées de l'Immortel. Danalieth n'avait pas menti : il savait exactement où se trouvait Abnar et Akuretari. Il n'avait rien fait pour délivrer son semblable, de peur d'être repéré par le ciel.

Onyx enfila fièrement son uniforme de Chevalier d'Émeraude, car il voulait que le Magicien de Cristal voie qu'il n'avait jamais cessé d'être un fier représentant de cette puissante armée lorsqu'il lui réglerait son compte. Il s'assura, grâce à ses sens magiques, que ses fils dormaient en sécurité dans la tour d'Armène et prit une profonde inspiration. L'heure de sa vengeance avait enfin sonné. Avant de se déplacer par enchantement jusqu'aux cavernes sous le Désert, Onyx caressa doucement le dos de la griffe. Elle montra les dents et se mit à gronder.

– Tu vas bientôt t'abreuver à un sang bien plus nourrissant que le mien, lui dit-il.

Le Roi d'Émeraude ferma les yeux. Il se retrouva instantanément dans l'étrange couloir arrondi qu'il avait vu dans l'esprit de Danalieth. Les hommes insectes avaient-ils jadis creusé ces tunnels sous le continent ? Pourtant, Onyx n'avait jamais lu quoi que ce soit à ce sujet. Il capta une incroyable énergie droit devant. Un sourire triomphant se dessina sur ses lèvres. Après avoir débarrassé le monde de ces deux menaces, il deviendrait un héros et tous les royaumes lui appartiendraient. Même Hadrian ne l'empêcherait pas d'occuper la place qu'il méritait au sommet du monde.

Il avança résolument dans cette galerie éclairée par des pierres lumineuses. Il chassa aussitôt les mauvais souvenirs qu'elles lui rappelaient. Nomar allait payer pour ses crimes en même temps que l'imbécile d'Immortel que les dieux avaient donné aux humains pour les aider à repousser leurs ennemis.

Devant lui, le couloir faisait un coude. Une lueur bleue familière léchait ses murs. « Un démon de Jerianeth », comprit Onyx. Il allait donc se régaler. Au bout de son majeur, le dragon argenté s'était mis à frétiller d'impatience.

– Je tiens toujours mes promesses, chuchota le renégat.

Il pénétra dans l'immense grotte illuminée par l'étang. La griffe se mit à couiner, enfonçant davantage ses griffes dans la peau du souverain. Onyx serra les dents pour endurer la douleur. Il valait mieux lui donner son premier repas avant qu'elle ne lui arrache le doigt. Il s'approcha de la surface miroitante, s'accroupit et baissa la main. Les mâchoires du minuscule dragon se refermèrent sur la matière irisée. La mare se transforma instantanément en un océan courroucé. Le renégat se cramponna aux petites stalagmites près de lui, tandis que le démon se faisait dévorer. Des éclairs surgirent sur les parois de la caverne. Un gémissement inhumain s'amplifia jusqu'à fendre les tympans. La griffe ne lâcha pas prise. Elle aspira goulûment la force vitale de la vile créature, jusqu'à ce qu'il n'en reste plus rien.

Onyx ne sut pas combien de temps dura cette extraction. L'arme de Danalieth était maintenant chargée à bloc, mais l'endroit baignait désormais dans le noir. Le mage prononça les paroles défendues que lui avait enseignées Nomar, à l'époque où il le retenait prisonnier à Espérita. L'abri souterrain s'éclaira comme si le soleil lui-même s'y était infiltré. Au fond de la crevasse, qui s'ouvrait à ses pieds, une curieuse bête fixait Onyx. C'était la même qui avait attaqué Sage dans le palais à Émeraude.

– Tiens, tiens, sourit l'ancien soldat. Comme on se retrouve.

La queue du gavial se mit à frémir de colère. Avant qu'Onyx ne puisse pointer la griffe affamée sur le dieu déchu, celui-ci se propulsa de l'autre côté du cratère. Il reprit alors sa forme humaine.

– Tu as commis une grave erreur en venant ici, Onyx, maugréa Nomar, les yeux rouge sang.

Attiré par les décharges électriques, Abnar se rapprocha autant qu'il put de l'entrée de sa cellule pour voir ce qui s'y passait. Il reconnut tout de suite les opposants. Il aurait bien aimé venir en aide au Chevalier, mais le mur d'énergie qui cadenassait sa prison ne lui permettait pas d'agir.

– D'autres en ont commis de plus impardonnables, rétorqua le renégat sur un ton cinglant. Pourquoi m'avoir enseigné cette sorcellerie si elle me rendait supérieur aux autres humains ?

– À l'époque, je ne te savais pas si ingrat.

– Vous m'avez persécuté dans l'espoir que je me jette à vos genoux pour vous remercier ?

– Je voulais faire de toi l'instrument de ma vengeance, mais j'ai découvert que j'avais une petite-fille bien plus forte que toi.

Onyx arqua un sourcil. Il connaissait trop bien cette crapule pour croire ses paroles. Pendant qu'il aiguisait sa curiosité, Nomar préparait certainement son prochain coup. Le renégat n'avait pas l'intention de redevenir sa victime préférée. Il tendit brusquement le doigt. Un éclair bleuâtre s'échappa de la griffe. Le dieu déchu eut tout juste le temps de se pencher. Le dragon argenté ayant repéré sa cible, le renégat en perdit la maîtrise. Les faisceaux d'un bleu éclatant fusèrent sans arrêt de sa bouche ouverte. Ils frappèrent les murs rocheux et remplirent bientôt la grotte d'une fumée grise mêlée de sable fin. Puis, soudain, la griffe mit fin à son attaque. Les oreilles relevées, elle se tourna vers la droite et vers la gauche.

Épuisé par cette charge, le Roi d'Émeraude tomba à genoux. Il utilisa ses sens magiques pour localiser Akuretari, mais sans succès.

– Il est parti, fit une voix derrière lui.

L'ancien Chevalier fit volte-face en sautant sur ses pieds. Derrière un mur de verre, Abnar l'observait avec sa froideur habituelle.

– Vous ne pouvez pas détruire un dieu à l'aide d'une seule des armes de Danalieth, l'informa ce dernier.

– Qu'est-ce qui vous fait croire que je voulais l'anéantir ?

Onyx s'approcha. Le dragon sur son doigt renifla l'obstacle qui le séparait de cette nouvelle proie et se contracta en grondant son mécontentement.

– Malheureusement, rien ne peut franchir cette barrière, expliqua l'Immortel.

La griffe semblait d'accord. Elle se pourléchait les babines sans plus se préoccuper d'Abnar.

– Je vous extirperai de votre refuge, gronda Onyx.

– Si je n'ai pas trouvé la façon d'en sortir, je ne vois pas comment vous y arriveriez.

– Je ne suis pas borné comme un Immortel. Quand je ne réussis pas d'une manière, j'en essaie une autre.

Le soldat releva les bras en prononçant une incantation que le Magicien de Cristal ne reconnut pas. La terre se mit à trembler. Abnar sentit le sol bouger sous ses pieds. Les murs de sa geôle ne cédèrent pas. Il constata, cependant, qu'elle s'élevait dans les airs. Dans une fontaine de sable, la cage sphérique creva la surface du Désert. L'Immortel protégea ses yeux de la lumière crue du soleil qu'il n'avait pas vue depuis des années. Il fut renversé lorsque la bulle de cristal roula sur elle-même pendant quelques minutes. Il se retrouva en position assise lorsqu'elle s'arrêta enfin.

Onyx arpenta l'entrée de la prison en se demandant comment il pourrait détruire ce matériau divin dont elle était faite.

– Parandar saurait me venir en aide, tenta Abnar.

Le rire d'Onyx raisonna sur les parois brillantes de sa cellule.

– J'ai bien des défauts, mais je ne suis pas fou, lui dit-il, finalement. En attendant d'avoir une idée brillante, je vais vous mettre en lieu sûr.

Le renégat appuya la main sur la partie rocheuse de la sphère. Ils se retrouvèrent sur le bord d'un autre étang ensorcelé, au milieu d'une grotte.

– Reconnaissez-vous cet endroit ? se moqua Onyx en apercevant l'air surpris du Magicien de Cristal. Vous êtes sous la tour d'Élund, à ma portée. Quand j'aurai découvert l'enchantement qui fait disparaître cette énergie, vous paierez pour toutes les souffrances que j'ai endurées.

La griffe recommença à s'agiter en présence de cette autre mare ensorcelée. Le Roi d'Émeraude n'avait plus le choix : il devait partir avant qu'elle ne s'en prenne à ce démon. Il se volatilisa sous le regard consterné d'Abnar. L'Immortel était toujours prisonnier : il avait seulement changé de gardien.

44

UN PEU DE RÉPIT

Fort de ce qu'il venait d'apprendre, Wellan retourna d'abord auprès de son propre groupe resté à la frontière du Royaume de Perle. Il fut chaudement reçu par ses compagnons, mais essuya des reproches de la part de son épouse, lorsqu'elle remarqua les cicatrices dans ses mains. Pour éviter de raconter son aventure plusieurs fois, le chef demanda d'abord à toute son armée de se rassembler au pays des Elfes, où les troupes de Jasson et de Falcon étaient déjà stationnées.

Les Chevaliers se retrouvèrent avec plaisir. Ils échangèrent les poignées de main de l'Ordre et certains s'étreignirent avec bonheur. Les archers Elfes, qui s'étaient fait des amis dans leurs rangs, leur souhaitèrent aussi la bienvenue. Wellan les observa un moment. Il était fier de son armée. Soudain, Lassa le vit froncer les sourcils.

– Où est Ariane ? s'alarma son maître.

Jasson s'approcha de lui pour lui expliquer qu'il lui avait donné la permission d'aller rendre un dernier hommage à son époux. La tristesse voila le visage du grand Chevalier. La scène de la mort de Kardey rejoua dans son esprit.

L'Opalien, qui ne possédait aucun pouvoir magique, s'était courageusement battu à ses côtés pendant de nombreuses années.

– Dois-je la rappeler ? s'enquit Jasson.

– Non, décida Wellan, le cœur lourd. Qu'elle prenne tout le temps dont elle a besoin pour lui dire au revoir.

Wellan attendit que ses soldats soient assis sur la plaine, en retrait de la rivière Mardall. Il constata avec satisfaction que Wanda et Ambre avaient réintégré les rangs. Il se posta au centre du groupe, là où tous pourraient l'entendre. Il leur montra ses mains et leur expliqua à quoi servaient les spirales. Kira baissa les yeux sur ses paumes mauves en pensant que ces armes lui auraient été plus utiles à elle qu'à lui.

– Le Château d'Émeraude abrite désormais un soldat de grand renom, annonça le chef.

Les guerriers s'en montrèrent fort surpris, car, de leur avis, leur armée était composée des meilleurs combattants du monde.

– Il s'agit du Roi Hadrian d'Argent, révéla Wellan.

– Quoi ? s'exclama involontairement Bergeau.

– Je pensais que le Magicien de Cristal avait mis fin à ce sortilège en confisquant l'anneau de Kira, commenta Jasson.

– Il a été ressuscité, expliqua Wellan.

– Ce n'est pas ma faute ! protesta Kira, avant qu'on ne l'accuse. Je n'ai rien fait !

– Tu n'es pas responsable de ce miracle, la rassura le grand Chevalier.

– Alors, qui est-ce ? demanda Dempsey.

Avant de leur parler de sa rencontre avec le plus illustre de tous les Immortels, Wellan leur fit promettre de ne jamais révéler sa présence sur Enkidiev. Les Chevaliers d'Émeraude étaient des gens d'honneur. Ils placèrent le poing sur leur poitrine et jurèrent de garder le silence, aussitôt imités par leurs Écuyers.

– Notre roi a découvert la cachette des bracelets de foudre dans un livre de la bibliothèque du Roi Hamil, commença Wellan.

– Tu ne réponds pas à sa question, lui fit remarquer Falcon.

– J'y arrive.

– Allez, parle, le pressa Chloé. Nous mourons tous d'envie de savoir de qui il s'agit.

– Un peu de patience, recommanda Wellan. Alors, voilà. Onyx nous a emmenés, Hadrian, Lassa et moi, dans les forêts de Turquoise. C'est dans une clairière protégée que nous avons trouvé Danalieth.

Sage faillit s'évanouir en se rappelant sa dernière incursion dans le passé. Il avait vu cet Immortel créer la pierre qu'il portait au cou. Kira aurait voulu qu'il la rende à sa mère, mais Sage avait été si heureux de revoir Jahonne qu'il avait oublié de le faire. La larme cristalline pendait toujours à sa cordelette, sous sa tunique.

– Je n'ai jamais vraiment prêté attention à mes leçons d'histoire, répliqua Nogait, mais est-ce que cette créature divine n'a pas été détruite il y a très, très longtemps ?

– Sa mère a réussi à le sauver et elle l'a caché sur Enkidiev.

– Pourquoi ne ressentons-nous pas sa présence ? s'inquiéta Chloé.

– Parce qu'il nous la masque, l'éclaira Wellan. D'ailleurs, pour que personne ne trouve cet endroit secret, il crée des illusions dans les bois qui l'entourent.

– Es-tu en train de me dire que les habitants de Turquoise se barricadent dans leurs maisons la nuit pour se protéger de simples mirages ? se fâcha Falcon.

– Je crains que oui.

– Pauvre Falcon, le taquina Nogait. Maintenant, tu vas devoir trouver une autre raison d'avoir peur des faucons qui rapportent des lapins en pleine nuit.

Tout le monde éclata de rire, ce qui finit par dérider le ressortissant turquais. Kira ne faisait plus attention à ce qui se passait autour d'elle.

– Pourquoi est-ce à toi qu'on a offert ces spirales ? demanda la Sholienne, au milieu de la rigolade.

Wellan la dévisagea pendant un moment, cherchant les mots qui ne la blesseraient pas. Il savait bien que c'était à elle que les dieux avaient confié le sauvetage du continent.

– J'ignore pourquoi Onyx m'a choisi, avoua-t-il, finalement. Mais je n'aurais emmené aucun de vous dans ce volcan, c'est certain.

– Moi, je voudrais savoir si Danalieth a l'intention de nous appuyer, s'en mêla Bailey.

– Il a toujours ses pouvoirs, non ? enchaîna Volpel.

– Il en a récupéré une partie tout récemment, affirma Wellan.

– Pourquoi ne l'as-tu pas ramené ici ? s'étonna Kevin.

– Il ne veut pas participer à cette guerre. Il attirerait sur lui et sur sa mère les foudres de Parandar s'il utilisait ouvertement sa magie.

– Donc, il préfère que nous nous fassions massacrer plutôt que de risquer sa vie pour nous, maugréa Bergeau.

– Il a d'autres façons de nous venir en aide.

– Comme ? le bouscula Jasson.

– Il se sert de sa fille. C'est elle qui a sauvé ta famille et celle de Bergeau lorsque les insectes ont attaqué Émeraude. Elle a aussi prévenu le Prince Humey que Santo avait besoin d'aide sur la berge de la rivière et elle a guidé Jahonne jusqu'à nous.

– Les dieux ont choisi celui qui devait guider les Chevaliers d'Émeraude, l'appuya Santo. Il s'agit d'Abnar. Au lieu de reprocher à Danalieth de ne pas nous soutenir, nous devrions plutôt partir à la recherche du Magicien de Cristal.

– Et nous en aurons amplement le temps, ajouta Wellan. Danalieth nous a dit que les larves mettaient de trois à quatre ans avant de sortir de terre.

– Qu'allons-nous faire pendant tout ce temps ? s'inquiéta Chloé.

– Nos chevaux-dragons semblent capables de détecter les insectes dans le sol, mais parfois, ils sont enfouis trop profondément pour que nous puissions les atteindre, expliqua Kevin.

– Malheureusement, il n'y a que trois de ces bêtes renifleuses et des centaines de larves, déplora Sage.

– Kira en a tout un troupeau, leur rappela Nogait.

– Il s'agit de juments sauvages, protesta Kira.

– Tu as trois ans pour leur apprendre à trouver les futurs guerriers de l'empereur.

– Ce ne sont pas des chevaux normaux, Nogait, expliqua la Sholienne. On ne leur fait pas exécuter des tours comme à des animaux domestiques.

– Pourtant, Liam y est arrivé avec sa pouliche, souligna Jasson.

– Il faut qu'un lien se crée entre la bête et l'homme pour arriver à un tel résultat, s'obstina Kira.

– Je vous en prie, trancha Wellan. Nous discuterons de toutes ces possibilités plus tard. Pour l'instant, je suggère que nous rentrions à Émeraude.

– Nous pourrions surveiller l'océan pour vous, offrit Katas.

– Et vous alerter si nous percevons quelque mouvement que ce soit, ajouta Djen.

– Ce serait apprécié, les remercia Wellan.

Les soldats mangèrent d'abord le repas préparé par les Elfes avant de repartir chez eux. Nogait était assis près de Kevin. Ils exploraient ensemble l'idée de dresser les juments noires de Kira afin que tous les Chevaliers puissent les utiliser. Un Elfe s'accroupit alors près de Nogait.

– Je suis Oliek, du clan des Enalds, se présenta-t-il.

Les Chevaliers ne connaissaient pas les différentes tribus de ce peuple et encore moins les territoires où elles habitaient. Le jeune homme aux longs cheveux blonds capta leur ignorance.

– C'est dans nos forêts que Danalieth a choisi de vivre, jadis, ajouta Oliek.

– Je suis enchanté de faire ta connaissance, trouva à répondre le soldat. Je suis Nogait et voici Kevin. Ces deux petits garnements sont nos Écuyers Dianjin et Liam.

Ce dernier examinait leur visiteur avec beaucoup d'intérêt. Son visage était différent de ceux des Elfes qu'il connaissait. Liam étudia attentivement ses traits et remarqua finalement que ses yeux étaient bleus ! Évidemment, son maître ne pouvait pas faire la même constatation, puisqu'il portait son bandeau sur les yeux.

– Je viens tout juste de me joindre aux archers de Katas et il m'a dit que tu avais épousé notre princesse, déclara Oliek.

– C'est exact, affirma Nogait, sur ses gardes.

– Je l'ai connue lorsque nous étions enfants, l'informa l'Elfe, le visage rayonnant.

« Au moins, ce sont de bons souvenirs », s'encouragea le Chevalier.

– J'ai en ma possession un présent qu'elle adorerait recevoir.

« Pas un autre objet qui va tenter de me tuer », s'alarma Nogait. Il n'eut pas le temps de s'opposer à l'initiative de l'Elfe. Oliek déposa une courte chaînette en or dans le creux de sa main.

– Ces parures de cheville sont habituellement réservées aux femmes de mon clan, expliqua l'Elfe. J'ai tout de même réussi à en obtenir une. Offre-la à Amayelle et elle sera folle de joie.

– Est-ce que c'est magique ? s'énerva Nogait.

– Je ne le crois pas.

– Que veux-tu en retour ? s'interposa Kevin.

– Seulement votre respect.

Oliek inclina la tête et retourna auprès des archers. Nogait contempla la magnifique pièce d'orfèvrerie. Chaque anneau représentait une délicate feuille d'arbre et était attaché au suivant par une petite étoile, en or elle aussi.

– C'est vraiment beau ! ne put s'empêcher de s'exclamer Liam.

– La dernière fois qu'un Elfe m'a offert un bijou, j'ai failli en mourir, maugréa Nogait.

Dianjin lui suggéra de le faire évaluer par une personne possédant une grande sensibilité au surnaturel. Le Chevalier promena son regard sur ses compagnons et s'arrêta sur Chloé.

– Je reviens tout de suite, annonça-t-il.

Sa sœur d'armes accepta avec plaisir de sonder l'objet, car c'était une de ses spécialités. Un large sourire fendit son visage.

– Il a été façonné avec beaucoup d'amour, décela-t-elle.

– Par un Elfe épris de ma femme ? s'inquiéta Nogait.

– Non... Par Danalieth lui-même. Je pense qu'il avait l'intention de l'offrir à sa belle, mais qu'il n'en a pas eu le temps. Je ne sens pas les vibrations d'une dame dans cet objet.

Soulagé, Nogait l'embrassa sur la joue, en guise de remerciement.

45

LE COMPLOT

De retour à Émeraude, Wellan laissa ses soldats se délasser avant d'entreprendre les discussions de stratégie. Ceux qui possédaient des fermes y retournèrent pour en constater les progrès de reconstruction. Les autres en profitèrent pour faire réparer des harnais ou affûter leurs armes. Le grand chef passa les premières heures avec sa fille, tandis que Swan renouait avec son mari. Le code exigeait que les Écuyers ne quittent jamais leurs maîtres, mais dans ce genre de situation intime, Wellan préférait que les Chevaliers se servent de leur jugement.

Le Roi Hadrian ayant requis sa présence dans son salon privé pour le repas, Wellan décida que c'était l'occasion idéale pour lui présenter son héritière. Lassa les accompagna, heureux de revoir l'ancien monarque. Quant à elle, Jenifael était surtout contente de passer un peu de temps avec son père, car elle ne faisait pas partie de son groupe. Ce répit de trois ans, si c'en était vraiment un, lui permettrait de tirer parti de ses précieux enseignements.

Le Roi d'Argent se leva lorsque le serviteur fit entrer ses invités. En le voyant pour la première fois, la petite déesse fut sidérée. Hadrian ressemblait un peu au pauvre capitaine

Kardey. Tout comme l'Opalien, il portait la barbe, mais elle ne cachait pas son beau visage. Wellan arrêta les enfants devant le héros ressuscité. Lassa le salua sur-le-champ, comme le voulaient les convenances.

– Majesté, je vous présente ma fille, Jenifael, fit ensuite le Chevalier.

L'enfant aurait aimé exécuter une courbette, comme les dames de la cour. Elle était paralysée. Hadrian prit sa main et y déposa un baiser.

– C'est un plaisir de vous rencontrer, milady, affirma-t-il.

Jenifael fut incapable de faire sortir un seul son de sa gorge comprimée : le contact des doigts du souverain était électrisant. Wellan dut la pousser en direction de sa chaise pour y mettre fin. Curieusement, sa fille garda le silence pendant tout le repas, se contentant d'écouter la conversation des adultes et de fixer les magnifiques yeux de leur visiteur du passé. Quelque chose venait de changer en elle, sans qu'elle le comprenne encore.

Dans l'appartement contigu, Nogait rentrait enfin chez lui. Cameron lui sauta dans les bras avant qu'il ne puisse se défaire de son uniforme. Le Chevalier l'étreignit avec amour et parsema son cou de baisers.

– Pourquoi êtes-vous ici ? s'étonna Amayelle, qui arrivait de la chambre. Je croyais que nous étions au beau milieu d'une invasion...

Nogait remit son fils à son apprenti. Un seul coup d'œil de la part du soldat et Dianjin comprit qu'il voulait être seul avec son épouse. L'Écuyer emmena Cameron dans le petit salon pour lui raconter leurs dernières aventures.

– S'est-il produit un malheur ? s'énerva la Princesse des Elfes.

– Pas à ce que je sache.

Il attira sa femme dans ses bras et l'embrassa jusqu'à ce qu'elle se calme. Puis, avec douceur, il glissa la chaînette dans sa main. Amayelle sursauta, recula et examina le bijou.

– Mais c'est une *azilianine* ! s'exclama-t-elle, surprise.

– Si tu le dis.

– Où l'as-tu eue ?

– Je patrouillais ton ancien pays lorsqu'un dénommé Oliek m'a remis ce présent en me disant qu'il te plairait.

– Le fils de Nasha ?

– Je n'en sais franchement rien.

– Elle est vraiment pour moi ?

– J'ai tenté de la porter, mais elle est trop petite, se moqua-t-il.

Amayelle lui donna une claque amicale sur la poitrine. Elle sauta sur leur lit et découvrit son mollet. Nogait passa la parure autour de sa cheville.

– Oliek t'a-t-il dit qu'un Elfe offre une *azilianine* à une femme pour sceller les liens du mariage en vertu de notre loi ?

– Je viens de t'épouser une seconde fois ?

– Oui, *anyeth*.

Nogait détacha sa cuirasse et sa ceinture d'armes. Elles s'écrasèrent sur le sol, tandis que leur propriétaire grimpait sur le lit pour caresser les oreilles pointues de la plus belle Elfe du monde.

Falcon retrouva avec plaisir sa petite famille. Son Écuyer Alex alla porter ses affaires dans sa chambre contiguë à la sienne. Ambre, l'apprentie de Wanda, fit de même. Heureux de voir son père, Nartrach se laissa étreindre et accepta même ses baisers. Le Chevalier le garda dans ses bras en prenant place sur le lit de leur chambre. Il écouta patiemment le récit de tout ce qui s'était passé au château depuis qu'il en était parti. Wanda les observait avec ravissement. Leur gamin commençait à se montrer plus amical envers les autres enfants et plus gentil avec sa mère. Armène avait aussi remarqué sa nouvelle docilité.

– On va capturer le dragon ? termina Nartrach.

– S'il revient par ici une autre fois, nous allons certainement essayer, affirma Falcon.

– Avec moi ?

– Si tu fais ce que je te demande.

Nartrach lui promit tout ce qu'il voulait.

– J'ai eu une idée en rentrant au château, annonça Falcon avec un sourire taquin.

– Quelque chose d'amusant, au moins ? voulut savoir Wanda.

– Ce n'est plus un secret que Santo est follement amoureux de la plus jeune sœur de Sage. Puisque notre frère est d'une timidité maladive, je suggère que nous lui forcions un peu la main afin qu'il soit enfin aussi heureux que nous.

– Et s'il le prenait mal ?

– Santo ? Sois sans crainte. Je le connais mieux que lui-même. Il sera certainement embarrassé, mais il nous remerciera de l'avoir poussé dans les bras de Yanné.

Leurs Écuyers sur les talons, ils visitèrent chacun des Chevaliers afin d'exposer ce plan de mariage. Tous se dirent d'accord. Ils iraient chercher la famille de Sutton et prépareraient cette grande fête en secret. Même Wellan approuva l'idée de célébrer cette union si attendue. Les réjouissances qui s'ensuivraient permettraient également à ses soldats de se détendre.

Tous les participants à cette intrigue jouèrent leurs rôles à merveille. Si bien qu'un peu avant le coucher du soleil, quatre jours plus tard, ils avaient réussi à cacher la famille de Yanné au palais sans que Santo s'en aperçoive. La future épouse rayonnait. Amayelle lui fit enfiler une magnifique robe de velours et ses servantes coiffèrent ses longs cheveux auburn.

Un peu avant le début des festivités, Ariane entra dans la cour du château en menant son cheval au pas. Chloé fut la première à remarquer son arrivée. Elle sauta du porche et courut à sa rencontre devant les enclos.

– Comment te sens-tu ? s'inquiéta l'aînée en voyant sa mine déconfite.

– Je suis encore sous le choc, mais je m'en remettrai.

Chloé confia la monture aux palefreniers et conduisit sa sœur d'armes aux bains, lui disant qu'elle avait tout juste le temps de se rafraîchir avant la cérémonie qui mettrait enfin un terme au célibat de Santo. La Fée entra dans l'eau chaude tandis que sa sœur s'asseyait sur les carreaux brillants, près du bassin. Chloé l'informa du retour d'Hadrian d'Argent et de la découverte de Danalieth, qui devait rester secrète. À son tour, Ariane lui relata son étrange aventure au pays de ses ancêtres.

– Kardey est vivant et enceinte de surcroît ? répéta Chloé, incrédule. Mais les hommes ne sont pas conçus pour avoir des enfants.

– Pas chez les humains. C'est différent chez les Fées. Le problème, c'est qu'il ne pourra plus jamais quitter ce royaume. Il ne survivrait pas ailleurs.

– Mais toi, tu le fais pourtant ?

– Je ne suis pas un mâle.

« Il est vrai que ce peuple n'a jamais envoyé d'hommes pour devenir Chevaliers », réfléchit Chloé.

– Ils mourraient au bout de quelques mois, affirma Ariane.

– Puisque nous devrons attendre quelques années que l'ennemi sorte de terre, va vivre avec ton mari. Emmène ton apprentie et entraîne-la dans le magnifique univers des Fées.

– C'est une solution très intéressante. J'en parlerai à Wellan.

Les Chevaliers se parèrent de leurs plus beaux atours. Santo était à lire dans le jardin lorsque ses frères aînés vinrent le chercher. Il arqua les sourcils en les voyant ainsi revêtus de leurs uniformes d'apparat.

– On dirait que j'ai manqué quelque chose, nota-t-il.

– Pas pour longtemps, se moqua Jasson.

– Allez, suis-nous pour qu'on te mette beau, le pressa Bergeau.

– Me direz-vous au moins pourquoi ?

– Nous donnons une petite fête pour un important personnage, répondit Wellan avec un sourire dont le guérisseur aurait dû se méfier.

Il crut qu'il s'agissait du Roi Hadrian. Il suivit ses compagnons jusqu'à l'aile des Chevaliers en se demandant pourquoi ils le surveillaient ainsi. Dempsey attacha les courroies de sa cuirasse et Falcon fixa sa longue cape verte.

– Je crois que ça ira, déclara Jasson, satisfait.

Ils mirent le pied dans la cour une heure plus tard. Elle était bondée. Tous les flambeaux avaient été allumés sur les murs. Le Roi Onyx, son ami Hadrian et maître Hawke se tenaient sous le dais royal de l'estrade qu'on dressait pour les grandes occasions.

– Une petite fête ? chuchota Santo à Wellan.

– Tu vas adorer.

Le guérisseur s'approcha de la tribune. Onyx lui fit signe d'y monter. Il s'exécuta, croyant que ses frères l'y suivraient, mais s'y retrouva seul avec les illustres personnages. Il allait questionner son souverain lorsque les trompettes retentirent sur le porche du palais. Le silence se fit graduellement dans l'assemblée. Les portes s'ouvrirent et Yanné s'y présenta telle une apparition divine. Alors là, tout devint clair. La jeune femme parcourut l'allée que créaient pour elle les Chevaliers. Elle grimpa les quelques marches en tendant la main à son futur époux. Le guérisseur la saisit en tremblant.

– Ce soir, nous ne célébrerons pas un, mais deux mariages, annonça le Roi d'Émeraude d'une voix forte.

Tous échangèrent des regards stupéfaits. Élizabelle sortit alors de sa maison, conduite par son père. Elle portait une longue robe blanche sertie de joyaux de toutes sortes. Ses cheveux étaient tressés dans son dos.

– Tu le savais, toi ? murmura Jasson à Wellan.

Le grand chef secoua négativement la tête. Le nouveau dirigeant du royaume était un homme particulièrement cachottier. Morrison s'arrêta au pied de l'estrade et laissa sa fille continuer seule. Wellan se demanda ce qu'Onyx avait bien pu lui promettre pour qu'il accepte de donner la main d'Élizabelle. Hawke faillit perdre conscience en voyant arriver l'élue de son cœur en robe de mariée. Il n'arrivait pas à croire qu'on lui ait damé le pion.

– C'est vous qu'elle désire, lui dit Onyx pour éviter une scène.

– Moi ? s'étrangla l'Elfe.

– Je suis votre roi, ne l'oubliez pas. J'ai parfaitement le droit de vous contraindre à vous marier.

Élizabelle s'immobilisa devant son futur époux. Ce dernier était si énervé qu'il avait caché ses mains dans ses manches. Sans lui faire de reproche, la jeune femme s'accrocha plutôt à son bras. Onyx prononça les paroles d'usage en changeant quelques mots. L'intonation de sa voix laissait entendre qu'il avait commencé à fêter avant tout le monde. D'une humeur fort agréable, il écourta la cérémonie, au grand bonheur de l'assemblée.

Les Chevaliers et les Écuyers félicitèrent les nouveaux époux qui circulaient dans la cour. Les musiciens se mirent à jouer et les barils commencèrent à se vider. Les jeunes se lancèrent tout de suite dans la danse. Les plus âgés se massèrent autour de Morrison pour le féliciter sur le choix de son gendre.

– Tu nous as pourtant dit que tu ne la laisserais jamais se marier, le taquina Dempsey.

– Le roi m'a dit qu'il accorderait sa main à un prince de la côte si je ne laissais pas le magicien l'épouser, grommela le forgeron.

– Il t'a fait des menaces ! s'indigna Falcon.

– En quelque sorte.

– Il va falloir se faire à l'idée que nous avons un monarque bien différent de celui qui nous a recueillis, soupira Jasson.

Wellan se contenta de tourner la tête vers la tribune. Onyx et Hadrian bavardaient, assis sur les marches de bois, une chope à la main. « J'imagine un peu comment c'était au Royaume d'Argent », songea le grand chef. Il scruta la cour avec attention. Les Écuyers, laissés à eux-mêmes, s'étaient mêlés à la farandole ou aux jeux d'adresse. Derek parlait avec Miyaji en lui montrant les gens du doigt, probablement pour lui apprendre leurs noms. La captive semblait s'adapter à sa nouvelle vie. Il était bon d'avoir un autre puissant guérisseur au château, surtout lorsque Santo partait à la guerre. Jahonne était assise avec Sage et Kira. Wellan se demanda de quoi ils pouvaient bien parler. Puis la musique devint plus calme, donnant l'occasion aux véritables danseurs de montrer leur savoir-faire. Maïwen sirotait un bon vin du sud en observant les couples qui se divisaient en deux lignes.

— J'ai perdu beaucoup de mes facultés, mais je sais encore danser, chuchota Kevin.

Elle sursauta et faillit renverser la boisson. Les pupilles verticales de son mari étaient bien plus impressionnantes que celles de Kira, car celui-ci avait les yeux bleu ciel. La faible lueur des torches lui permettait d'y voir clair dans la cour.

— Il y a longtemps que j'attendais ce moment, lui sourit Maïwen.

Kevin lui prit la main et l'emmena parmi les autres. Nogait remarqua son initiative.

— On dirait qu'il se remet de son isolement, lui dit sa femme.

— Il va de mieux en mieux.

Il entraîna lui-même Amayelle afin de se placer parmi les danseurs avant que les musiciens ne commencent la bourrée. Ils virent que Chloé avait réussi à arracher son mari de sa discussion politique avec Morrison. Mais Bridgess n'eut pas autant de succès. Wellan tourna les talons en la voyant approcher. Heureux comme un roi, Hawke accepta pour la première fois de sa vie d'apprendre quelques pas pour faire plaisir à sa nouvelle épouse. Il était vraiment beau à voir. Quant à Santo et Yanné, ils s'étaient isolés près du mur. Enlacés, ils échangeaient de langoureux baisers sans que personne ne les importune.

– Cette trêve va nous donner le temps d'être ensemble, lui susurra-t-il à l'oreille. Pourrais-je vous emmener dans mon pays natal ? J'aimerais vous présenter mes parents.

– Vous êtes mon mari, sire Santo. J'irai où vous voudrez.

– Je préférerais que notre mariage en soit un où les époux sont égaux. Nous pourrions commencer par nous tutoyer, puis toujours nous dire franchement ce que nous pensons.

– Je suis d'accord et j'ai bien hâte de connaître ton père et ta mère, mon bel époux. Mais où vivrons-nous, à notre retour ? Dans la maison de mon père, comme tu me l'as promis ?

– Je demanderai la permission à Wellan de partager la vie de ta famille, tout en lui promettant de former mon apprenti. Ce qui me fait penser que je devrais le confier à un de mes compagnons durant notre lune de miel.

Il pensa tout de suite à Mann, son ancien Écuyer, qui dispensait le même genre d'enseignement que lui à son propre Écuyer.

– J'adore cette petite lueur qui apparaît dans tes yeux quand tu as une bonne idée, s'amusa-t-elle.

– Tu vas apprendre durant les prochains mois que je suis un véritable livre ouvert.

– C'est rassurant pour une femme.

Santo la serra contre lui en ressentant la joie qui se dégageait de la cour. Il observa les danseurs. Ses compagnons méritaient vraiment ce temps d'arrêt. Nogait alla évidemment se placer près de Kevin, tandis que la Princesse des Elfes rejoignait Maïwen dans la ligne formée par les femmes. Ils virent alors Kira qui tirait Sage vers eux. Les trois amis furent de nouveau réunis.

– Avez-vous remarqué que nous avons tous épousé une femme inhabituelle ? leur dit Nogait.

– Qu'est-ce que tu insinues ? se hérissa Kira.

– Mon épouse est une Elfe, celle de Kevin est une Fée et celle de Sage est une...

– Fais attention, Nogait, l'avertit Kevin.

Il n'eut pas le temps de terminer sa phrase. Le chef des musiciens signala le début de la danse. Sage n'était pas le plus habile des trois compères, mais il se débrouillait bien quand le rythme n'était pas trop rapide. Ils oublièrent tous leurs soucis et se concentrèrent sur leurs pas.

Contrairement à la plupart des mortels, Onyx pouvait absorber une quantité prodigieuse de vin avant de perdre complètement la tête. Il avait déjà toute une urne à son actif lorsque la griffe sur son doigt lui causa une terrible douleur. Le renégat comprit tout de suite l'avertissement. Il laissa tomber son gobelet et sauta sur le sol, les yeux levés vers le ciel.

Attention ! hurla-t-il, par télépathie.

Les Chevaliers cessèrent leurs jeux et chargèrent leurs paumes en même temps. Les serviteurs et les habitants du château qui n'étaient pas des êtres magiques furent remplis de terreur, car ils se rappelaient l'attaque des chouettes. Santo plaça Yanné derrière lui et sonda les alentours, comme ses frères. Une bête piquait rapidement sur la forteresse. Elle provenait de la Montagne de Cristal.

– C'est le dragon ! s'écria Nartrach, tout excité. Papa ! Il faut l'attraper !

Wanda cueillit son fils et courut le mettre à l'abri malgré ses protestations. Falcon rejoignit ses frères au milieu de la cour. Cette créature volante venait de signer son arrêt de mort. Jamais elle n'atteindrait le château avec toutes ces mains allumées qui l'attendaient. Même les Écuyers s'étaient mis en position de combat. « Il vient chercher sa maîtresse », devina Wellan, au milieu de son armée. Il jeta un coup d'œil à Miyaji. Elle était figée. « Elle devrait pourtant être remplie de joie », pensa le grand Chevalier. Quelque chose ne tournait pas rond. Pouvait-il s'agir d'un autre dragon ?

Un cri strident déchira la nuit. Les soldats levèrent les bras, prêts à se défendre. Le monstre était presque sur eux. Onyx et Hadrian s'étaient faufilés au milieu des guerriers magiques. La griffe du roi rugissait maintenant comme un chat sauvage de Rubis. « Pour un vulgaire dragon ? » s'étonna-t-il. Les instruments de pouvoir ne se déchaînaient que contre les dieux et les Immortels. Le renégat chercha Wellan du regard. Ses spirales étaient incandescentes. Il s'agissait bel et bien d'une attaque céleste. Onyx voulut élever un bouclier d'énergie sur son château. Un éclair bleuâtre partit du toit du palais et le frappa en pleine poitrine.

— Non ! cria Swan en le voyant s'écraser sur le sable.

Cet instant d'inattention permit au dragon de foncer dans la mare compacte des Chevaliers. Il les laboura comme le soc d'une charrue, infligeant des blessures à tous ceux qu'il toucha avec ses serres. *Stellan, stop !* commanda Miyaji en courant rejoindre les guerriers. Un second éclair bleu la frappa. Cette fois, il provenait de la muraille, du côté ouest. La femme bleue roula plusieurs fois sur elle-même avant de s'immobiliser, face contre terre. Wellan dirigea ses paumes vers les créneaux. Les spirales crachèrent un tourbillon de feu. Sa cible s'était déjà déplacée.

Plus loin, Kira avait choisi de conserver ses forces. Elle ressentait la douleur de ses frères blessés, mais elle ne pouvait pas se laisser distraire, sinon ils étaient tous perdus. Le dragon n'était pas leur seul ennemi. Une autre créature se promenait en volant d'un bâtiment à l'autre. De surcroît, sur la Montagne de Cristal, elle sentait une sombre présence. Le dieu déchu s'était-il allié à l'Empereur Noir pour éliminer les principaux défenseurs d'Enkidiev ? La Sholienne courut jusqu'à Wellan.

— Ils sont deux, indiqua-t-elle. Un dieu déchu et Asbeth. Il faut se diviser pour neutraliser ces différents agresseurs.

— Où est Akuretari ? voulut savoir le grand chef.

– Sur la montagne.

– Occupe-toi du corbeau.

– Avec plaisir.

Utilisant la télépathie, le grand chef ordonna à ses hommes de tuer le dragon, par tous les moyens. Les Chevaliers indemnes cherchèrent la créature dans le ciel. Elle effectuait un crochet, probablement pour foncer dans la cour une fois de plus.

Asbeth sautait d'un merlon à l'autre, se dissimulant derrière un écran d'invisibilité. Chaque fois qu'il lançait un rayon mortel sur un de ses opposants, il pouvait être repéré. Mais c'était un risque calculé. Il devait éliminer lui-même les plus forts des soldats pour permettre au dragon de faire son travail. Il savait également que le demi-dieu Ucteth le surveillait du haut du grand pic rocailleux. En rapportant ses prouesses à l'empereur, l'Immortel lui ferait marquer des points.

L'homme-oiseau avait choisi deux cibles importantes : la fille d'Amecareth et son ignoble mari qui avait osé lui loger ses flèches dans la peau lors d'une attaque passée. Cette fois, ils paieraient tous les deux pour leur audace. Il émit un cri strident : Stellan fonça. Les yeux perçants de la bête repérèrent celui dont le mage noir avait imprimé l'image dans son esprit. Les rayons fusèrent de toutes parts. Le dragon sentit leur chaleur sur ses écailles. Il rasa le sol, bousculant les hommes vêtus de cuirasse, et saisit Sage. Kira eut juste le temps de se retourner. Son mari se débattait dans les griffes du monstre ! Avant qu'elle ne puisse réagir, le dragon disparaissait dans la nuit avec son butin.

– Non ! hurla-t-elle.

Sa voix soudainement puissante fit trembler les fondations de la forteresse. Elle courut à en perdre haleine, grimpa l'escalier de bois et sauta sur un créneau. Instinctivement, elle leva les bras. Tout son corps s'illumina d'une puissante lumière violette. Asbeth comprit que s'il n'intervenait pas rapidement, elle abattrait Stellan. Il lança sur-le-champ un rayon indigo sur la fille de l'empereur. La décharge la frappa dans le dos et la balança dans le vide.

Au sol, Kevin aperçut le responsable de tous ses malheurs. Il retira ses bottes en vitesse et escalada le mur comme une araignée. Liam crut que la dernière heure de son maître était venue. Il ne pouvait évidemment pas le suivre, mais il pouvait encore le seconder. Tout comme Kira, il gravit les marches en vitesse et courut sur la passerelle.

Kevin saisit l'une des serres de l'homme-oiseau debout sur le merlon. Asbeth secoua furieusement la patte pour décrocher son assaillant. Le Chevalier y enfonça ses griffes. Voyant qu'il n'arriverait pas à s'en débarrasser facilement, le sorcier laissa partir un faisceau ardent sur la tête de l'insolent. Kevin hurla de douleur. Portant les mains à son visage, il retomba dans la cour. Le mage noir n'était toutefois pas au bout de ses peines. Un barrage de rayons incandescents enflamma les plumes de son aile. Il décolla avant que tout son corps ne subisse le même sort. Liam continua de bombarder son ennemi jusqu'à ce qu'il perde sa trace.

Sur une corniche du pic rocheux, au pied duquel se dressait le Château d'Émeraude, Akuretari assistait passivement au combat. Le sorcier avait réussi à neutraliser Onyx, mais la divinité captait toujours l'instinct d'agression de la griffe de Danalieth. Il ressentait aussi la présence d'une autre arme spéciale. Heureusement, son possesseur ne savait qu'en faire. C'était le moment idéal d'éliminer ces gêneurs. Sous sa forme de gavial, il se matérialisa au milieu de la cour. Dempsey lui bloqua aussitôt la route. Les jets d'énergie n'eurent pas le temps de quitter ses paumes. Le dieu déchu lui opposa un pouvoir de lévitation qui l'envoya choir au milieu des blessés. Wellan perçut la menace. C'était Onyx que cherchait le dieu déchu. Ce n'était pas le moment de concevoir une stratégie : le chef des Chevaliers devait protéger son roi. Il chargea son adversaire, paumes relevées. Akuretari ne fit qu'un geste. Wellan tomba à genoux, entraîné par ses mains qui s'enfoncèrent dans le sable. Le grand Chevalier tenta de se dégager, en vain. Il leva un regard impuissant sur l'alligator. Satisfait d'avoir neutralisé les spirales, Akuretari se tourna vers le renégat inconscient.

– Je t'ai dit que tu avais commis une grave erreur, Onyx, railla-t-il.

Son épouse Chevalier se précipita devant lui pour recevoir le coup à sa place.

– Ne parlez pas trop vite, s'opposa une voix féminine qui n'était pas celle de Swan.

Une jeune fille marcha au travers des Chevaliers meurtris et se plaça entre le gavial et sa proie. Elle portait une longue robe rouge aux reflets changeants. Wellan reconnut les traits de la fille de Danalieth. « Mais elle n'est qu'une enfant », s'alarma-t-il en continuant de tirer sur ses mains.

– Toute cette vaillante armée n'a pas réussi à me terrasser et tu crois y arriver ? s'amusa Akuretari.

– Toute cette armée ne possède pas ceci.

Elle dégagea ses poignets de ses manches. Ses bracelets étincelèrent.

– À moins de n'avoir pas été instruit par vos semblables, vous savez certainement que la combinaison de deux de ces armes peut vous réduire à néant.

Swan retourna son mari sur le dos pour dégager sa main armée de la griffe.

– Qui es-tu ? tonna Akuretari.

– Celle qui passera à l'histoire, car elle aura débarrassé le monde d'une très grande menace.

Voyant que Swan pointait maintenant le petit dragon vers le dieu déchu, Dinath ramena ses poignets l'un vers l'autre, intensifiant l'éclat des bracelets de foudre. Avant qu'ils ne se touchent, Akuretari avait disparu. La lumière s'amenuisa aussitôt. L'adolescente se pencha sur Onyx que sa femme tentait de ranimer, en vain. Sa griffe haletait au bout de son majeur, aussi meurtrie que son possesseur. Elle n'aurait pas fait beaucoup de dommage au gavial, dans cet état.

– Pouvez-vous l'aider ? implora Swan.

La jeune fille sortit un flacon de sa ceinture et donna à boire à la griffe. Le regain de puissance du petit dragon argenté se transmit instantanément au renégat. Il s'assit brusquement, cherchant son ennemi.

– Il est parti, répondit Dinath à sa question silencieuse.

Swan lui arracha presque ses vêtements pour examiner sa blessure.

– Je vais survivre, grommela-t-il.

– Tais-toi et laisse-moi soigner cette brûlure.

Onyx comprit à son regard chargé de menace qu'il était préférable de la laisser refermer la plaie. Il voulut remercier Dinath, mais elle n'était nulle part.

Le bras ensanglanté, Jasson réussit à se rendre jusqu'aux grandes portes que personne n'avait eu le temps de refermer. Il courut sur le pont-levis, utilisant ses sens magiques pour retrouver Kira dans le noir. Il crut apercevoir un corps flottant dans les douves. Sans hésitation, il sauta dans l'eau, s'empara de la Sholienne et la ramena sur la terre ferme.

– Kira ! cria-t-il en la secouant.

Il posa ses deux mains sur sa poitrine et lui transmit une décharge. Elle poussa un cri angoissé en se redressant. Jasson lui agrippa les poignets.

– Sage ! hurla-t-elle, désemparée.

– Nous allons le retrouver.

La princesse mauve voulut se relever, mais ses muscles refusèrent de lui obéir. Constatant qu'elle ne pouvait pas se mettre à la recherche de son époux, elle éclata en sanglots. Jasson la serra contre lui sans savoir quoi dire. Il la laissa pleurer un moment, puis la souleva dans ses bras et la ramena dans l'enceinte où les Chevaliers s'occupaient de leurs compagnons blessés.

Nogait, Amayelle et Maïwen réparaient patiemment les os cassés de Kevin sous le regard désemparé de Liam. Santo circulait d'un soldat à l'autre pour vérifier leur état. Morrison creusait le sol pour libérer Wellan. Derek était penché sur le corps immobile de Miyaji, ne sachant que faire pour la traiter, car sa physionomie lui était tout à fait inconnue. Jahonne s'accroupit près d'eux.

– Laissez-moi faire, offrit-elle.

L'Elfe hocha doucement la tête : il n'avait rien à perdre. Attentivement surveillé par Swan, Onyx passa près d'eux. Il jeta un coup d'œil aux deux femmes de couleurs différentes. Il ne pouvait rien faire pour la prisonnière. Il poursuivit sa route, son épouse sur les talons. Il trouva Hadrian en train de soulager lui aussi les blessés.

– Vous avez une façon bien particulière de fêter les mariages, lui dit le Roi d'Argent.

Son commentaire fit presque sourire Daiklan malgré la douleur que lui causait l'entaille sur son bras.

– Nous ne faisons rien à moitié, répliqua Onyx. Y a-t-il des morts ?

– Pas à ce que je sache.

Le Roi d'Émeraude vit Jasson traverser la cour, Kira dans ses bras. Swan lui avait raconté ce qui s'était passé durant son inconscience. Le sauvetage de Sage allait devenir leur priorité.

46

UN ÒUR RÉTABLISSEMENT

L'attaque simultanée du dragon, du sorcier et d'Akuretari n'avait duré que quelques minutes, mais ses séquelles se prolongeraient certainement pendant des semaines. Lorsqu'il apposa ses mains lumineuses sur la dernière plaie, Santo était mort de fatigue. Sa nouvelle épouse le conduisit jusqu'à sa chambre de l'aile des Chevaliers. Le pauvre homme avait du mal à marcher. Elle l'aida à s'allonger sur son lit et se blottit contre lui.

Une fois ses mains libérées, Wellan parcourut la cour. Il fut bien surpris de ne trouver aucun mort sur ce curieux champ de bataille. Certains de ses compagnons avaient été profondément lacérés par les puissantes griffes du dragon, d'autres avaient été atteints par les tirs d'Asbeth. Mais personne n'avait péri. Wellan remercia une fois de plus sa protectrice.

Il fut évidemment le dernier à rentrer au palais. Il avait déjà envoyé les apprentis se coucher. Lui n'avait certes pas l'intention de dormir. Il passa devant le hall et y entendit des sanglots. Jasson, Jahonne et Sanya tentaient de réconforter Kira. Keiko était agenouillée devant l'âtre et conservait un silence respectueux.

– Il est toujours vivant, assura Wellan, pour rassurer la Sholienne.

– Pourquoi l'avoir pris, lui ? pleura-t-elle.

– Je n'en sais rien.

– Je dois partir à sa recherche.

– Nous en reparlerons au matin.

– C'est maintenant qu'il faut se mettre en route !

– Pour aller où ? À moins que ta peine ne t'empêche d'utiliser tes pouvoirs magiques, tu sais aussi bien que moi qu'il est toujours prisonnier du dragon et que l'animal ne s'est pas encore arrêté. Nous ne sommes même pas certains qu'il l'emmènera sur Irianeth.

La princesse mauve baissa misérablement la tête.

– Je continuerai de le suivre cette nuit et nous partirons dès que nous le pourrons, ajouta Wellan. C'est le mieux que je puisse faire.

– Elle comprend, répondit Jasson. Nous resterons avec elle.

– Merci, mon frère.

Wellan poursuivit sa route. Il s'arrêta à toutes les chambres de ses soldats pour s'assurer qu'ils se portaient bien. Bridgess sortit de la leur. Le grand chef lui ouvrit les bras et elle s'y réfugia.

– Athalée, Lassa et Jenifael dorment dans notre chambre. Swan n'était pas en état de s'occuper de notre fille, ce soir.

Je sais que c'est une infraction au code, mais toute cette soirée a été un véritable désastre.

– Ils ont été très braves.

– J'ai eu si peur que ce soit notre fille qu'ils cherchaient...

– Elle aurait fait rôtir le dragon, tu le sais bien.

Il aurait voulu que la plaisanterie la fasse sourire un peu. Bridgess était trop bouleversée.

– Va dormir, exigea-t-il. Je vais poursuivre ma ronde et je vous rejoindrai un peu plus tard.

Elle accepta ce commandement déguisé à contrecœur. Il l'embrassa sur le front et la poussa gentiment vers la porte. Une fois qu'il eut parcouru toute l'aile, Wellan grimpa l'escalier et sonda les chambres royales. Nogait avait emmené Kevin, Maïwen et leurs Écuyers chez lui, ainsi que Sutton, Galli et la sœur de Yanné. Nogait et Kevin étaient les meilleurs amis de Sage...

En longeant le couloir, le grand Chevalier capta un chagrin encore plus profond. Il fonça dans les appartements de Kira et y trouva le jeune Cassildey, en boule devant le feu. Dans la confusion, personne ne s'était préoccupé de l'apprenti de l'Espéritien. Wellan le saisit par les bras et l'étreignit.

– Tu ne devrais pas être ici, tout seul, chuchota le soldat en lui frottant le dos. Viens, nous avons de la place pour toi.

– On dit que les dragons dévorent leurs proies, sanglota l'adolescent.

– On dit bien des choses.

Wellan le ramena dans l'aile des Chevaliers et le confia à Chloé et Dempsey. Le couple accueillit sans hésitation le garçon éploré et l'installa avec ses propres Écuyers. La femme Chevalier revint ensuite vers son chef.

– Est-ce que ça va ?

– Ne t'inquiète pas pour moi. J'ai appris à refaire mes forces rapidement, même si c'était auprès d'un dieu déchu.

Chloé l'embrassa sur la joue en lui insufflant une vague de réconfort. Elle retourna dans sa chambre où ils étaient à l'étroit, mais en sécurité. Wellan sortit dans la cour. L'odeur du sang continuait de flotter dans l'air. Il scruta la région. Leurs ennemis s'étaient volatilisés. Il porta son attention sur chacun des bâtiments. Armène veillait sur les enfants du roi. Il vit Morrison debout devant sa maison, un marteau à la main.

– Ils sont à des lieues, annonça le grand Chevalier en marchant vers lui.

– Je ne fais pas confiance aux sorciers, gronda le forgeron.

– Où sont votre fille et votre gendre ?

– Dans le palais. C'était plus sûr.

– Morrison, je suis vraiment désolé que notre nouveau roi vous ait ainsi forcé la main.

– C'était sans doute pour le mieux. Élizabelle s'était attachée à cet Elfe, de toute façon.

– Vous n'aimez pas notre magicien, si je comprends bien.

– Je vois mal comment un professeur pourra protéger ma fille.

– Il a reçu le même enseignement que nous, mon ami. Faites-lui un peu confiance.

Les deux hommes allèrent s'asseoir sur le banc devant la maison afin de surveiller le ciel ensemble.

47

LE SACRIFICE

Sage se débattit durant la première partie de ce terrifiant voyage sous les étoiles. Il perdit rapidement des forces. Les rayons enflammés de ses mains incommodaient le monstre volant, mais ils ne l'empêchaient pas de poursuivre sa route. L'hybride se laissa donc transporter sans lutter. Le froid intense qui régnait à cette altitude finit par engourdir la douleur que causaient les serres du dragon enfoncées dans sa peau. Il chercha plutôt à s'orienter, même s'il n'était pas un expert en géographie. Il se concentra et retrouva l'énergie des Elfes, très loin derrière lui. On l'emmenait donc en sens inverse, vers Irianeth. La créature avait sans doute l'intention de le dévorer dans son propre nid.

Le Chevalier passa le reste du trajet à rassembler ses forces pour un dernier combat. Il pensa à Kira qui serait ravagée par la douleur. Elle avait été sa plus grande joie, son seul amour. Il revit aussi ses faucons. Il en avait élevé beaucoup. Ils étaient tous partis un jour pour vivre leur propre vie. Comme des enfants qui grandissent...

Le dragon piqua vers le sol. Sage sentit son estomac se comprimer. La bête se posa brutalement sur une corniche sans se soucier que sa prise s'était mise à vomir toute la nourriture qu'elle avait absorbée pendant le festin. Stellan libéra le soldat et recula. Sage trembla sur ses jambes, mais réussit à se lever. Il chercha son épée sur sa hanche : elle n'y était plus. Il chargea ses mains, prêt à défendre sa vie. Le monstre ne bougea pas. Ses énormes yeux rouges fixaient l'humain. Cependant, il ne rétractait pas son cou. Le soleil commençait à se lever derrière les montagnes déchiquetées. L'Espéritien jeta un coup d'œil derrière lui. Il était perché très haut sur l'une d'elles. Derrière le dragon, se dessinait l'entrée d'une grotte. Les dragons dormaient-ils ? Si oui, il pourrait tenter de s'échapper. Un personnage familier atterrit alors devant lui : Asbeth ! Sage sentit le sang bouillir dans ses veines. Il laissa partir des flammes de ses paumes. Elles se brisèrent sur le bouclier du sorcier.

– Si je n'avais pas un si grand besoin de toi, je te tuerais tout de suite, cracha l'homme-oiseau.

Wellan ! appela Sage, désespéré. *Kira ! M'entendez-vous !* Le sorcier saisit l'hybride par la gorge et le traîna vers l'ouverture dans la montagne. Asbeth était incroyablement fort pour une créature de sa taille. Sage avait du mal à respirer. Le mage le traîna sans difficulté dans un interminable couloir arrondi. Il ne s'arrêta qu'une fois dans une alcôve creusée dans la pierre. L'homme-oiseau le souleva de terre et le déposa sur un autel de roc.

– Ne perds pas ton temps à les appeler, croassa l'homme-oiseau. Ucteth a jeté un sort au temple de Listmeth. Aucune magie ne fonctionne ici.

Le Chevalier se tortilla pour échapper à l'emprise de son geôlier. Il sentit des anneaux de fer se refermer sur ses poignets, puis sur ses chevilles.

– Vous ne tirerez rien de moi ! hurla-t-il, furieux.

– Nous ne voulons que ton sang, pour nous attirer les bonnes grâces du ciel. Tu es le premier humain d'Enkidiev qui sera sacrifié à notre dieu.

Sage n'avait jamais partagé les convictions religieuses de ses frères d'armes qui vénéraient tout le panthéon céleste. Il avait refusé de croire à l'existence des grandes plaines de lumière avant le retour du Roi Hadrian. Ce que le revenant en disait était plutôt encourageant. Sage aurait voulu se montrer brave. Il avait la gorge comprimée et les yeux pleins de larmes. « Je suis bien trop jeune pour mourir, mais si cet endroit est aussi beau que le dit le Roi d'Argent, alors ce sera mieux que la captivité sur Irianeth », pensa-t-il.

Un énorme scarabée entra dans le temple. C'était l'Empereur Noir lui-même ! Amecareth tenait dans sa main à quatre doigts un grand couteau recourbé. Sage détourna le regard. Il espéra seulement que sa mort soit rapide et sans douleur. Il se força à rappeler à sa mémoire les beaux souvenirs de sa vie. L'homme-insecte se mit à psalmodier dans sa langue métallique. Il implorait une grande liste d'ancêtres ainsi que Listmeth lui-même de l'aider à exterminer la race humaine une fois pour toutes. « Je ne verrai pas les enfants de mes sœurs », songea le soldat en sombrant davantage dans le désespoir.

De sa main libre, l'empereur arracha les courroies de la cuirasse de sa victime. Sage étouffa un cri de terreur. Les plaies infligées par les serres du dragon se mirent à saigner abondamment. Amecareth se pencha sur sa poitrine. L'Espéritien crut qu'il allait lui arracher le cœur, mais son bourreau plongea doucement ses mandibules dans son sang. Il se releva si brusquement qu'il fit sursauter le Chevalier.

– Asbeth ! appela-t-il, apparemment en colère.

Le sorcier entra dans l'alcôve. Il se fondait presque dans les murs.

– Où l'as-tu trouvé ? voulut savoir l'empereur.

– Il combat avec les guerriers du Chevalier Wellan, celui qui a empoisonné l'esprit de votre fille.

– C'est faux ! cria Sage, outré. Elle agit en connaissance de cause !

– Que dit-il ? gronda Amecareth.

– Il proclame son innocence, fut forcé de traduire l'homme-oiseau.

– Il comprend notre langue ?

– Sa mère était une demi-sang du sanctuaire de l'Immortel Nomar et son père est un humain.

– C'est mon propre sang qui coule dans ses veines ?

– Mêlé à celui de la vermine, monseigneur.

– Comment se fait-il qu'il soit devenu soldat ?

Asbeth était fourbe, mais il savait aussi que son maître arrivait toujours à apprendre la vérité. Il était très dangereux de lui mentir.

– Il a épousé Narvath, lâcha-t-il, craignant le courroux de l'empereur.

Curieusement, celui-ci n'eut aucune réaction. Cet hybride, qui ressemblait à s'y méprendre à un humain, avait su gagner l'affection de son héritière.

— Voulez-vous que je vous laisse seul pendant que vous achevez le sacrifice, monseigneur ? tenta Asbeth.

— Il n'y aura pas de sacrifice, décida Amecareth.

— Dois-je vous rappeler ce qui s'est produit la dernière fois que nous avons gardé un prisonnier de sa race dans votre palais ?

— Celui-ci est différent.

Au lieu de couper la tête de Sage, comme l'exigeait la coutume, l'empereur enfonça la pointe du couteau dans sa propre paume jusqu'à ce qu'un flot de sang noir s'en échappe.

— Mais que faites-vous..., s'étrangla son sorcier.

— Ce soldat est l'époux de ma fille.

Amecareth appliqua sa main sur la bouche de Sage, le forçant à avaler son sang. L'Espéritien se débattit en vain. Pour ne pas suffoquer, il fut forcé d'avaler le liquide visqueux et dégoûtant. Satisfait, l'homme-insecte recula pour mieux le contempler.

— Il sera traité avec les hommages dus à son rang, décida-t-il.

L'opération maléfique d'Amecareth sur Sage eut pour conséquence de brouiller son esprit et de le relier à la collectivité. Le mince fil que Kira conservait avec son époux fut brusquement rompu. Elle se mit à trembler si fort qu'elle réveilla Sanya qui dormait près d'elle. La paysanne se redressa aussitôt.

– Kira, que se passe-t-il ?

– Sage est mort..., hoqueta-t-elle.

Sanya réveilla Jasson qui dormait dans l'autre lit avec son apprenti. Keiko avait plutôt choisi de se recroqueviller sur une natte près du mur, abritant la petite Katil dans ses bras. Le Chevalier se rapprocha des deux femmes.

– Le dragon l'a tué, pleura la Sholienne.

– Comment peux-tu en être certaine ?

– Le lien que je partageais avec lui est brisé...

La princesse descendit du lit et prit la fuite en hurlant. Jasson ne la poursuivit pas. Il savait qu'aucun de ses frères d'armes ne parviendrait à la consoler. Kira grimpa à ses appartements et décrocha toutes les tuniques de son mari pour les étreindre et humer l'odeur du seul homme qui lui avait ouvert son cœur. La pièce devint soudain glaciale. Comprenant ce qui se passait, la Sholienne se retourna lentement. Ses oreilles étaient complètement rabattues sur ses mèches violettes. Cela aurait pourtant dû mettre sa mère en garde. Mais la Reine Fan avait une mission à accomplir.

– Il est temps, Kira, lui dit-elle sur un ton dénué d'émotion.

– C'est vous qui l'avez fait tuer ! l'accusa Kira. Vous ne saviez pas comment me persuader de le quitter pour devenir plus puissante !

– Je n'ai rien fait de tel.

– Allez-vous-en ! Disparaissez de ma vie ! Je ne veux plus jamais vous revoir et je ne veux plus jamais entendre parler des dieux !

– Ton devoir est de sauver les hommes.

– Dites à Parandar de trouver une autre marionnette ! Ma seule raison de vivre a disparu !

Furieuse, la princesse saisit tout ce qui lui passait par la main et le lança à sa mère. Les objets lui traversèrent évidemment le corps sans lui faire le moindre mal.

– Je peux t'aider à faire la transition entre les deux mondes, poursuivit Fan, insensible à la douleur de sa fille.

– Je ne vous suivrai nulle part !

Des halos violets se formèrent sur les avant-bras de la femme Chevalier. Avant que la guerrière ne tue tout le monde dans le château, sa mère se dématérialisa en une pluie d'étincelles argentées. Kira se laissa tomber sur les genoux et pleura toutes les larmes de son corps dans les vêtements de Sage.

BIENTÔT

Les Chevaliers d'Émeraude

TOME X
Représailles

Lorsqu'ils émergèrent du vortex, les soldats de Chloé, Dempsey et Santo arrivèrent au milieu d'une bataille que les paysans d'Émeraude étaient en train de perdre. Le guérisseur et son apprenti étaient les seuls à se servir de magie pour étourdir des scarabées géants qui devenaient de plus en plus forts. Les paysans les frappaient à coup de fourches et de pelles, sans leur causer de dommages. Plusieurs de ces braves hommes gisaient çà et là, couverts de sang.

Les Chevaliers, accompagnés de leurs Écuyers, formèrent aussitôt une barrière humaine entre les fermiers blessés et l'envahisseur. Santo rejoignit Gabrelle, Brennan, Kerns et tous ses autres soldats. Il n'avait pas besoin de leur dire qu'il n'y avait qu'une façon de les tuer, car ils le savaient déjà. Cependant, il crut bon de les prévenir que ces larves étaient affamées et qu'elles cherchaient à se nourrir de chair humaine. D'ailleurs, Swan avait déjà remarqué qu'il manquait des lambeaux de peau sur le corps de certains des blessés.

Les soldats dégainèrent leurs épées pour tenter de sectionner les bras des coléoptères. Ils frappèrent de tous côtés, guettant une ouverture, mais ces insectes n'avaient pas été formés pour le combat. Ils étaient énormes et puissants. Leurs carapaces devenaient de plus en plus dures. Cependant, ils ne ripostaient pas aux coups des Chevaliers de la même manière que les guerriers noirs qui débarquaient sur les côtes. Ils cherchaient plutôt à mordre leurs adversaires. Herrior poussa un cri de douleur. Deleska, son apprenti, l'agrippa aussitôt par la ceinture pour le faire reculer. Le sang coulait à grands flots sur la main de son maître. Santo accourut pour refermer la plaie. Un peu plus loin, Zane se faisait labourer le bras.

— Ils essaient de nous manger ! s'exclama Nogait en évitant de justesse les mandibules acérées.

— Gardez vos distances ! ordonna Dempsey.

Son épouse avait plus de succès que ses compagnons. Travaillant de pair avec Coralie, son Écuyer, elles se servaient de leur pouvoir de lévitation pour soulever de grosses pierres ou des bouts de bois directement devant les yeux rouges de leurs adversaires. Lorsque ces derniers tentaient de les attraper avec leurs griffes, la guerrière et l'apprentie en profitaient pour abattre leurs lames dans leurs coudes. Mais les Chevaliers ne manipulaient pas tous les forces naturelles aussi habilement.

Soudain, Pierce s'écroula sur le sol, touché au cou. Kelly, Drew et Swan foncèrent sur le scarabée qui se penchait sur lui. Swan décocha un violent coup de pied dans la face hideuse de l'insecte pendant que son frère et sa sœur d'armes mettaient Pierce hors d'atteinte. Empoignant solidement son épée, la femme Chevalier attendit la réaction de la créature carnivore. Cette dernière poussa un sifflement très aigu qui eut pour effet de déconcentrer ses congénères. Cette maladresse leur coûta la vie. Alors qu'Harrison abattait le dernier coléoptère, d'autres imagos sortirent de terre comme des tournesols pressés de voir le soleil.

– C'est pas vrai, geignit Nogait, fatigué.

– Si on utilisait le feu ? proposa Gabrelle.

– Nous l'avons déjà fait sur la côte, répondit Dempsey. Non seulement les guerriers noirs ne le craignent pas, mais leur carapace les en protège.

– Je suggère de cesser les combats et de les tenir à distance, haleta Chloé.

– En faisant quoi ? s'étonna Swan.

– On pourrait construire magiquement un mur, suggéra Offman.

– Je devais être absent le jour où Élund vous a montré à faire un truc semblable, parce que je ne m'en souviens vraiment pas, grimaça Nogait.

Les Chevaliers et les Écuyers continuaient de reculer devant les nouveaux scarabées encore humides. Les paysans avaient eu le temps de récupérer les morts et les blessés.

– Nous possédons tous ce pouvoir au fond de nous, voulut les encourager Chloé.

Elle rengaina son épée et leva les bras. Un vent violent balaya les champs, mais les insectes ne s'en inquiétèrent pas. Tiraillés par la faim, ils suivaient leur odorat qui leur indiquait la présence d'un repas potentiel droit devant. Des arbres déracinés, des troncs morts, de grosses roches et des taillis voltigèrent au-dessus de la forêt avoisinante. La démonstration convainquit plusieurs des Chevaliers de tenter le tout pour le tout. En conjuguant leurs efforts, ils parvinrent à rassembler suffisamment de débris pour élever une barrière en forme d'arc devant les guerriers noirs.

Quelques scarabées voulurent gravir ce nouvel obstacle, mais ils ne purent y enfoncer leurs griffes en raison de sa protection magique. Irrités, ils se mirent à pousser des plaintes stridentes. Les humains se mirent les mains sur les oreilles pour protéger leurs tympans.

– Tout compte fait, je préférerais les affronter à l'épée ! cria Nogait.

Puis, les sifflements cessèrent. Les Chevaliers échangèrent des regards inquiets.

– Ne me dites pas qu'ils sont retournés sous terre ! se fâcha Hiall.

Dempsey sondait déjà la campagne.

– Ils s'éloignent dans l'autre direction, leur annonça-t-il.

Chloé se concentra intensément pour s'infiltrer dans l'esprit des imagos. En comprenant ce qu'ils tentaient de faire, elle sursauta.

– Ils vont s'attaquer aux animaux ! s'alarma-t-elle.

D'un seul geste de la main, elle créa une brèche dans la palissade de fortune. En groupe serré, une centaine d'insectes marchaient vers un troupeau de vaches qui paissaient sans se méfier.

– J'ai une idée ! s'enthousiasma Nogait. Poussons le bétail dans un endroit étroit où les hommes-insectes les suivront sans hésitation, puis formons un vortex qui les conduira quelque part où ils ne pourront pas survivre !

– Je dois avouer que c'est brillant, concéda Swan.

– Mais où pourrions-nous les expédier ? les questionna Kerns.

Anne Robillard

Les Chevaliers d'Émeraude

Représailles

EM Editions de Mortagne